육효사용설명서

서흠, 태미 공저

과학역연구소

육효사용설명서

발 행 | 2024년 04월 23일
저 자 | 서흠, 태미
펴낸이 | 한건희
펴낸곳 | 주식회사 부크크
출판사등록 | 2014.07.15.(제2014-16호)
주 소 | 서울특별시 금천구 가산디지털1로 119 SK트윈타워 A동 305호
전 화 | 1670-8316
이메일 | info@bookk.co.kr

ISBN | 979-11-410-8231-4

www.bookk.co.kr

목차

면 선 점

점, 선, 면은 도형의 기본 요소이자 사물을 이루는 필수 요소이다. 점이 모여 선이 되고 선이 모이면 면이 되고 이들이 모이면 체, 사물이 된다. 그럼 사물은 무엇일까? 사전적 의미로는 일과 물건을 아우르는 말이 된다. 그럼 일과 물건이 점 선 면으로 이루어져 있다는 말인가, 우리가 만질 수 있고 볼 수 있는 일정한 형태와 성질을 갖춘 사물이야 그렇다 쳐도 다수에 의해 다르게 해석될 수 있는 일, 추상적 사건조차 점 선 면의 집합이라니?

• 면

지금 펼쳐든 이 책의 한 페이지는 면이다. 책을 받치고 있는 책상의 널찍한 상판도 면이고 그 책상이 네발로 서 있는 바닥도 면이다. 또 한 가지, 우리가 두 발로 서 있는 지구도 면이라 생각할 수 있다. 그러니까 우리가 사는 이 세상, 공간은 면으로 이루어져 있다.

• 선

종이 한 장에 채워진 글은 오른쪽에서 왼쪽으로 이어지는 선이다. 선이 모이면 면이 되듯이 한 줄 한 줄 채워 나가다 보면 한 페이지가 된다. 그리고 우리가 글을 쓰든 글을 읽든 시간은 마찬가지로 흐른다. 태양이 동쪽에서 서쪽으로 오른쪽에서 왼쪽으로 뜨고 지며 일정한 궤도를 그리는 것과 같이 시간은 선이 된다.

• 점

점이 모이면 선이 된다고 했다. 그렇다면 점은 시간 위의 한 점, 그 때, 그 시간, 그 사람, 그 물건처럼 시간 위에 놓인 그 어떤 것이 된다. 지나간 추억도 점이고 앞으로 있을 일도 점이다.

점은 선이고 선은 시간이고 시간은 그 어떤 경우에도 일정하게 흐르기 때문에 시간의 고리에선 과거도 미래도 이미 정해져 있다. 두 시간 전은 두 시간 전이고 세 시간 후는 세 시간 후이다. 세 시간 후가 네 시간 후가 될 수는 없다. 이렇게 시간은 정해져 있기에 시간 위에 한 점, 그 어떤 것을 우리는 알 수 있다고 생각한다.

그러나 면, 공간은 다르다. 누군가는 오후 세시 집 앞 카페에서 따뜻한 차 한 잔을 즐기고 있고 누군가는 같은 시간 꽉 막힌 도로 위의 차 안에서 신나는 음악을 듣고 있을지도 모른다. 이렇게 시간은 누구에게나 일정하게 흐르지만 공간은 그 주체가 어디에 있느냐 어떤 공간의 속에서 무엇을 하느냐에 따라 변화한다. 변화하는 공간이란 것은 결국 주체가 어떤 생각을 가지고 행동하느냐에 따라 달라지는 것이다.

시간은 일정하지만 내가 좌지우지할 수 없다. 그러나 공간은 내가 오늘 집에 있고 싶다면 출근 안 하고 집에 있으면 그만이다. 물론 직장에서 잘리겠지만, 어찌 됐건 공간은 나의 머릿속 생각 그리고 그것을 실행에 옮기는 행동이 내가 있는 공간을 정의한다.

점을 친다는 건 한때, 고정된 시간 위의 한 점을 공간화하는 것이다. 나의 머릿속의 생각인 공간과 고정된 시간을 일치 시켜 그때에 어떤 일이 일어나겠냐고 세상과 소통하고 질문을 던지는 것이 점을 치는 것이다.

삼재와 괘효

점을 친다는 것은 세상에 질문을 던지는 것이다. 역학은 세상을 셋으로 나누고 있다. 하늘과 사람과 땅이다. 한 달은 하늘에 뜨는 달의 모습이 한 번 반복되어 한 달이라 하고, 한 해는 해가 뜨는 위치를 고정하고 다시 그 위치에 해가 뜰 때 1년이 되어 한 해라고 한다. 이미 단어에 그 의미가 함축되어 있듯이 세상이라는 단어도 하늘과 사람과 땅의 세 가지 상을 품고 있기에 세상이라 부른다. 그 세 가지 상을 역학에서는 천, 인, 지 삼재라고 부르기로 했다. 다시 말해 세상에 질문을 던지는 것은 삼재에 질문을 던지는 것과 같다.

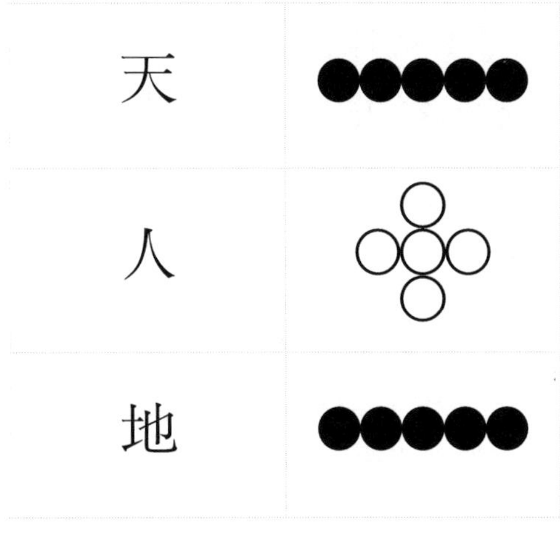

天人地 三才

천인지 삼재는 천의 5, 인의 5, 지의 5로 이루어져 있다. 5는 태극수 1이 모습을 드러낸 숫자로 태극형상수라 부른다. 각각의 천, 인, 지의 5는 다시 5의 평균값 2.5에 대한 점대칭인 삼천양지, 3과 2로 나누어 음양의 구분점이 된다. mod10에서 3과 2의 거듭제곱 꼴 $3^0=1$, $3^1=3$, $3^2=9$, $3^3=7$, $2^1=2$, $2^2=4$, $2^3=6$, $2^4=8$은 자기 조직화 임계성으로 스스로 새끼를 낳다 보면 3과 2로 낙서수를 완성할 수 있다. 1과 4가 아니라 3과 2로 나누어지는 이유다.

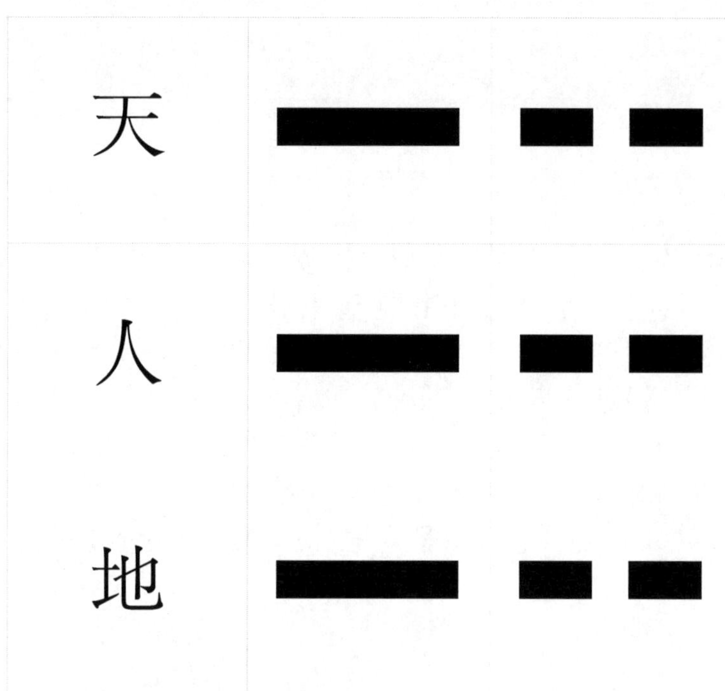

參天兩地(삼천양지)를 음양으로 나뉜 괘효로 표현

낙서의 천인지 삼재는 곧 괘와 1 : 1 대응하여 괘효 하나하나는 천, 인, 지가 되고 다시 그 효가 가진 음양은 삼천양지로 구분한다. 괘효는 공간의 상태를 기호로 표시한 공간 기호이다. 괘효는 변화하는 공간에 대한 해답을 준다. 이렇게 낙서와 괘효는 위상동형사상, 위상이 동일한 형태를 이루는 상으로 수평면에 있던 낙서의 모습을 점을 치는 순간 수직으로 세워 공간 단위로 일으킨다.

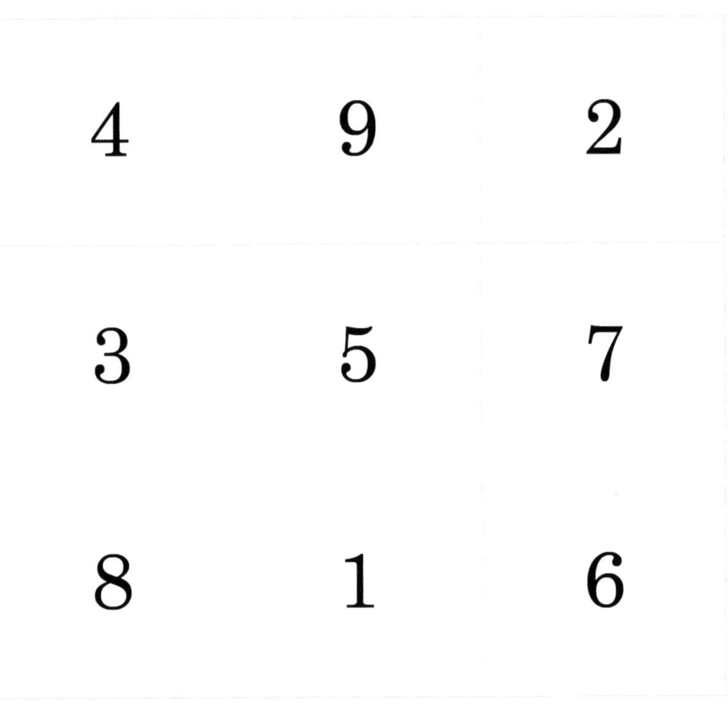

4	9	2
3	5	7
8	1	6

낙서수

득괘법

주사위나 서죽을 이용한 아날로그한 방법도 있지만 편의를 위해 요즘은 다양한 애플리케이션이 준비되어 있다. 각자 마음에 드는 도구를 이용하면 될 일이다. 단, 나의 머릿속 생각을 정결히 하고 묻고자 하는 질문의 의중을 제대로 전달하여야 정확한 해답을 얻을 수 있다. 육효로 점을 치는 방법은 아주 간단하다. 그저 지금 궁금한 일을 도구를 활용해 양과 음으로 나뉜 괘효를 얻고 아래에서 위로 순서대로 그 괘효를 쌓아 올린다. 괘효를 얻는 전통적 방법을 소개하니 직접 괘를 뽑아 질문을 해보자.

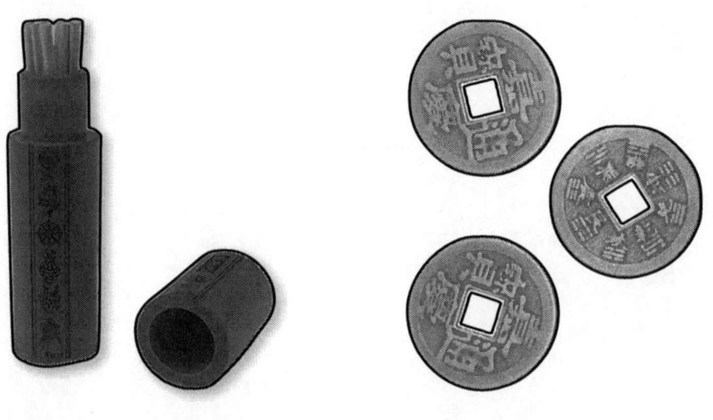

산대법

나뭇가지를 산대라 하는데 산대법은 이 산대에 1부터 8까지 숫자를 새겨 팔괘를 뽑는 방식으로 첫번째 가지를 하괘로 놓고, 두번째 가지를 상괘로 놓은 뒤, 마지막 세번째 가지로 동효를 정하는 방식이다.

- 1부터 8까지의 숫자가 적힌 대나무로 만든 막대기는 선천팔괘의 순서와 대응한다.
- 막대기를 산대라 한다. 이를 산통에 넣고 잘 섞어 뽑는다.
- 먼저 하괘를 뽑는다.
- 산통을 다시 섞어 이번엔 상괘를 뽑는다. 이전의 반대 손으로 뽑는다.
- 하괘와 상괘를 뽑았으니 동효를 뽑아야 한다. 산통을 잘 섞고 뽑는다.
- 이때 나온 숫자는 여섯 효의 순서와 대응하여 7이나 8이 나오면 6을 뺀 나머지 수가 동효가 된다.

✦선천팔괘의 순서

일건천 건삼련(一乾天 乾三連)
이태택 태상절(二兌澤 脫上絕)
삼리화 이허중(三離火 離虛中)
사진뢰 진하련(四震雷 震下連)
오손풍 손하절(五巽風 巽下絕)
육감수 감중련(六坎水 坎中連)
칠간산 간상련(七艮山 艮上連)
팔곤지 곤삼절(八坤地 坤三絕)

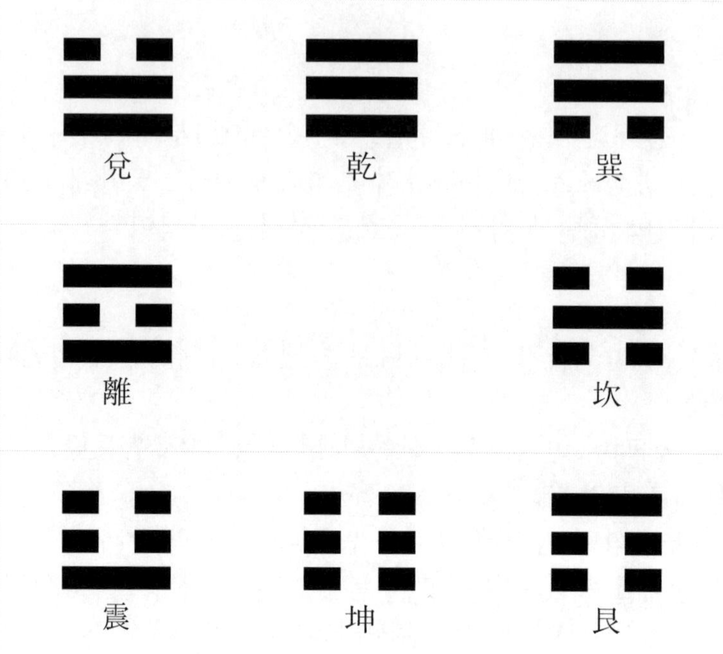

선천팔괘

척전법

동전 던지기를 척전법이라부른다. 산대법과 달리 여러개의 동효가 나올 수 있다. 괘를 얻지 않고 효를 얻어 상괘와 하괘를 완성하는 방법이다. 동전 세개를 준비하고 여섯번 던져 육효를 얻는다.

- 동전을 여섯번 던져 효 하나하나를 얻는다.
- 동전의 숫자가 있는 면이 양, 반대 면이 음이 된다.
- 동전 세 개를 동시에 던져 숫자가 있는 면이 1개가 나오면 양, 숫자가 아닌 면이 1개가 나오면 음이 된다.
- 전부 같은 면이 나오면 동효가 된다. 같은 면이 숫자면 양효, 그 반대면 음효다.
- 초효부터 상효까지 모두 여섯 번 던져 육효를 얻는다.

득괘시 주의사항

득괘는 최대한 정확하고 빠르게 해야한다. 과거에는 하드웨어를 이용하여 시간이 걸리고 공간의 제약이 있었지만 지금은 소프트웨어로 언제 어디서든 신속하게 득괘 할 수 있다. 득괘하는 동안 나의 궁금증이 어지렵혀지면 안돼기 때문에 득괘는 질문을 하는 즉시 동시에 해야한다. 득괘는 한번뿐이라는 불문율이 있지만 궁금하면 언제든 재점을 해도 좋다. 괘를 읽기 어렵다면 그 자리에서 다시 재점을 해야한다. 여러번 점을 쳐 모두 같을 결과를 얻으며 응기가 되었는지를 확인하기 위해서라도 여러번점을 쳐도 된다. 아래의 문구는 득괘할 때 외우는 주문이다. 속으로 외우는 것보다 목소리를 내어 세상과 직접 소통을 해야 한다.

"천하언재(天何言哉)시리오? 고지즉응(告之即應)하시나니, ~생 ~가 ~을 하려는데 여하(如何)합니까? 물비소시(勿秘昭示). 물비소시(勿秘昭示)."

"하늘이 어찌 말씀하시리오? 그러나 물으면 곧 답해주시나니, ~생 ~가 ~을 하려는데 그 결과가 어떠하겠습니다? 감추지 말고 밝게 보여주소서. 감추지 말고 밝게 보여주소서."

육효 세우기

육효는 두 개의 괘와 여섯 개의 효로 이루어져 있다. 두 개의 괘는 하괘, 상괘 혹은 내괘, 외괘라 부르고 하괘와 상괘의 각각 세 개의 효가 여섯 개의 효, 육효가 된다. 육효를 세운다는 것은 공간 기호인 하나의 괘 위로 하나의 괘가 더 올라가 몸체를 형성한다는 것이다. 하나의 점이 두개가 되고 선을 이루어 시간이 되듯이 괘 하나에서 두 개가 되어 시간과 동등한 대응을 할 준비를 마쳤다. 공간의 몸체, 사건은 시간이 흘러야 관계론이 생기고 원인과 결과로써 기승전결이 일어나 시간의 흐름을 따라 괘를 읽을 수 있다. 공간만 있으면 그저 정지된 사건의 사진 한 장에 불과하여 해석할 수 없다. 시간이 흘러야 영상이 되고 기록할 수 있는 이야기가 만들어진다. 그러니 괘라는 단일의 공간 기호는 두 개의 괘로 몸체를 형성하고 이제 시간의 겉껍질을 입고 흘러야 한다.

납갑납지

납갑납지의 납은 받아들일 납으로 팔괘가 10개의 천간을 받아들인다. 팔괘가 12개의 지지를 받아들인다. 라는 말이다. 이는 팔괘라는 공간 기호가 천간과 지지를 받아 시간 기호로 탈바꿈하는 것을 이야기하는데 납갑은

괘 전체를 시간 단위로 표시하는 전역적 탈바꿈이고, 납지는 괘효 하나하나에 시간 단위를 붙이는 국소적 탈바꿈이다. 먼저 납갑을 붙여보자.

납갑붙이기

8개의 팔괘가 10개의 천간을 받아 들여야 하는데 2개가 남는다. 나머지 두 개의 천간은 두 개의 팔괘에 하나씩 더 붙어야 한다는 이야기인데 이를 더 받아들일 수 있는 괘는 무엇일까?

乾	兌	離	震	巽	坎	艮	坤	?	?
甲	乙	丙	丁	戊	己	庚	辛	壬	癸

선천팔괘와 10천간

부모괘와 자녀괘

선천팔괘는 양의와 음의로 나누어진다. 그리고 양의와 음의로 대표되는 괘는 건괘와 곤괘가 있다. 건괘는 양의로 가득하고 곤괘는 음의로 가득하다. 건괘와 곤괘는 천인지 삼재, 천의 5, 인의 5, 지의 5가 삼천양지로 양의와 음의로 나눠는 시작이다. 삼은 천 하늘로 올라가고 양, 둘은 지 땅으로 내려간다. 건괘를 시작으로 나머지 양의가 나오고 곤괘를 시작으로 나머지 음의가 나온다. 나머지는 건괘와 곤괘, 초깃값의 변화 값이 되므로 건곤괘는 부모괘가되고 나머지는 자녀괘가 된다. 부모괘는 자녀괘 보다 큰 주머니의 역할을 한다. 주머니에서 자녀가 나오기 때문이다. 그래서 건곤괘는 천간을 하나씩 더 받아들일 수 있고 또 그래야 한다.

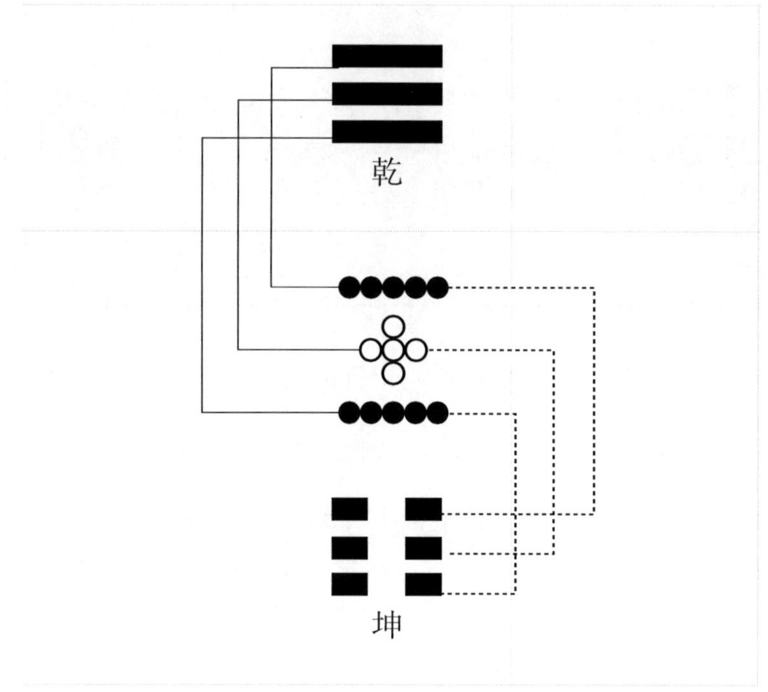

삼천양지의 분열

팔괘는 천인지 삼재가 삼천양지로 분획한 결과다. 각각 천궁, 인궁, 지궁에 천의 5, 인의 5, 지의 5는 삼천양지로 양의와 음의로 나뉜다. 선천팔괘의 양의와 음의의 분획은 맨아래 지궁부터 시작하여 인궁을 거쳐 천궁까지 위로 올라간다. 양의와 음의의 구분은 지궁에 깃든 양음이 양의면 양의에 속해 있고 음의면 음의에 속한다. 이 중 건괘는 양의로 가득하고 곤괘는 음의로 가득하다. 건괘와 곤괘를 양의와 음의의 기준으로하여 지, 인, 천의 순서대로 양의와 음의를 배치한다.

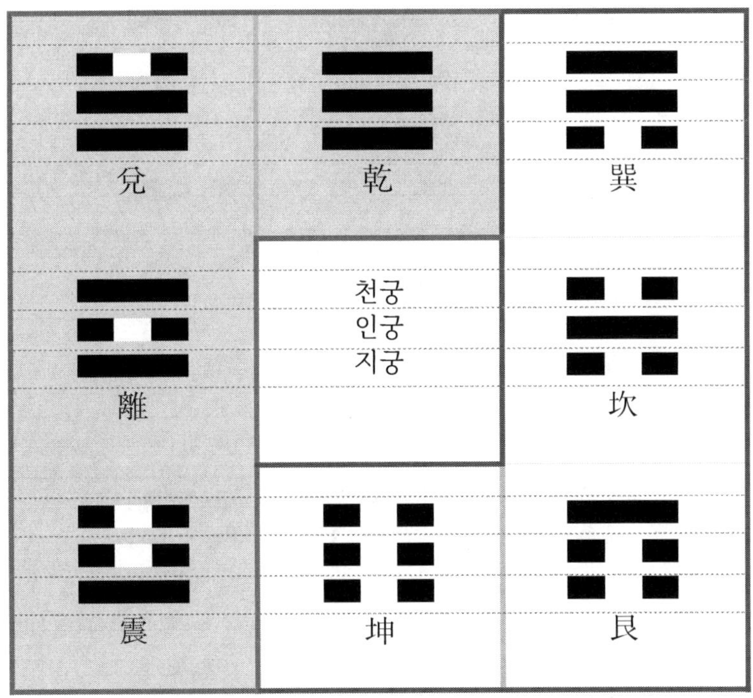

선천팔괘의 양의와 음의

양의

- 건괘 태괘 리괘 진괘의 지궁에 양의를 채운다.
- 건괘 태괘의 인궁에 양의를, 리괘 진괘의 인궁에 음의를 채운다.
- 건괘 리괘의 천궁에 양의를, 태괘 진괘의 천궁에 음의를 채운다.

음의

- 곤괘 간괘 감괘 손괘의 지궁에 음의를 채운다.
- 곤괘 간괘의 인궁에 음의를, 감괘 손괘의 인궁에 양의를 채운다.
- 곤괘 감괘의 천궁에 음의를, 간괘 손괘의 천궁에 양의를 채운다.

건괘와 곤괘는 양의와 음의를 대표하는 부모괘이며 건괘를 시작으로 양괘를 채우고 곤괘를 시작으로 음괘를 채웠다. 건곤괘를 기준으로 채운 팔괘는 그 기준을 달리함에따라 건괘와 곤괘는 시작이 될 수도 종이 될 수도 있다.

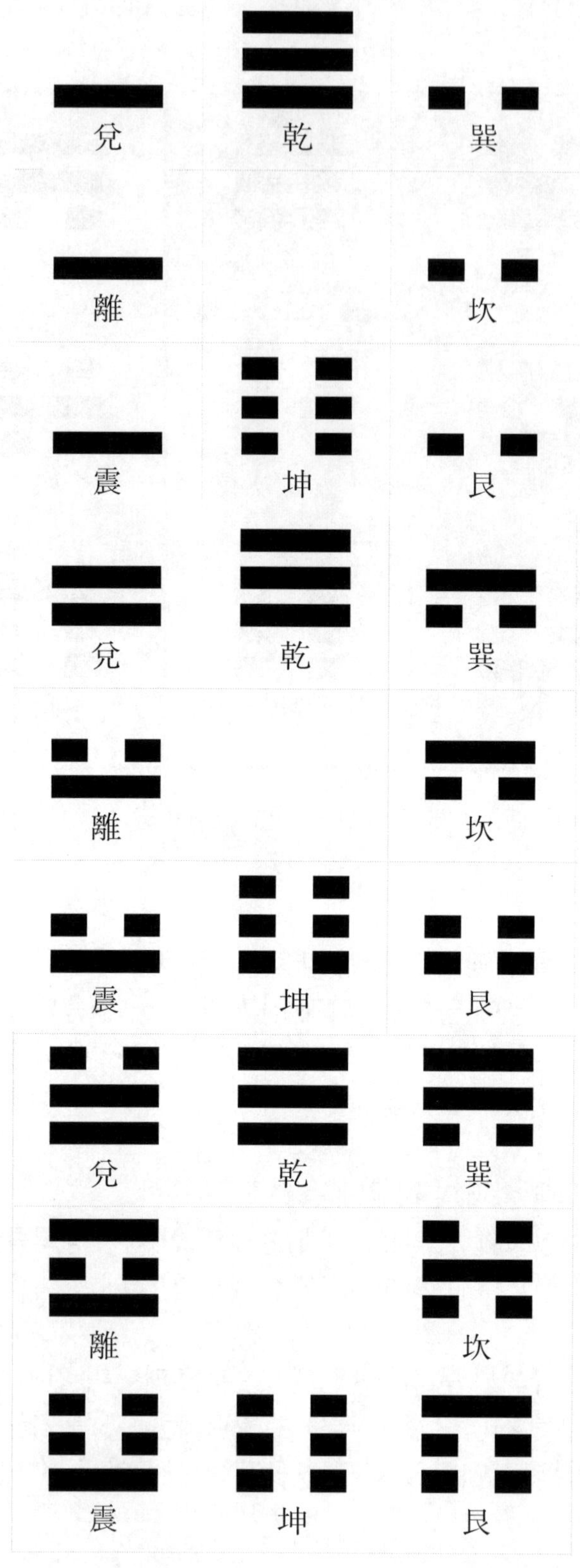

양의와 음의가 채워지는 선천팔괘

시작의 기준이 건괘일 때

- 건괘 태괘 리괘 진괘의 지궁에 양의, 손괘 감괘 간괘 곤괘의 지궁에 음의를 채운다.
- 건괘 태괘 손괘 감괘의 인궁에 양의, 리괘 진괘 간괘 곤괘의 인궁에 음의를 채운다.
- 건괘 리괘 손괘 간괘의 천궁에 양의, 태괘 진괘 감괘 곤괘의 천궁에 음의를 채운다.

시작의 기준이 곤괘일 때

- 곤괘 간괘 감괘 손괘의 지궁에 음의, 진괘 리괘 태괘 건괘의 지궁에 양의를 채운다.
- 곤괘 간괘 진괘 리괘의 인궁에 음의, 감괘 손괘 태괘 건괘의 인궁에 양의를 채운다.
- 곤괘 감괘 진괘 태괘의 천궁에 음의, 간괘 손괘 리괘 건괘의 천궁에 양의를 채운다.

건괘와 곤괘는 양의와 음의를 나누는 부모가 되고 그 기준에 따라 시작이 되기도 종이 되기도 하는 시종의 연결고리를 갖는다.

연결고리

건괘와 곤괘는 각각의 시작점이 되기도 하고 종착점이 되기도 하여 시종을 같이한다. 건괘는 음의 가 모두 사라진 음의의 끝이고 곤괘는 양의가 모두 사라진 양의의 끝이며, 건괘는 양의로 가득 찬 양의의 시작점이고 곤괘는 음의로 가득 찬 음의의 시작점이다. 천간의 처음과 끝은 어떨까, 10천간의 처음은 양의 천간인 갑목과 음의 천간 을목이고 끝은 양의 천간인 임수와 음의 천간인 계수다. 이를 대응하면 건괘는 양의로 양의 천간의 시작인 갑목과 양의 천간의 끝인 임수를 받아들인다. 곤괘는 음의로 음의 천간의 시작인 을목과 음의 천간의 끝인 계수를 받아들인다.

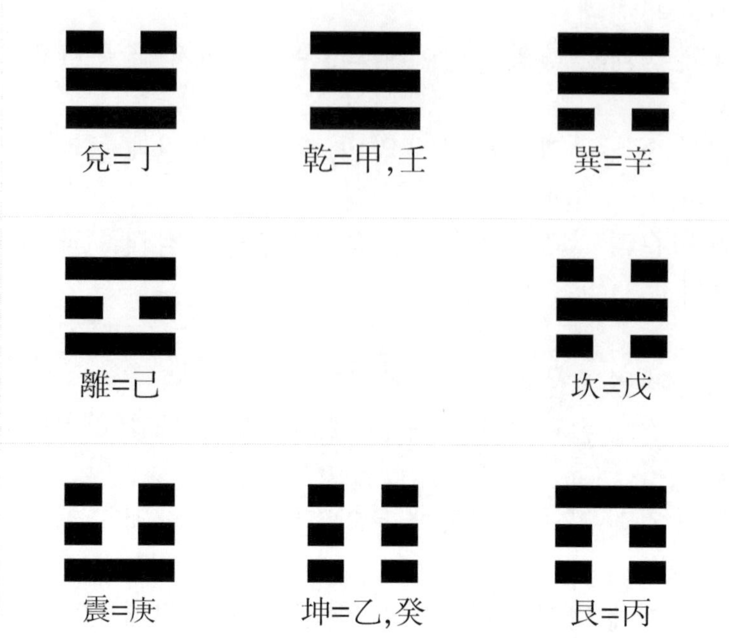

선천팔괘와 10천간

이제 나머지 자녀괘를 양음의 순서에 따라 나머지 천간에 대응해 보면 양의 천간 병화는 위에 양효 하나 있는 간괘, 음의 천간 정화는 위에 음효 하나 있는 태괘, 양의 천간 무토는 가운데 양효 하나 있는 감괘, 음의 천간 을목은 가운데 음효 하나 있는 리괘, 양의 천간 경금은 아래에 양효 하나 있는 진괘, 음의 천간 신금은 아래에 음효 하나 있는 손괘에 대응한다. 이로써 시종이 연결되어 순환의 고리를 이룬 팔괘는 하나의 궤적을 그리며 10개의 천간을 모두 받아들였다.

여기서 또 한 가지 알 수 있는 점은 팔괘가 천간을 받아들이며 천간의 오행을 입고 양괘와 음괘로 나뉘어 선천팔괘에서 후천팔괘가 되었다는 점이다. 다시 말해 후천팔괘는 선천팔괘에 시간의 옷을 입힌 오행화의 결과라고 볼 수 있다.

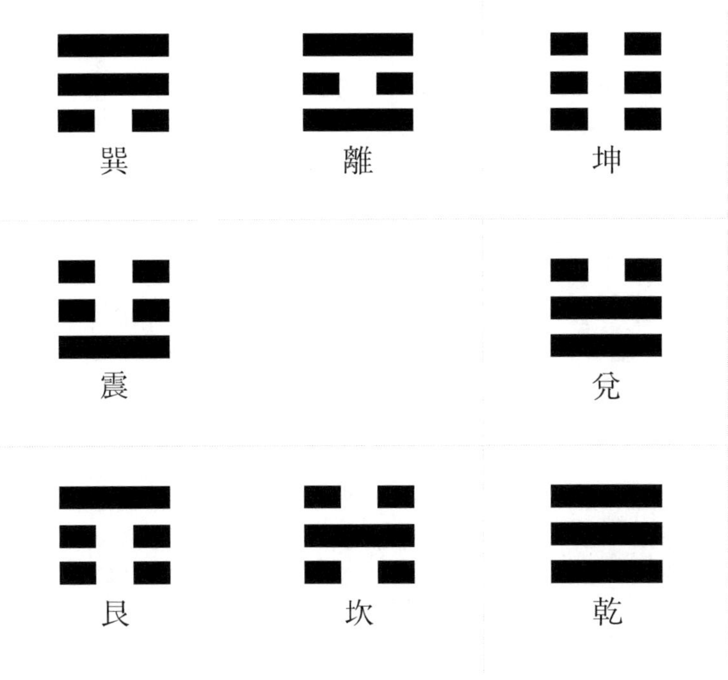

후천팔괘

납지 붙이기

팔괘는 공간 단위라고 했다. 12지지는 하루의 시간을 쪼갠 시간으로 쓰이는 시간 단위이다. 이제 순서대로 팔괘에 12지지라는 시간을 입혀보자. 앞서 선천팔괘에 납갑을 붙여 공간 단위였던 팔괘에 시간의 옷을 입혔다. 그로 인해 선천팔괘는 후천팔괘로 시간의 옷을 입고 넘어왔다. 이제 납지를 붙일 때 팔괘의 양음의 구분은 양의 음의에서 양괘 음괘로 넘어오게 된다. 후천팔괘는 선천팔괘에서 양의 음의로 양음을 구분하던 것과는 달리 양괘 음괘로 괘를 구분한다. 양괘 음괘의 구분은 삼천양지를 질량으로 두고 에너지를 합한 질량수를 홀수의 집합과 짝수의 집합으로 나눠 홀수는 양괘 짝수는 음괘로 나눈다.

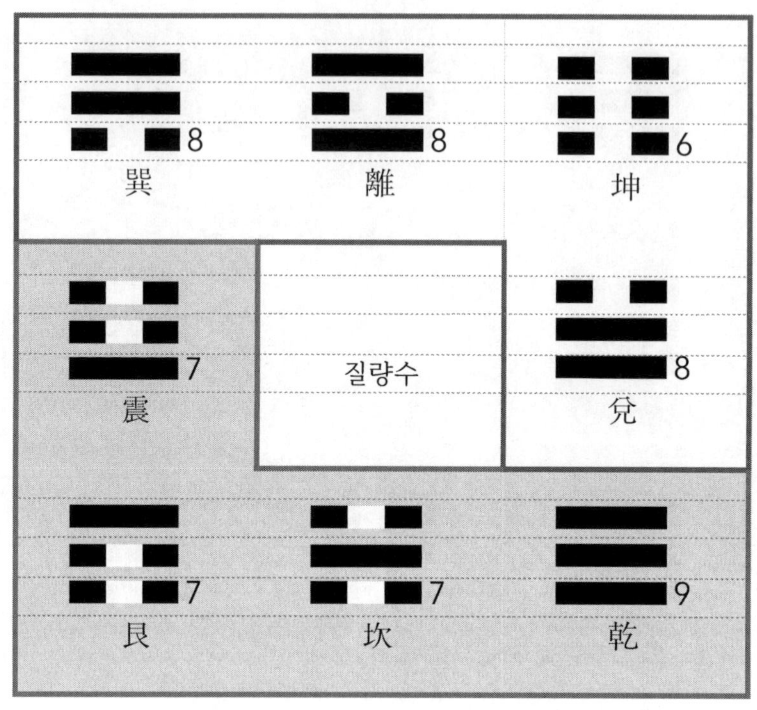

양괘와 음괘로 분류한 후천팔괘

납지를 붙이는 조건과 납갑을 붙이는 조건은 같다.

- 양괘는 순행, 음괘는 역행하는 후천팔괘의 양음의 순서대로 배치할 것.
- 부모괘는 자녀괘를 포함할 수 있는 주머니가 되어야 할 것.
- 시종의 연결고리가 있을 것.

다음 표를 통해 12지지궁을 이용한 납지를 붙이는 방법을 살펴본다.

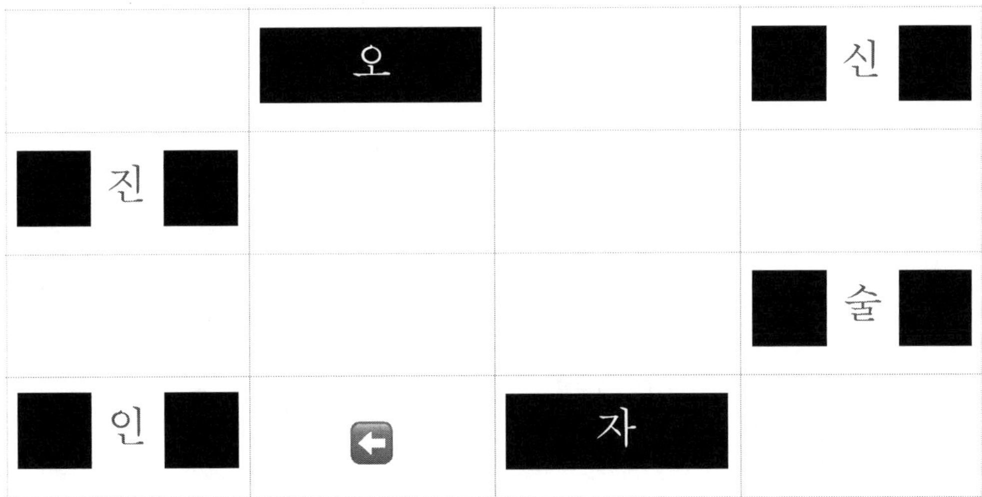

12지지궁에 들어간 진괘의 납지
자는 12지지의 양의 첫 번째 지지다.
첫 번째 양효를 가진 진괘는 자수부터 순행하여
양의 순서열을 갖는다.

사		미	
			유
묘			
	축	→	해

12지지궁에 들어간 손괘의 납지
축은 12지지의 음의 첫 번째 지지다.
첫 번째 음효를 가진 손괘는 축토부터 역행하여
음의 순서열을 갖는다.

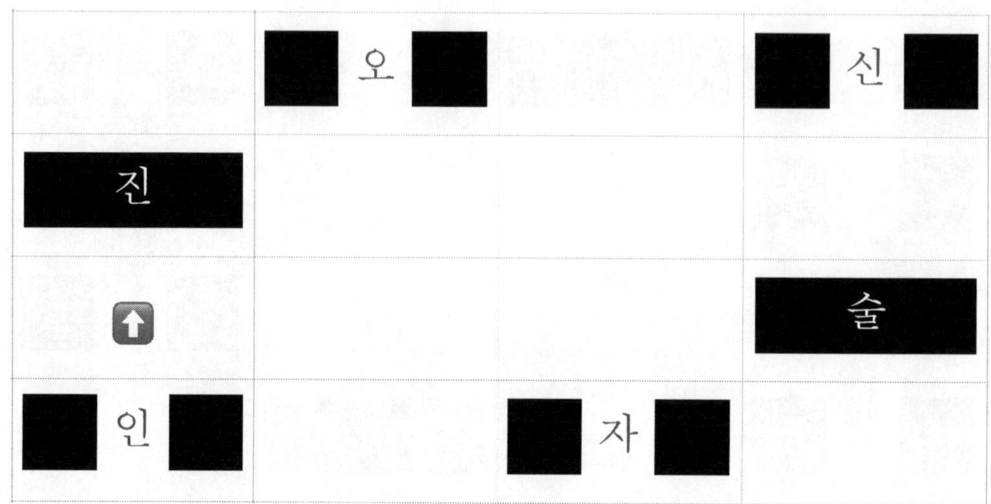

12지지궁에 들어간 감괘의 납지
인은 12지지의 양의 두 번째 지지다.
두 번째에 양효를 가진 감괘는 인목부터 순행하여
양의 순서열을 갖는다.

사		미	
			유
묘			
➡	축		해

12지지궁에 들어간 리괘의 납지
묘은 12지지의 음의 두 번째 지지다.
두 번째에 음효를 가진 리괘는 묘목부터 역행하여
음의 순서열을 갖는다.

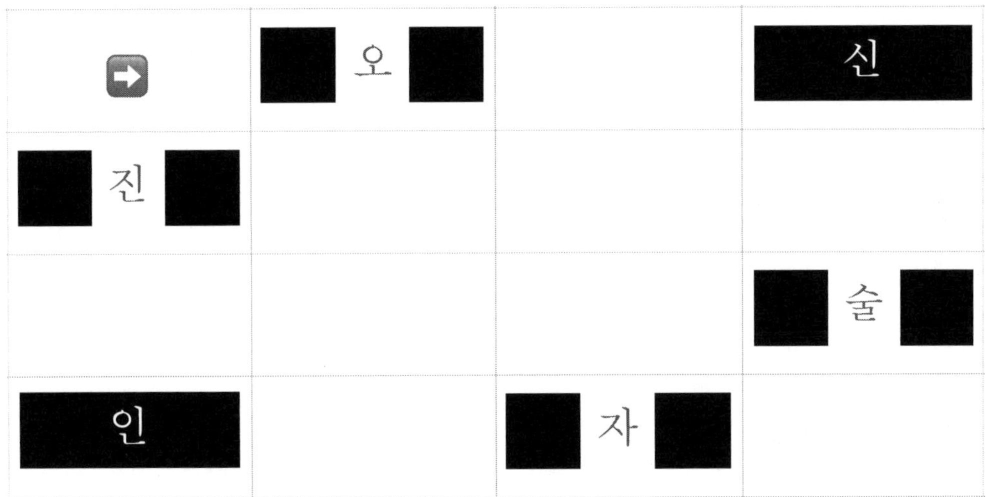

12지지궁에 들어간 간괘의 납지
진은 12지지의 양의 세 번째 지지다.
세 번째에 양효를 가진 간괘는 진토부터 순행하여
양의 순서열을 갖는다.

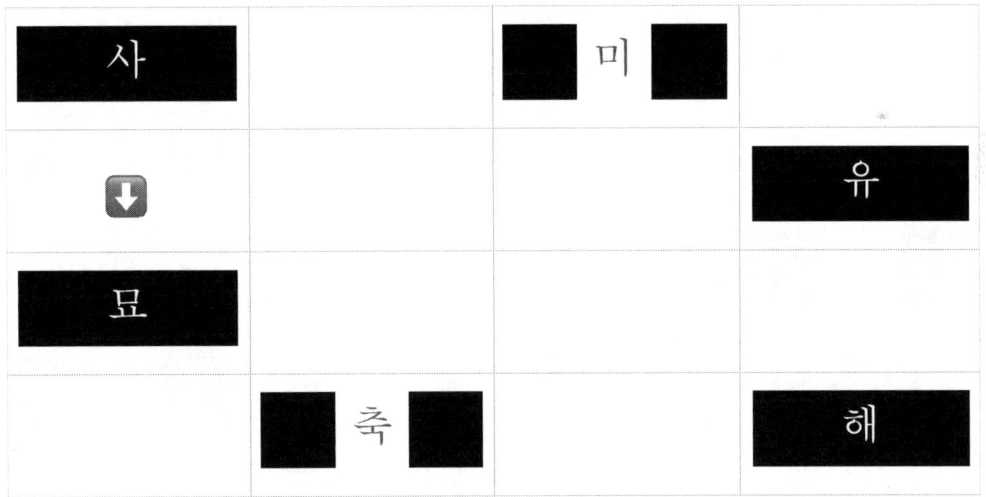

12지지궁에 들어간 태괘의 납지
사는 12지지의 음의 세 번째 지지다.
세 번째에 음효를 가진 태괘는 사화부터 역행하여
음의 순서열을 갖는다.

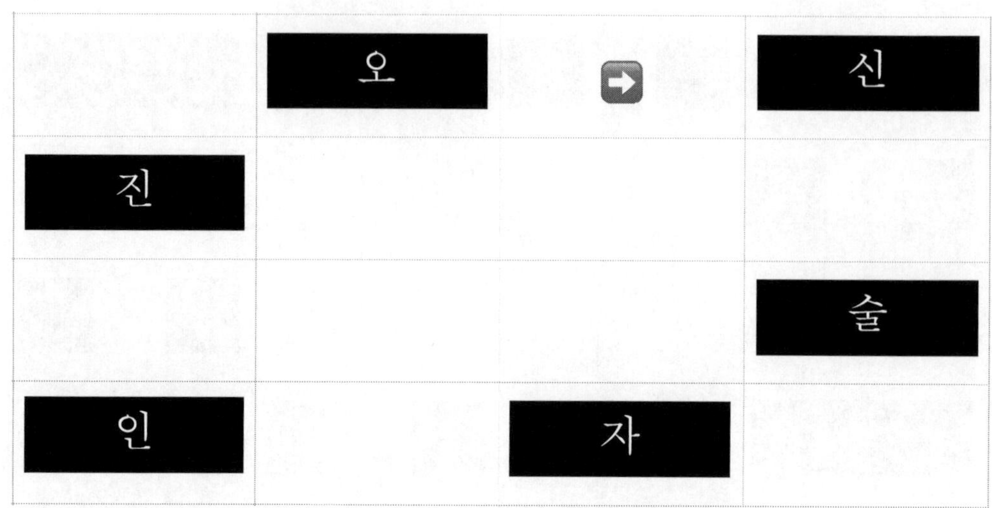

12지지궁에 들어간 건괘의 납지
오는 12지지의 양의 네 번째 지지다.
양효로 가득한 건괘는 오화부터 순행하여 양의 순서열을 갖는다.

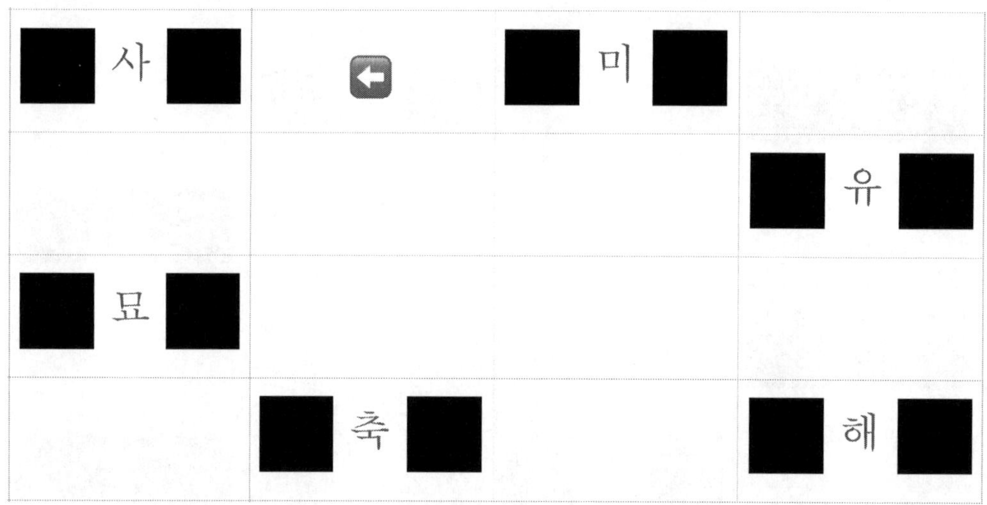

12지지궁에 들어간 곤괘의 납지
미는 12지지의음의 네번째 지지다.
음효로 가득한 곤괘는 미토부터 역행하여 음의 순서열을 갖는다.

첫 번째 조건인 양음의 순서대로 팔괘를 12지지에 대응했다. 두 번째, 부모괘는 자녀괘를 포함하는 주머니여야 한다. 부모괘인 건곤괘는 나머지 자녀괘를 낳은 주머니라고 했다. 건괘와 곤괘는 초효에 양효와 음효를 가진 진괘와 손괘에 대응하여 같은 자리에 앉아 건괘는 진괘를, 곤괘는 손괘를 포함한다.

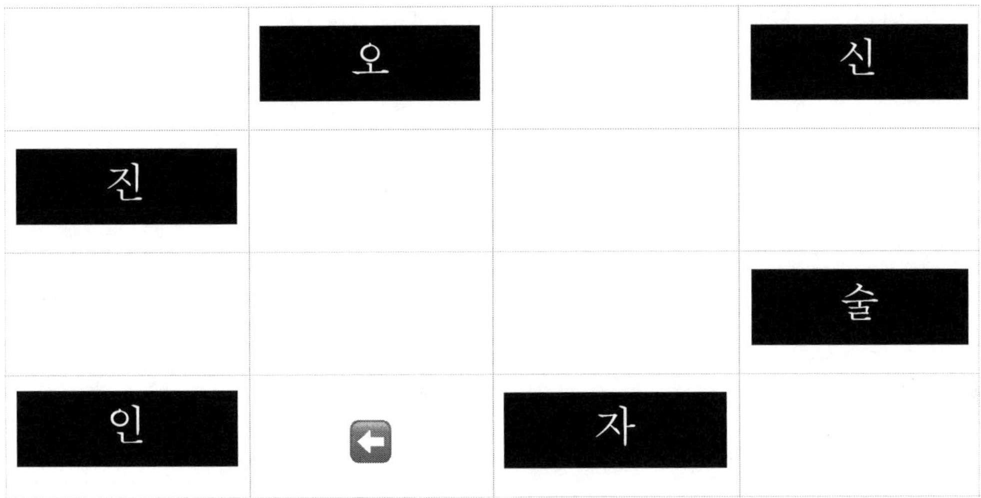

12지지궁에 들어간 건괘의 납지
건괘는 부모괘로서 양효의 시작인 진괘와 같은 납지를 붙였다.

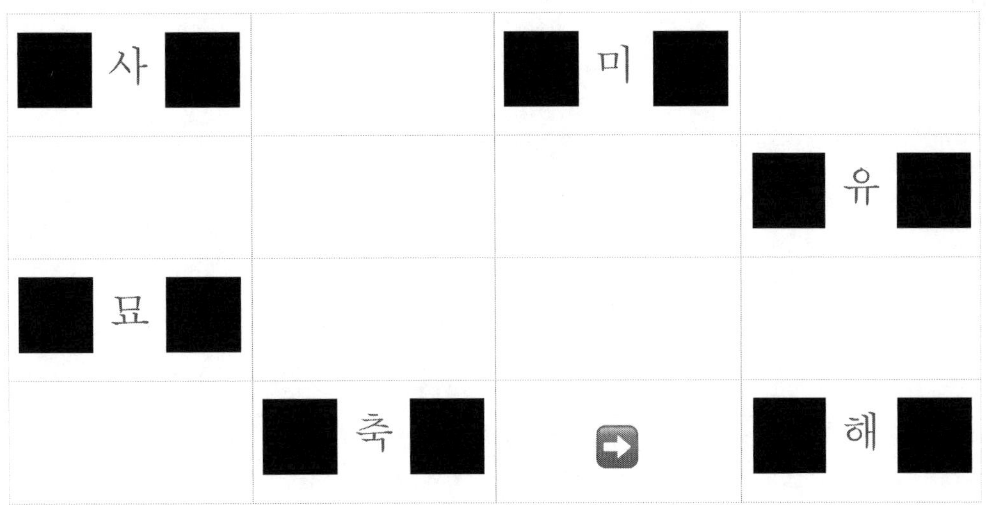

12지지궁에 들어간 곤괘의 납지
곤괘는 부모괘로서 음효의 시작인 손괘와 같은 납지를 붙였다.

이로써 두 번째 조건인 부모괘는 자녀괘를 포함하는 주머니의 역할을 마쳤다. 이제 마지막 조건인 시종의 연결고리를 찾아야 한다. 양괘의 시작은 자이고 끝은 오다. 음괘의 시작은 축이고 끝은 미다. 건괘는 자녀괘인 진괘를 포함하며 양괘가 시작하는 자궁에 앉았다. 그렇다면 곤괘는 자녀괘인 손괘를 포함함과 동시에 음괘의 끝인 미궁에 앉을 수 없을까?

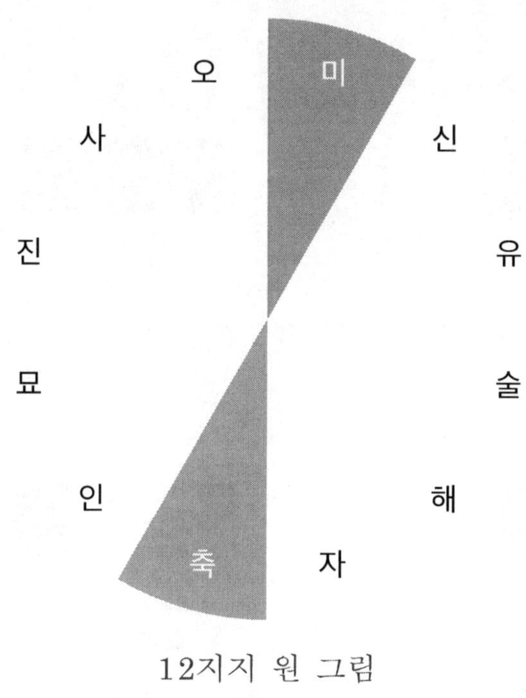

12지지 원 그림

천간은 무토와 기토, 토라는 중앙값을 가지고 있지만 12지지는 가운데가 없다. 12지지는 동서남북에서 나온 원 좌표의 성격을 띠고 있기 때문이다. 회전판의 중심은 비어 있고 회전판이 도는 둘레를 따라 12지지를 순서대로 표기하면 원의 둘레를 도는 12지지는 중앙값을 갖지 못한다.

12지지의 중앙값은 각 지지가 대칭되는 대칭점에서 찾을 수 있다. 대칭점은 원의 중앙점으로 대칭의 중심이자 평균값이 된다. 평균에서 서로 나누어진 지지는 둘이서 하나가 되어 중앙값을 갖는다. 서로 대칭이 되는 지지를 수평선으로 잇고 같은 수평선에 있는 지지의 대칭점이 중앙점이 된다. 두개의 지지가 하나의 선으로 이어져 같은 수평선 상에서 평균을 찾을 수 있다는 건 두개를 하나로 묶어 표현할수 있다는 의미다.

12지지를 24시간과 대응할 수 있는 시계로 놓는다. 하루의 시간은 오전과 오후로 나누어 시침과 분침이 정각이 되면 밤낮을 구분하여 오전 1시 오후 1시의 시계침은 같은 방향을 가리킨다. 서로 대칭이 되는 자리인데 방향성은 같다. 이를 공간대칭 시간합이라고 표현한다. 시간을 고정하여 같은 선상의 공간을 두개로 양분한다. 12지지의 충은 공간대칭으로 이어진 두개의 지지를 시간이 고정된 같은 공간을 두개로 나누었다는 의미가 된다.

그러므로 곤괘는 다시 음괘가 끝나는 미궁으로 가서 자리한다. 곤괘는 미궁에 있어도 같은 수평선상에 있는 축궁의 손괘를 포함할 수 있다. 이제 부모괘 건괘는 양괘의 시작인 자궁에 부모괘 곤괘는 음괘의 끝인 미궁에 앉아 부모괘는 시종의 연결고리로 이어지게 되었다.

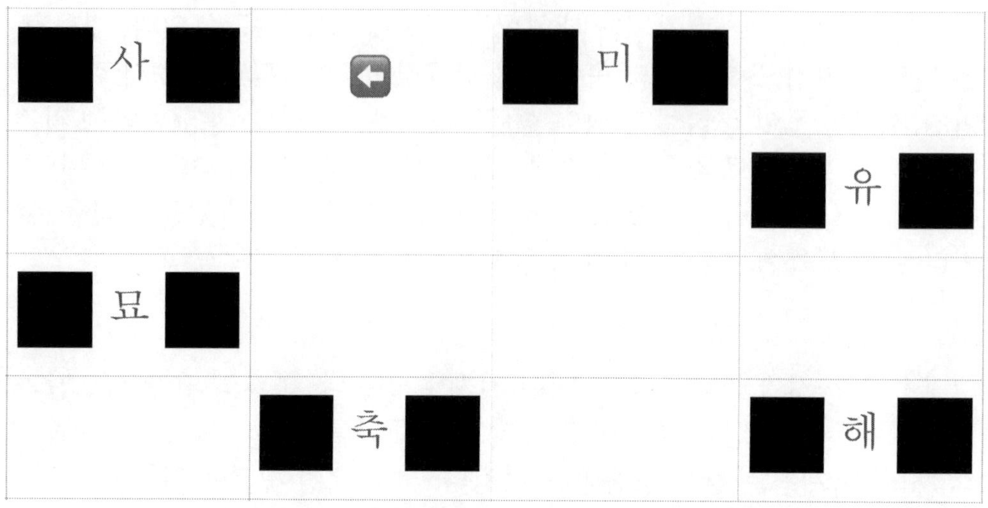

12지지궁에 들어간 완성된 곤괘의 납지
곤괘는 음괘가 끝나는 미궁에서 미토부터 역행하여
음의 순서열을 갖는다.

여기까지 살펴본 납지 방식은 한나라 때 역학자인 경방이라는 인물이 주역 64괘를 8개의 상괘와 하괘가 거듭하는 중괘를 모체괘로하여 괘효의 변화가 양음의 늘어남과 줄어듬의 과정을 표현한 것으로 주역 설괘전의 관점을 충실히 실현했다고 한다. 경방은 점을 잘 치기로 소문이 났던 역학자로서 발탁 받아 관리가 되었다. 그런데 너무 뛰어난 탓에 시기와 질투로 옥에 투옥되어 자객에게 죽임을 당한다. 아무래도 점학 연구에 몰두하느라 명학은 재쳐두었던 모양이다. 후에 경방의 제자 3인이 경학박사가 되어 경수역전이 나오고 경방이 유명해진다. 경수역전은 경방역전이라고도 불리는 육효의 기원이다. 이렇게 경방은 경방보다 경방의 제자 3인으로 인해 더 알려지게 된다. 이는 마치 부모괘와 부모괘에서 나온 자녀괘와 같은 그림이다. 경방은 그가 연구했던 팔괘를 다룬 육효처럼 이름을 알리게 된다.

앞으로 득괘 후 위의 납지 방식대로 납지를 붙이게 된다. 하괘가 건괘가 나오면 초효부터 자인진, 상괘가 곤괘가 나오면 4효부터 미사묘 이렇게 모체괘에 정해진 납지를 따라가며 득괘한 괘의 납지를 붙이면 된다. 납지를 다 외울 필요가 없이 원리를 이해하면 언제든 납지를 붙일 수 있다.

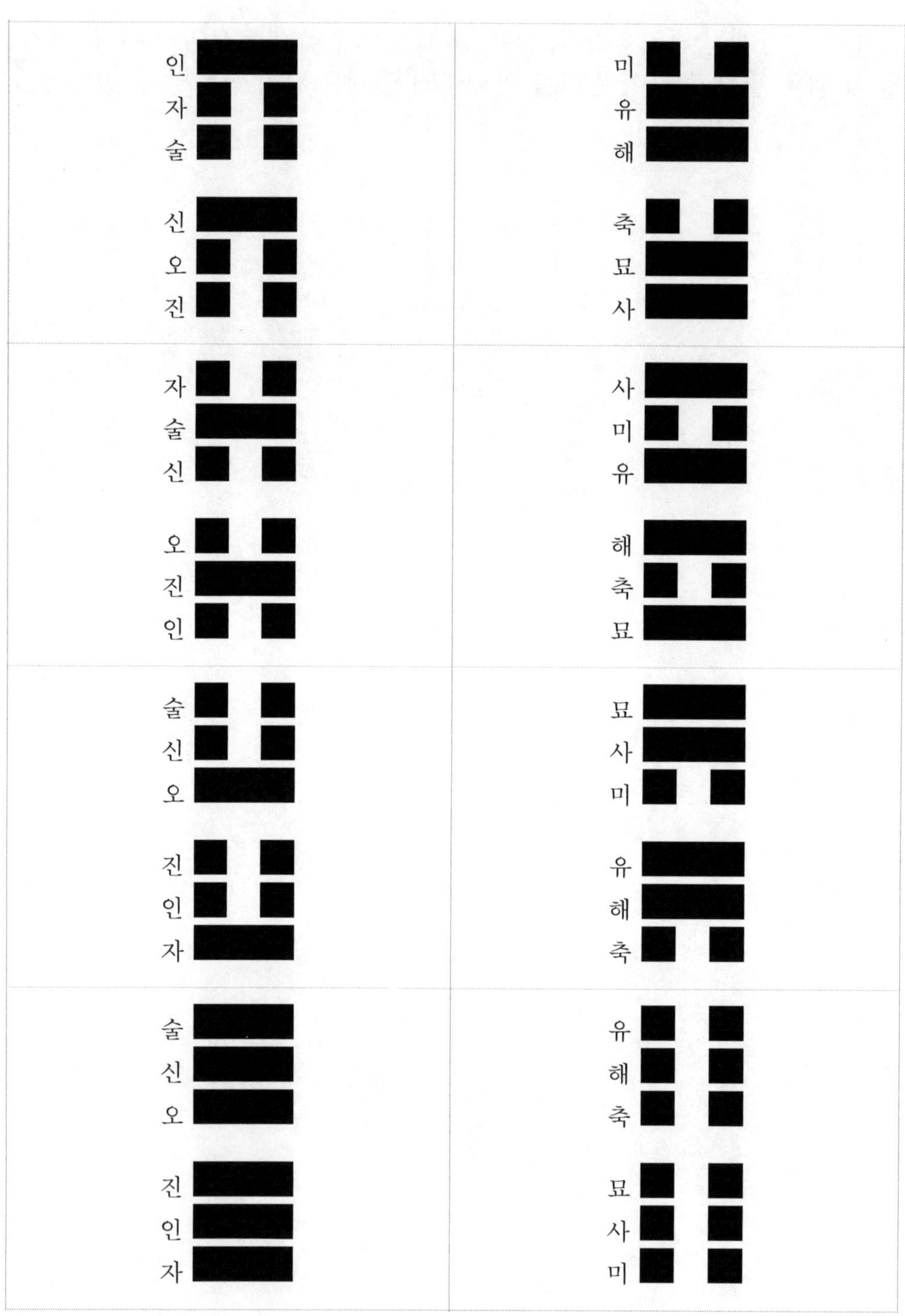

완성된 납지

십성과 모체괘

김춘수의 꽃이라는 시처럼 이름은 그 이름이 붙은 대상보다도 그 대상이 어떠한 이름으로 불렸을 때, 꽃으로 실현되는 하나의 의미가 된다. 그렇게 이름은 대상에게 의미를 부여하고 일생 동안 본인과 타인에게 인식되는 고유의 코드가 되어 어떤 이름으로 불리는지에 따라 그 사람에게 길을 가져다주기도 흉을 가져다주기도 한다. 그래서 이를 아는 사람들은 아이가 태어나면 아이에게 좋은 이름을 지어주고자 작명소를 찾는다. 작명은 이름을 지어주는 일로 역학에선 그 사람이 태어난 생년 천간을 중심으로 이름을 짓는다. 역학에서의 생년은 년, 월, 일, 시 중 가장 큰 단위이자 아이가 태어난 해로 그 아이에게 가장 큰 영향력을 행사하는 간지다. 그렇기에 아이에게 불릴 이름을 지을 때 생년 천간을 기준점으로 삼고 그에 따라 아이에게 긍정적으로 작용해 줄 이름을 짓는다.

육효에 납지를 붙이고 효 하나하나는 시간으로서 겉껍질을 씌웠다. 그러나 그 효가 의미하는 바를 아직 알 수 없다. 이제 납지에 이름을 붙여 의미를 부여해야 한다. 사람의 이름은 생년 천간으로 기준을 삼았으니 효는 효의 모체가 되는 가장 큰 단위인 모체괘의 오행을 기준으로 효의 이름, 십성을 붙인다.

모체괘

득괘하여 얻은 육효괘는 모체괘 8개를 포함하는 64괘 중 하나로 나온다. 모체괘를 제외한 56개의 괘를 자녀괘 혹은 파생괘라 부르고 모체괘 8개 중 자녀괘를 낳은 모체괘의 오행을 기준으로 십성을 붙이기 때문에 납지를 붙이면 모체괘를 찾아야 한다. 모체괘는 자녀괘 56개의 평균이자 가장 안정된 독립체로서 양음이 순환하며 자녀괘를 낳게 된다. 초효부터 상효까지 하나의 주기성을 갖고 변화하는 모체괘가 자녀괘를 낳는 모습을 그리며 자녀괘를 만들고 모체괘를 찾는다.

모체괘는 납지를 붙이는 기준이 되었던 팔괘를 상하로 중복된 괘인 중천건, 중지곤, 중뢰진, 중풍손, 중수감, 중리화, 중산간, 중태택 괘를 이른다. 이 괘가 모체가 되어 모체괘 8개를 포함한 이들 각각으로부터 파생된 파생괘로 경방64괘를 완성한다.

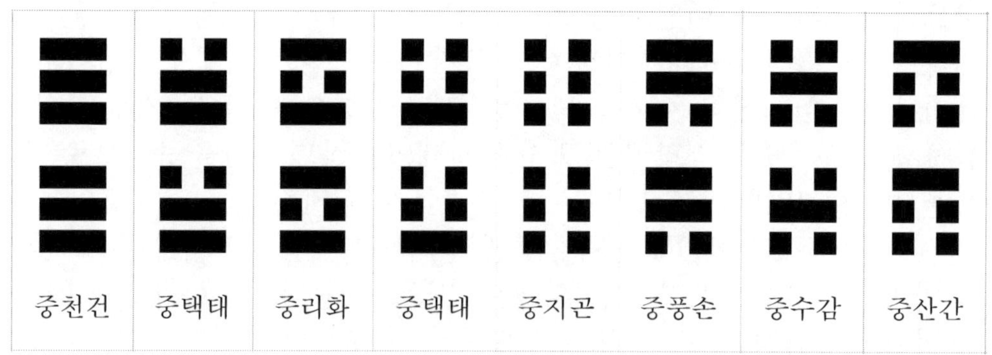

모체괘

파생괘 만들기

파생괘는 근본이 되는 모체괘의 초효부터 변화하여, 변화한 값은 다시 매개체가 되고 그다음 2효가 변화하는 괘의 바탕이 된다. 마치 유전자가 대를 이어 내려오듯이 할머니에서 어머니로 어머니에서 나로 나에서 자녀로 이어지며 할머니는 모체가 되고 어머니는 자녀에서 어머니인 모체로 나는 자녀에서 다시 어머니인 모체 된다. 모체괘만 원본이 되어서는 초효부터 상효까지 변화해 봤자 괘는 7개뿐 8개로 64괘는 완성되지 않는다.

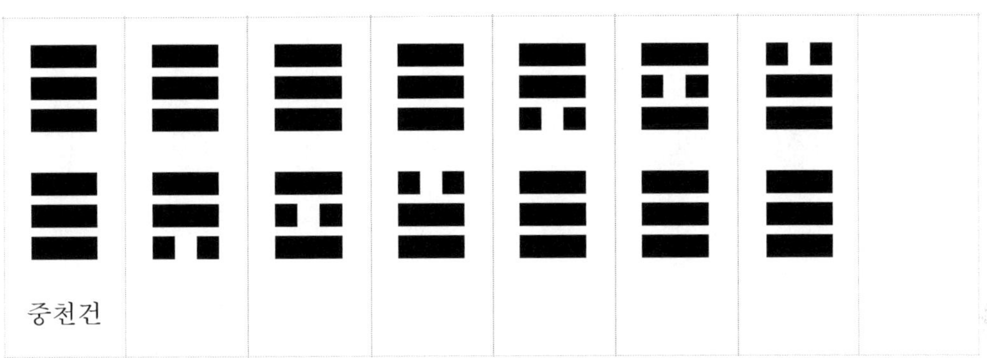

모체괘만을 원본으로 하는 모체괘의 변화값

위의 경우 만들 수 있는 괘는 모체괘를 제외하면 6개다. 8개의 모체괘의 파생괘를 6개씩 만들면 64괘를 완성할수 없다. 또한 모체괘인 중천건 괘는 양괘인데 자녀괘는 모두 음괘가 나와 중천건 괘를 모체괘라 말할수도 없다. 모체괘에서 낳은 자녀괘를 다시 원본으로 삼아 괘를 만들면 다음과 같다.

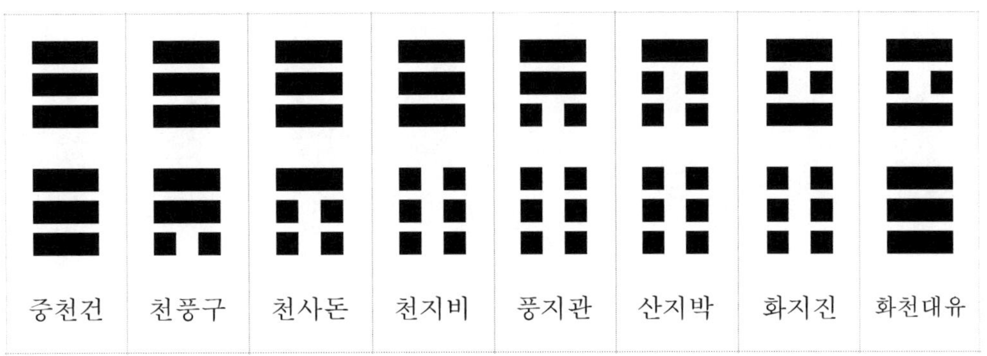

모체괘에서 파생괘를 다시 원본으로 삼는 변화값

- 초효: 초효가 변해서 중천건 괘에 속한 천풍구 괘가 되었다.
- 2효: 천풍구 괘의 2효가 변해서 중천건 괘에 속한 천사돈 괘가 되었다.
- 3효: 천사돈 괘의 3효가 변해서 중천건 괘에 속한 천지비 괘가 되었다.
- 4효: 천지비 괘의 4효가 변해서 중천건 괘에 속한 풍지관 괘가 되었다.
- 5효: 풍지관 괘의 5효가 변해서 중천건 괘에 속한 산지박 괘가 되었다.
- 상효: 상효가 변하면 중지곤 괘, 다른 모체괘가 나오기에 상효는 변화하지 않는다.
- 5효: 5효가 변하면 중복된 풍지관 괘가 나온다. 중복된 괘가 나오기에 5효는 변화하지 않는다.
- 4효: 산지박 괘의 4효가 변해서 화지진 괘가 되었다. 이를 유혼괘라고 한다.
- 3효: 3효가 변하면 중화리 괘에 속한 화산려 괘가 된다.
- 2효: 2효가 변하면 중화리 괘에 속한 화풍정 괘가 된다.
- 초효: 화지진 괘의 3효, 2효, 초효가 변해야 중천건 괘에 속한 화천대유 괘가 나온다. 이를 귀혼괘라고 한다.

모체괘로부터 양괘 음괘가 번갈아가며 팔괘를 완성하는 안정적 구조로 괘를 채울 수 있다. 정리하면 초효부터 5효가 차례대로 변하고, 다시 4효가 변하면 유혼괘, 하괘가 전부 변하면(하괘의 배합괘) 귀혼괘가 된다. 이렇게 모체괘를 포함한 8개의 괘가 완성되었다. 나머지 모체괘도 같은 방식으로 파생괘를 찾아 경방64괘를 완성한다.

중천건	천풍구	천사돈	천지비	풍지관	산지박	화지진	화천대유
중택태	택수곤	택지췌	택산함	수산건	지산겸	뇌산소과	뇌택귀매
중화리	화산려	화풍정	화수미제	산수몽	풍수환	천수송	천화동인
중뢰지	뇌지예	뇌수해	뇌풍항	지풍승	수풍정	택풍대과	택뢰수

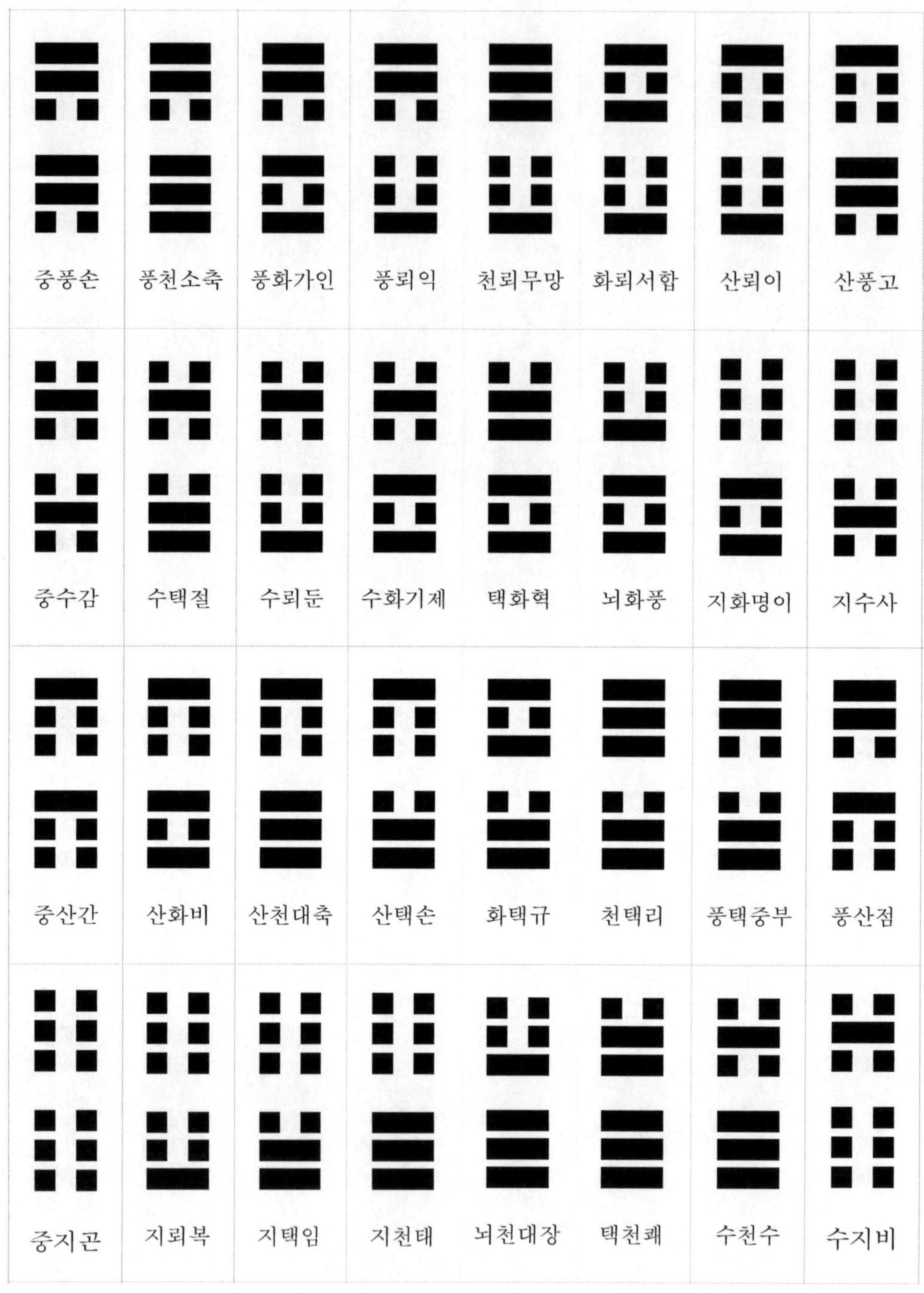
중풍손
풍천소축
풍화가인
풍뢰익
천뢰무망
화뢰서합
산뢰이
산풍고
중수감
수택절
수뢰둔
수화기제
택화혁
뇌화풍
지화명이
지수사
중산간
산화비
산천대축
산택손
화택규
천택리
풍택중부
풍산점
중지곤
지뢰복
지택임
지천태
뇌천대장
택천쾌
수천수
수지비

경방 64괘

유혼괘와 귀혼괘

유혼은 친궁을 나가 떠돌며 돌아가고 싶지만 돌아갈 수 없는 상태로 정처 없이 떠도는 집시처럼 불안정하여 쉬이 현혹되거나 지속되지 못하는 오락가락한 괘로 해석하고 귀혼은 친궁으로 돌아와 나가려 해도 나갈 수 없이 속박된 상황이라 틀에 박혀 벗어나고 있지 못함으로 변화 없이 정체된 괘로 해석이 일반화되어있다.

그러나 귀혼괘의 경우 모체괘의 하괘가 배합괘로 변했다가 다시 하괘의 본괘로 변화를 일으킨 3효의 모습을 보고 돌아올 귀자를 써서 귀혼괘라는 이름을 붙였듯이 괘상 자체의 모습을 읽은 것이지 그것이 육효가 납지를 붙여 시간화 과정을 거친 결괏값을 보고 이름이 붙은 것이 아니기 때문에 육효점을 쳤을 때 귀혼괘가 나왔다 하더라고 괘상만 보고 사안을 읽을 수 없다. 마찬가지로 유혼괘는 초효에서 다시 4효까지 효 하나하나를 거쳤지만 결국 하괘의 본괘로 돌아갈 수 없는 효의 모습을 보고 떠돌 유 자를 써 유혼이란 이름이 붙었다.

육효는 효마다 십성이라는 이름을 붙여 그 의미를 읽어 낸다. 해석이 괘명 괘사 효사에 근거하는 것은 주역의 관점에서 바라보았을 때이다. 육효는 납지의 왕생극을 통해 십성을 읽어내는 것을 해석의 주요점으로 삼는다.

십성 붙이기

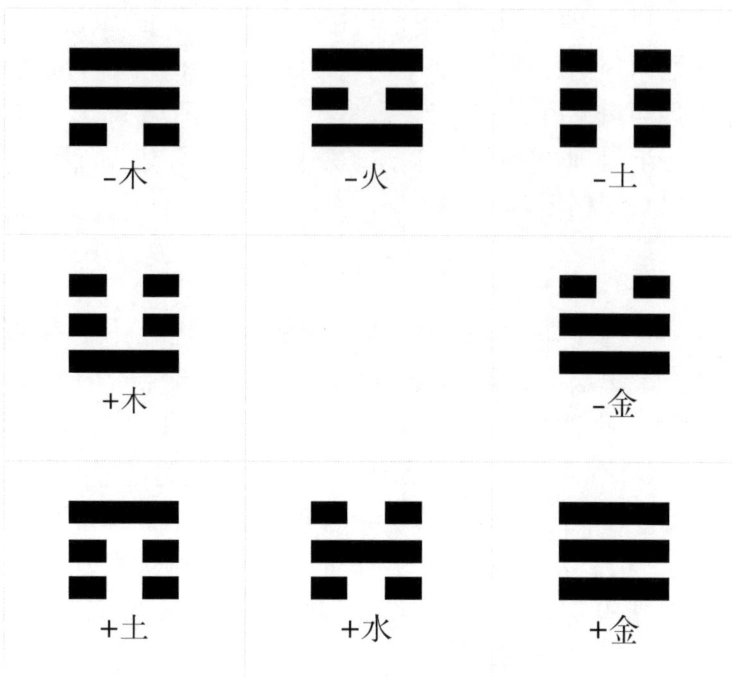

후천팔괘의 오행

육친 또는 육신으로도 불리는 십성은 인간사적 관계를 표상하는 단어이기도 하고 표현하려는 대상을 빗대어 표현하는 다른 말이기도 하다. 우리가 할머니를 할머니의 이름으로 부르지 않고 그저 할머니라고 부르듯이 역학에선 할머니를 '부'라고 하는 육친으로 구분하여 부른다. '부'는 할머니뿐 아니라 나의 윗사람을 통칭하는 대명사로 쓰인다. 육효에서 쓰이는 십성을 열거하면 형제, 손, 재, 관, 귀, 부가 있다. 이는 모체괘의 오행을 기준으로 결정되어 십성을 정하려면 꼭 모체괘를 찾아야 한다.

모체괘의 오행을 기준으로 납지가 붙은 효의 오행과 비교하여 십성을 정한다. 십성과 육친은 같은 말로 육친을 좀 더 세분화하면 십성으로 표현할 수 있다. 오행의 생극에 따라 양음의 진가를 따져 십성을 구분하면 다음과 같다.

- 모체괘의 양음오행과 납지가 같으면 비견, 양음만 다르면 겁재, 육친은 형
- 모체괘의 양음이 같고 납지를 생하면 식신, 양음이 다르면 상관, 육친은 손
- 모체괘의 양음이 같고 납지를 극하면 편재, 양음이 다르면 정재, 육친은 재
- 모체괘를 극하는 납지의 오행의 양음이 같으면 편관(귀), 다르면 정관, 육친은 관
- 모체괘를 생하는 납지의 오행의 양음이 같으면 편인, 다르면 정인, 육친은 부

십성의 의미

사주에서 십성을 구분하는 기준은 일간인 나를 기준으로 정한다. 그러나 육효의 십성을 정하는 기준은 내가 아닌 나를 있게 한 모체괘다. 나를 있게 한 모체괘라니 내가 모체괘라는 소리인지 도통 애매한듯하다. 하지만 처음으로 돌아가 되짚어 보면 이해할 수 있다. 우리가 본질을 이야기할 때는 언제나 맨 처음으로 그 시작이 어디인지 생각한다. 육효의 본질은 내가 점을 쳤던 동기, 사건이다. 내가 아니라 일어난 일이 본질이다. 나는 일어난 일을 괘효를 통해 표현하려 하는 사람으로 어쩌면 제3자가 될 수도 있다. 일어난 일은 내 머릿속을 통해 괘효로 표현되고 그 괘효를 있게 한 바탕 공간인 모체괘가 사건의 근본이다. 십성은 그 기준점을 두고 둘러싼 상의를 표현하기에 사건을 읽을 때 중요한 키워드로 작용한다. 그러니까

사건을 이루는 구성요소는 모두 이 십성 안에 들어있어 사건에 나타난 십성이 의미하는 바를 잘 짚어야 해석이 가능하다.

비견 겁재란 형제자매 동료 친구 동업자 경쟁자가 될 수 있는 나와 동등한 타인이 여기에 포함되는데 나와 타인이라는 관점에서 세효, 응효와 비교하면 세효와 응효는 구조적으로 비견 겁재, 형제성보다 앞선 나와 상대방을 뜻하며 나와 같은 공간에 내가 의식하는 대상을 응효로 두고, 형제성은 그보다 다수일 수 있는 혹은 해석상의 상대방이 여럿일 때 형제성을 차후로 두고 해석한다. 세효와 응효가 같은 공간이라면 내괘 외괘에 있는 형제성은 전체 환경 아래 들어간 구성요소로서의 타인을 말한다. 이때 사건에 따라 세효의 자리에 형제성이 들어가면 그 의미를 달리하지만 대개의 경우 그 형제성은 형제가 아닌 나 자신이라고 해석한다.

식신 상관이란 나의 욕망의 표출이라고 대변할 수 있다. 자식 표현 영업 마케팅 생산 기술 등 손성이 유리할 경우 공부 생산활동 창업에 좋고 출산 자식에 관한 일에 있어 손성이 갖는 힘을 읽어주어야 한다. 또한 요즘은 반려동물이나 스스로가 애정을 쏟는 자식 성분을 갖는 것들 혹은 소유물, 애장품, 택배 물건 등 모두 손성을 용신 삼아 읽을 수 있다. 손이라는 육친은 생각보다 그 범위가 광대하여 여기여기에 쓰임이 많으니 그 상의를 깊이 있게 연구해 보는 것이 좋다.

편재는 비정기적인 돈, 정재는 정기적인 돈인데 이렇게 굳이 분류하는 것도 의미가 있겠지만 돈의 속성을 지닌 혹은 돈을 포함하는 부동산, 주식, 예금, 예술품, 저작권 등 돈이 오가며 돈을 수반하는 사건에 드러나는 재성으로 돈이 연관되어 있다면 편재든 정재든 먼저 재성을 돈으로 두고 돈이 어디로 흐르느냐를 잘 판가름해야 사안을 정확히 해석할 수 있다. 예를 들어 계약이나 문서가 이루어지지 않을 것만 같아도 돈의 흐름이 나에게 돌아오면 좀 더 주의를 기울여 해석을 신중히 하고 결정을 내려야 한다. 대부분의 일엔 돈이 들어가고 돈의 흐름에 따라 사건이 결정되기도 하기 때문이다. 육친에 관한 재성의 구분은 질문자가 남성이라고 했을 때 편재는 여자친구, 정재는 아내를 기본적으로 두고 해석할 수 있는데 때로는 남자가 아내나 애인을 너무 애지중지하면 손성으로 두고 해석해야 하는 경우도 있었기에 언제나 실제 사건과 십성을 잘 결합하여 읽어야 육효를 제대로 읽을 수 있다. 사건과 십성을 제대로 연결하지 못하면 실제와는 전혀 다른 해석이 나와 응기의 탓을 할 수 있는데 이는 육효의 문제가 아닌 사건을 잘 헤아리지 못한 술사의 문제다.

편관 정관은 편관은 귀, 정관은 관으로 읽는다. 조선시대를 지나 지금도 시골에 가면 나이 지긋한 어르신들은 지방자치단체나 공무원들을 관이라고 부른다. 관은 유일하게 나를 극하는 성분인데 그중에서도 귀는 모체괘와 음양이 같을 때 진극하여 상대의 힘을 빼앗는다. 정재 편재 정인 편인은 육친으로 구분할 때 다 같은 재성과 인성으로 구분한다. 그런데 편관 정관은 같은 관이지만 귀성과 관성으로 구분한다. 예나 지금이나 관청에서 연락이 오면 영 기분이 좋지 않고 과거엔 옛사람들은 연락도 아닌 부름을 받고, 끌려갔다 하면 고신을 당하니 귀신같은 놈들이라 하여 나를 진극하면 귀를 붙였다. 그래서 보편적으로 십성에 귀가 붙으면 해석이 어두운 경우가 있으나 역시 이 책에선 그보다 먼저 변효 동효를 중점으로 읽고 오행의 왕생극을 통해 십성이 갖는 힘을 위주로 해석한다. 관성은 사람이 모여 합의를 이루는 곳은 어디든 해당한다. 앞서 말한 기관 단체 학교 직장 사업체 관리 여자의 입장에서 육친으론 남편 남자친구가 되니 관성이 어느 자리에 앉아 누구를 극하여 힘을 빼앗는지 봐야 한다.

인성은 정인과 편인으로 나누어지는데 인성은 편인 정인의 구분 보다 생하여 힘을 주는 존재로 보고 부모 조부모 조상 종교 교육 학문 문서 서류 도장 소식으로 쓰인다. 그중에서도 문서는 재산 문서 부동산 주식 재성과 관련하기도 하고 또는 합격장 임명장 등 관성과 연관된 문서가 되기도 하여 인성 하나만 놓고 보기 보다 그와 관련되어 그 인성이 무슨 인성인지를 의미하는 십성과 같이 해석을 해보면 육효를 읽는 시선이 더 확장된다.

십성은 사건을 이루는 구성요소를 열 가지 단위로 나눈 물상론이다. 물상은 눈에 보이는 대상의 생김새, 모양, 기운이 모여 가장 중점적으로 말하고자 하는 대표성을 하나로 표현한다. 이는 다시 말하면 보는 이에 따라 물상이 달라질 수 있다는 이야기다. 어떤 이의 눈에는 아름답게 핀 꽃이 어떤 이는 성가신 잡초로 여겨질 수 있다. 그래서 십성이란 육효로 표현하고자 하는 사람의 주관성도 들어가 있지만 괘효로 보는 세상의 객관성도 들어가 있다. 이 책에서 소개한 십성은 단편적이지만 핵심을 요약해 설명하고자 했다. 아까도 이야기 했듯이 물상이란 보는 이에 따라 달라지는 추상적 개념이다. 이 개념을 누구에게나 통용할 수 있는 십성으로 스스로 정의를 세워야한다.

세효와 응효 그리고 신궁

세효

'세'는 '나' 로써 육효에선 괘가 존재할 수 있는 근거로 괘를 완성시키는 기준이 된다. 모체괘가 십성의 기준이 되었다면 세효의 기준은 변화한 효다. 괘를 완성하는 건 모체괘에서 변화한 효의 변화값이다. 모체괘와 자녀괘를 구분하고 그 다음 자녀괘로 가기위한 기준이 되는 변화값이 세효다. 세효의 기준은 괘를 변화시키고 완성시킨 효다. 가령 중천건 괘의 자녀괘인 천풍구 괘는 중천건 괘의 초효가 변화하여 완성되었다. 그럼 초효를 변화시켜 천풍구 괘를 만든 초효가 '세'가 된다. 이후 2효가 변화하여 만들어진 천산돈 괘는 2효가 '세'가 된다.

유혼괘와 귀혼괘의 모체괘는 어떨까? 유혼괘는 당연하게도 다시 4효를 변화시켜 얻었으니 4효가 세효가 된다. 귀혼괘는 하괘의 배합괘인, 3효 2효 초효가 모두 변화한 결과다. 세효는 하나뿐이라 이중 하나의 효에만 세효를 붙일 수 있다. 귀혼괘의 세효는 2효와 초효를 변화하게 한 변화의 시작인 3효가 세효가 된다. 파생괘는 모체괘로부터 변화하고, 변화한 값이 다시 매개체가 되어 그 다음괘를 만들어 낸다고 했다. 귀혼괘는 3효가 변화하지 않으면 2효도 초효도 변화할 수 없으니 귀혼괘를 완성시키는 기준은 3효가 되고 3효가 세효가 된다.

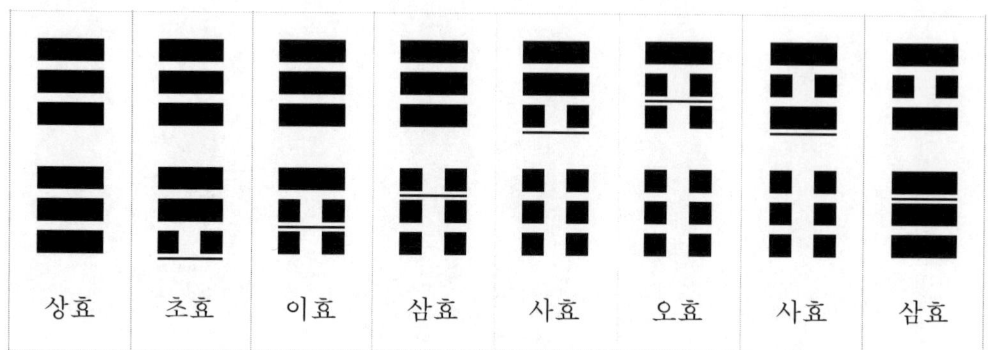

세효가 붙는 그림

모체괘는 역설적이게도 자녀괘 중에서 변화하지 않은 마지막 효, 상효가 세효가 된다. 상효는 양괘 음괘를 구분하는 정체성이고 괘를 유지하는 최후의 보루가 되어 다른 괘를 총괄하기에 모체괘는 상효에 세를 놓는다.

육효는 나의 마음속의 공간을 괘효로 세운다. 괘를 완성시킨 효만이 나의 마음을 투영한 존재로서 의미를 갖게 된다. 그러니 당연히 세효엔 나의 마음속에 가장 와닿아있는 십성이 자리하게 되어있다. 응기의 여부가 궁금하다면 세효에 내가 득괘하며 했던 머릿속의 공간에 자리한 생각이 세효의 자리에 십성으로 나타나게 된다. 이를 확인해 보고 응기가 잘 되었지 판단할 수도 있다.

응효

응효는 나와 같은 선상에 있는 상대방을 뜻한다. 육효괘는 천인지 삼재궁이 두개로 이어져있는 복층구조다. 세가 내괘(하괘)의 지궁에 있으면 응은 외괘(상괘)의 지궁에 있게 된다. 세와 응은 언제나 내외로 갈라진 같은 궁에 있게 된다. 그래서 응은 나와 같은 궁에 위치하여 내가 상대하는 대상이 된다. 상대한다는 것은 기다리는 일이자 바라는 일이기에 때가 되면 마주하는 일이 되고 대상이 된다. 나의 머릿속 생각과 육효괘가 대칭을 이루면 세효와 응효가 내괘와 외괘로 나뉘어 대칭을 이룬다. 이렇게 육효는 팔괘 위에 또 하나의 괘가 올라감으로써 이층 구조를 이루고 프렉탈 처럼 전역적으로나 국소적으로나 상하, 내외, 세효와 응효, 변효와 동효와 같은 방식의 이중구조를 띄게 되어 있다.

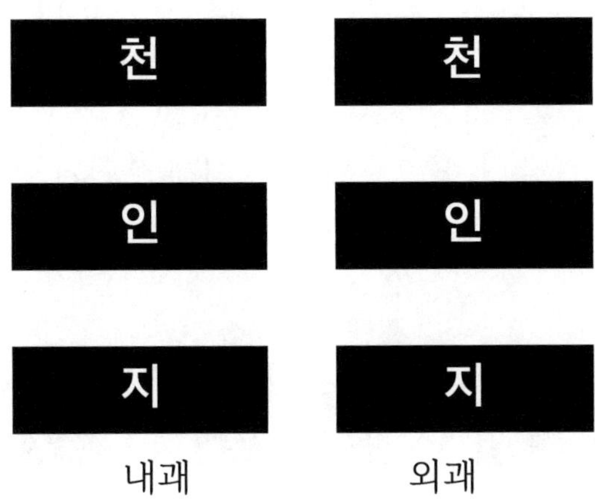

내괘와 외괘의 천, 인, 지는 천의 공간, 인의 공간, 지의 공간이 둘로 나뉘어진 공간이다. 세효와 응효도 둘로 나뉘어진 나와 상대방이다. 세효를 기준으로 응효는 항상 +3 효 위에서 세효와 같은 공간에 자리한다. 둘다 공간적 배경을 의미하여 나, 혹은 내가있는 공간, 상대방의 자리에 앉은 십성을 따져 나와 상대방이 쥐고 있는 것이 어떤 것인지 알 수 있다. 문점 하는 것엔 언제나 그 대상이 있기 마련이라 세효와 응효는 나와 그 대상의 상태를 알려주기도 한다.

납지의 체와 용 그리고 신궁

이제까지 8개의 모체괘는 양음을 교대하며 양승음강의 원리에 따라 납지가 붙었다. 득괘후엔 상괘, 하괘에 정해진 납지를 붙이고 이를 토대로 십성을 붙여 해석하게 된다. 육효는 이를 용으로 놓고 체를 두어 납지의 이중구조를 갖춘다.

8개의 모체괘가 납지의 쓰임을 위한 용이라면 8개의 모체괘의 부모괘, 중천건 괘와 중지곤 괘는 체가 된다. 체는 사물의 본체 또는 원리, 중심이다. 중천건 괘와 중지곤 괘는 건괘와 곤괘가 중복된 괘이고 건괘와 곤괘의 본체는 삼천양지, 천인지 5가 된다. 5는 평균이자 중심으로 체가 될 수 있는 기본 조건이다. 이제 이 조건에 부합하는 납지의 체를 찾기 위해 중천건 괘와 중지곤 괘를 아래의 그림과 같이 12지지에 대응해 보면 어떨까.

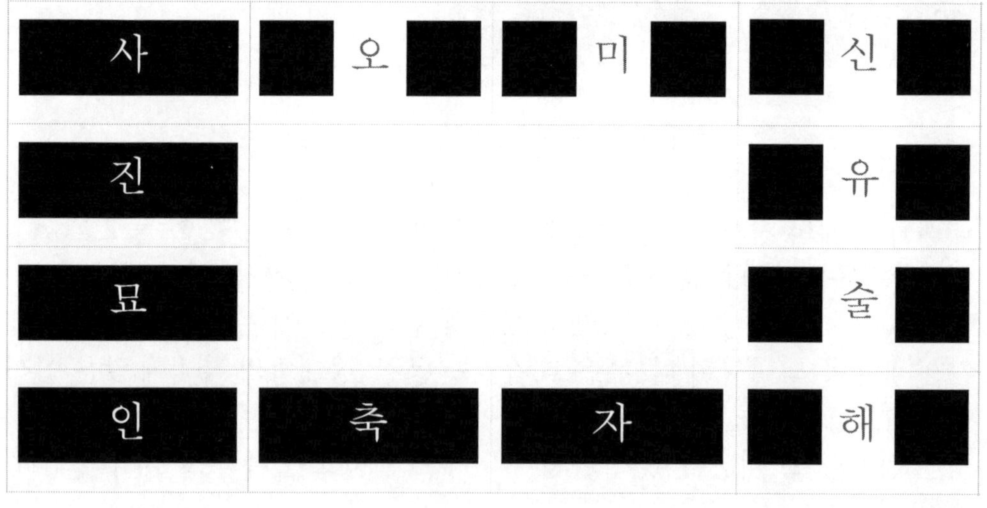

납지의 체

중천건괘의 초효는 12지지의 시작이자 양의 지지인 자수와 대응한다. 이후 2효는 음의 지지인 축토와 대응한다. 그렇게 중천건괘의 효는 12지지의 양음을 교대하며 음의 지지인 사화까지 양승한다. 그다음 중지곤괘의 초효는 양의 지지인 오화와 대응한다. 이후 2효는 음의 지지인 미토와 대응한다. 마찬가지로 중지곤괘의 효는 12지지의 양음을 교대하며 음의 지지인 해수까지 음강한다. 여기에 12지지의 평균이 되는 대충 자리에 있는 효를 합하면 삼천양지, 천인지 5가 나온다. 12지지로서 평균이 되는 자리에 괘효로서도 평균을 갖춰 안정적 구조를 이룬 납지의 체를 납지의 원시반이라 부른다.

납지의 원시반

원시반의 개념은 육효의 초효부터 상효까지 각각의 효가 최초로 12지지궁에 임한 자리를 말한다. 원시반은 궁, 몸체로서 변하지 않는다. 원시반에 괘효가 날아들고 괘효는 일종의 비성이 되어 12지지궁에 들어간다. 원시반은 원시궁으로써의 성격을 가진다. 만약 자수와 오화의 납지가 붙은 괘효는 그 효가 육효괘의 상효든 이효든 어떤 자리에 있던간에 원시반은 초효의 자리가 원시궁이 된다.

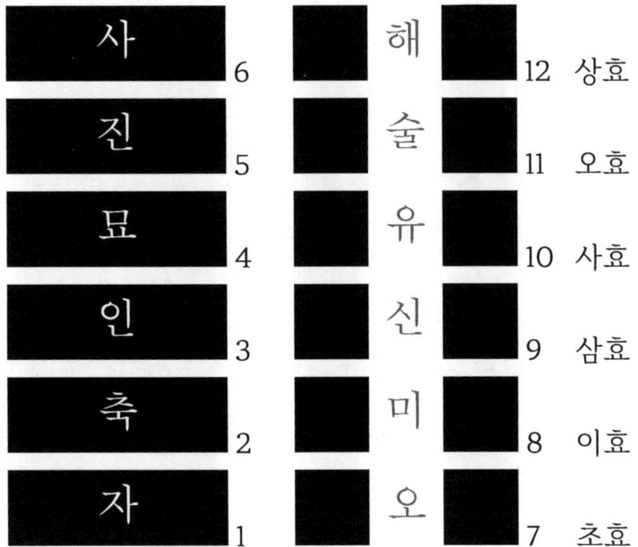

납지의 원시반은 12지지가 여섯 개의 효에 두개로 나뉘어 붙는데 초효에 자와 축, 이효에 인과 묘 이렇게 두 개씩 붙어 올라가지 않고 초효부터 첫 번째 지지를 시작으로 상효까지 하나씩 올라가고 다시 일곱 번째 지지가 초효부터 상효까지 12지지가 6개의 효에 두개씩 짝을 이뤄 대응한다. 이렇게 해야 같은 공간 상에 놓이게 된다. 충이 되는 지지는 자궁과 오궁 처럼 공간 안에 시간이 대칭되어 있다. 12지지의 순서수를 따른다면 1&7, 2&8, 3&9, 4&10, 5&11, 6&12로 홀수는 홀수, 짝수는 짝수, 천도는 천도, 지도는 지도끼리 같은 의미가 있는 숫자 조합이 서로 대칭을 이뤄 같은 공간에 붙게 된다. 전역적으로는 홀수와 홀수, 짝수와 짝수의 조합으로 같은 자리를 찾고 국소적으로는 양음으로 하나의 공간을 표현한다.

납지의 원리 그대로를 따라 원시반도 설계되어 있다. 원시궁 위에 모체괘가 있어 원시궁 안에 모체괘가 들어가는 것으로 모체괘는 모체성으로서 자리한다. 원시궁은 고정궁으로 모체괘라는 비성인 모체성이 날아 들어오는 것이 원시궁 안에 채워지는 성이 된다.

납지 또한 이중구조를 갖춘다. 납지의 원시반과 모체괘로부터 찾은 본괘의 납지의 이중구조, 모체괘와 본괘의 이중구조, 그리고 여기에 동효와 변효라는 이중구조처럼 원시반과 8개의 모체괘에 대응하는 편차반, 본괘를 두어 체와 용으로서 쓰임을 달리한다. 육효의 이중 구조는 무엇이든 빠짐없이 서로 대응되어 하나의 구조체를 형성한다.

신궁

육효 납지의 근본, 체가되는 원시궁이 신궁이 되어 사람의 몸궁으로 건강점과 관련하여 세를 용, 신을 체로 놓고 해석한다. 건강은 이렇게 세와 신, 두 가지를 모두 고려해야 한다. 원시궁은 가장 낮은 바닥의 안정적인 괘다. 신궁은 모든 십성을 대상으로 응용이 가능하다.

신궁은 몸 신자를 쓴 몸체다. 앞서 살펴본 납지의 체와 용의 관계에 따라 신궁은 효의 공간의 근원, 중심, 몸체가 된다. 그러므로 신궁을 찾을 때엔 효에 위치한 납지의 원시반을 찾으면 된다.

세효가 기준일 때
- 세효의 납지가 자, 오이면 신궁은 초효다.
- 세효의 납지가 축, 미이면 신궁은 2효다.
- 세효의 납지가 인, 신이면 신궁은 3효다.
- 세효의 납지가 묘, 유이면 신궁은 4효다.
- 세효의 납지가 진, 술이면 신궁은 5효다.
- 세효의 잡지가 사, 해이면 신궁은 상효다.

신궁은 건강에 관한 점사에 있어 적중률이 탁월하다. 세효가 힘이 있더라도 그 근원인 신궁이 위태로우면 건강에 문제가 있다. 건강점은 자신 보다도 웃어른에 대해 점을 칠 때가 더 많다. 납지의 원시반은 효의 원시반이기 때문에 그 효에 앉은 십성의 신궁을 모두 찾을 수 있다. 세효만이 아닌 손성인 자녀, 부성인 부모, 관성과 재성인 배우자의 신궁을 찾아 대응이 가능하다.

모체괘를 찾는 방법

세효를 찾고 십성을 붙이기 위해서는 모체괘를 찾아야 한다. 주역의 64괘를 통으로 외우고 어떤 자녀괘가 어떤 모체괘에 속하는지 모두 기억하려면 시간도 오래걸리고 효율이 떨어진다. 요령을 터득하여 한눈에 괘를 간파하자.

첫 번째, 상괘를 하괘와 비교한다.
자녀괘는 모체괘에서 초효부터, 양효가 음효로, 음효가 양효로 변하는 양음 교대 대칭으로 만들어진다. 상괘를 모체괘로 삼아 하괘과 비교했을 때 하괘의 초효 이효 삼효의 변화를 보고 모체괘를 추리할 수 있다.

- 하괘의 초효만 변화했다면 초효를 세효로 삼고 상효의 중복괘가 모체괘가 된다.
- 하괘의 초효와 이효가 변화했다면 이효를 세효로 삼고 상효의 중복괘가 모체괘가 된다.
- 하괘의 초효와 이효, 삼효가 변화했다면 삼효를 세효로 삼고 상효의 중복괘가 모체괘가 된다.

상괘를 내려 하괘와 비교 했을 때 이효가 변화했다. 이효는 세효가 되고, 상괘의 중복괘인 중천건 괘가 모체괘가 된다.

두 번째, 인궁은 동이족이다.
첫 번째 방법으로 세효와 모체괘를 찾지 못했다면 두번째 방법을 사용한다. 인궁은 지궁, 인궁, 천궁의 인궁을 말한다. 지인천의 그 인이다. 그러니까 상괘, 하괘의 두 번째 효, 이효와 오효를 말한다. 상괘를 하괘로 내리고 상괘와 하괘의 지궁 인궁 천궁을 비교한다.

- 상괘 하괘의 인궁만 같고 나머지 지궁과 천궁이 다르면 유혼괘다.
- 상괘 하괘의 인궁만 다르고 나머지 지궁과 천궁이 같으면 귀혼괘다.
- 유혼괘는 하괘의 배합괘가 모체괘가 되고 사효가 세효가 된다.
- 귀혼괘는 하괘가 모체괘가 되고 삼효가 세효가 된다.

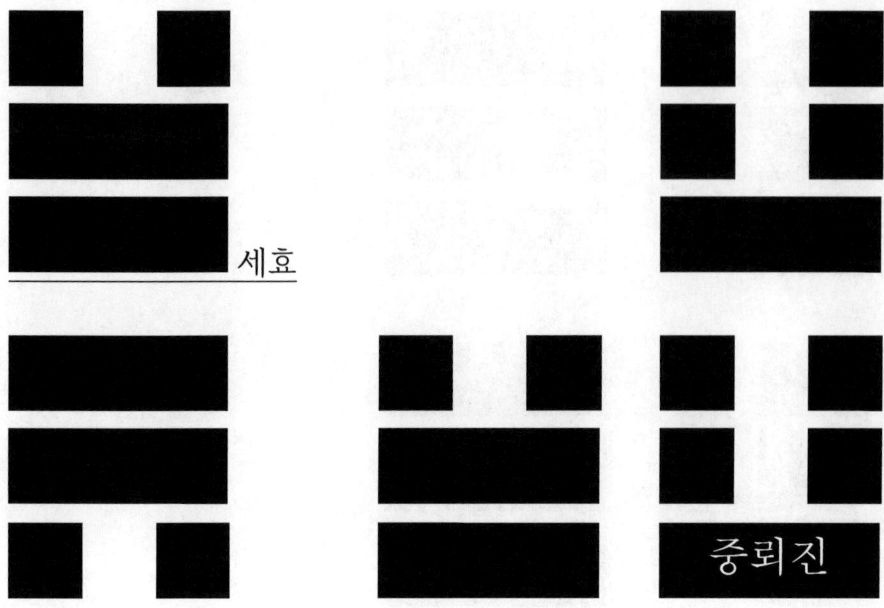

인궁만 같고 지궁과 천궁은 다르다, 인궁만 같으면 유혼괘다. 유혼괘의 세효는 사효, 모체괘는 하괘의 배합괘를 중복하면 중뢰진 괘가 된다.

세 번째, 하괘의 배합괘와 상괘를 비교한다.
위의 두 번째 과정까지 거쳤지만 아직 모체괘를 찾지 못했다면 괘는 사효나 오효까지 변한 상태다. 그렇다면 초효 이효 삼효까지 모두 변했다고 볼 수 있기에 하괘의 배합괘를 상괘와 비교하여 모체괘를 찾아야 한다.

- 상괘의 사효가 변했다면 사효를 세효로 놓고 하괘의 배합괘의 중복괘가 모체괘가 된다.
- 상괘의 오효까지 변했다면 오효를 세효로 놓고 하괘의 배합괘의 중복괘가 모체괘가 된다.

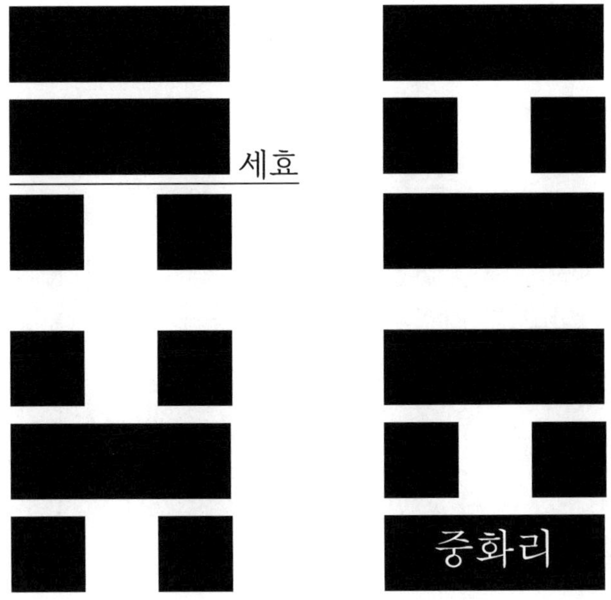

오효까지 변해 오효가 세효가 된다. 모체괘는 하괘의 배합괘를 중복한 중화리 괘가 모체괘다. 모체괘를 찾는 알고리즘은 비교적 간단하니 위의 과정을 몇 차례 연습하다 보면 득괘 후 나도 모르는 사이 몇 초 만에 모체괘를 찾아낼 수 있다. 자, 이제까지 육효점을 치기 위한 준비과정을 마쳤다. 직접 득괘하여 납지를 붙이고 모체괘를 찾아 세효를 정해 십성을 달아보자.

따라가기

처음부터 스마트폰 어플과 컴퓨터 프로그램으로 완성된 점사를 읽고 해석해도 상관없다. 그러나 득괘하여 직접 손으로 육효괘를 세우고 납지를 붙이는 등 점사를 완성하다 보면 원리의 이해가 좀 더 직관적으로 다가오게 되어 육효와 친해질 수 있다. 육효점이란 것은 세상에 질문하는 것이다. 친구도 자주 만나는 친구와 더 친하고 할 이야기도 많고 진실되게 속 터놓고 이야기한다. 오랜만에 만나면 옛날 이야기만 하다 돌아서고 되레 할 이야기가 없다. 육효 점괘가 잘 들어 응기되길 원한다면 육효와 친해져야 한다. 육효점을 자주 치고 나와 주파수가 맞는 도구를 찾아 가는 과정을 즐기다보면 육효와 친해지는 건 시간 문제다. 난수 작괘던 주사위를 던지던 책을 펼쳐들던지 무엇이든 좋다. 먼저 숫자를 뽑아보자.

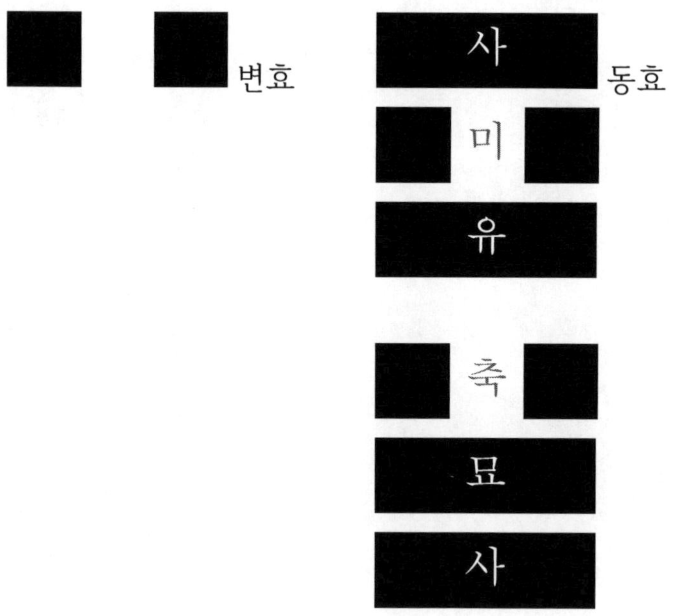

1. 다음과 같이 숫자 세 개를 뽑았다. 2 . 3 . 6

• 첫 번째 숫자로 하괘를 정한다. 2는 이태택 태괘

- 두 번째 숫자로 상괘를 정한다. 3은 삼리화 리괘
- 세 번째 숫자로 동효를 정한다. 6은 여섯 번째 효 상효가 동효가 되고 상효의 배합효가 변효가 된다.

2. 납지를 붙인다.

- 하괘의 삼효에 음효가 하나 있다. 12지지의 세 번째 음의 지지 사화를 초효에 붙이고 역행하여 삼효까지 올라간다. 사 묘 축
- 상괘의 오효에 음의 지지가 하나 있다. 12지지의 다섯 번째 음의 지지 유금을 사효에 붙이고 역행하여 상효까지 올라간다. 유 미 사
- 상효를 동효로 놓고 상효의 배합효를 상괘로 변환하여 변효의 납지를 붙인다.
- 상괘의 사효에 양의 지지가 하나 있다. 12지지의 네번째 양의 지지 오화를 사효에 붙이고 순행하여 상효까지 올라간다. 오 신 술, 변효의 납지는 술토다.

- 변효의 납지

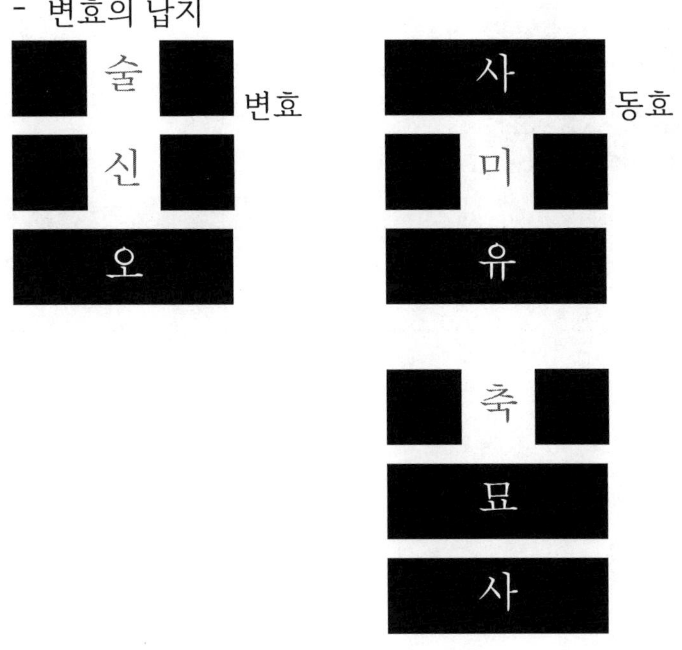

3. 모체괘를 찾는다.

- 상괘를 그대로 하괘와 비교한다. 초효부터 변하지 않았다.
- 인궁은 동이족이 아니다. 인궁만 같거나 다르지 않다.
- 하괘의 배합괘를 상괘와 비교한다. 사효를 변화시켰더니 득괘한 상괘가 나왔다. 모체괘는 하괘의 배합괘인 중산간괘다.

- 하괘의 배합괘를 상괘와 비교

- 모체괘가 중산간 괘인 본괘의 십성

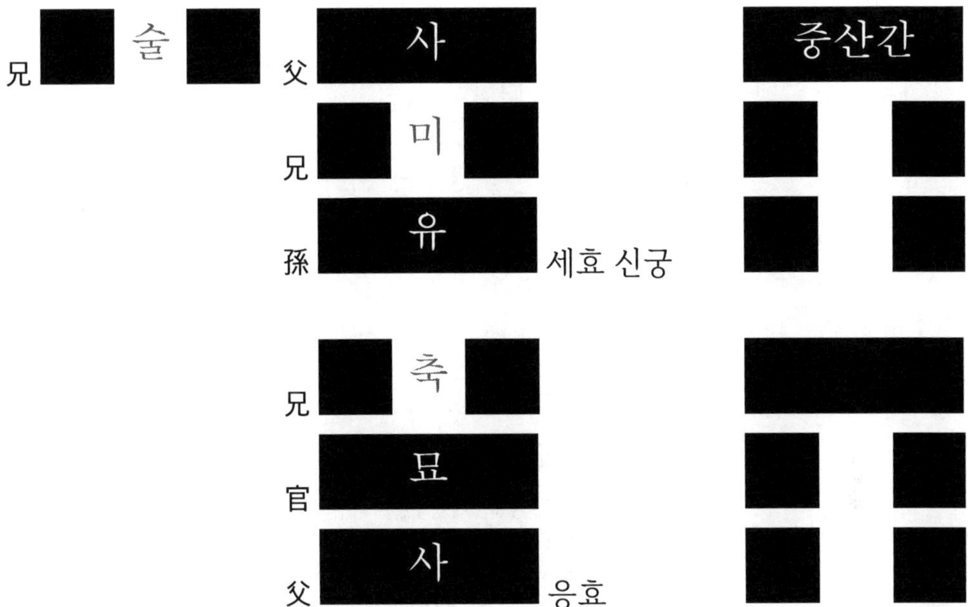

4. 십성을 놓는다.

- 십성의 기준은 모체괘의 오행이다. 간괘의 오행은 양토다.
- 초효 사화는 양토를 진생한다. 부성으로 놓는다.
- 이효 묘목은 양토를 가극한다. 관성으로 놓는다.
- 삼효 축토는 양토와 오행이 같다. 형제성으로 놓는다.
- 사효 유금은 양토의 진생을 받는다. 손성으로 놓는다.
- 오효 미토는 양토와 오행이 같다. 형제성으로 놓는다.
- 상효이자 동효 사화는 양토를 진생한다. 부성으로 놓는다.
- 변효 술토는 양토와 오행이 같다. 형제성으로 놓는다.

5. 세효와 응효, 신궁을 찾는다.

- 마지막으로 변한 효, 사효가 세효가 되고 세효가 있는 지궁의 +3만큼 올라가면 응효가 나온다. 신궁은 세효의 납지가 붙은 납지의 원시반, 사효에 신궁이 자리한다.

따라가기2

1. 다음과 같이 숫자 세 개를 뽑았다. 4 . 7 . 8

- 첫 번째 숫자로 하괘를 정한다. 4는 사진뢰 진괘
- 두 번째 숫자로 상괘를 정한다. 7은 칠간산 간괘
- 세 번째 숫자로 동효를 정한다. 8은 여섯 효를 넘어선다. 6을 제한 이효가 동효가 되고 이효의 배합효가 변효가 된다.

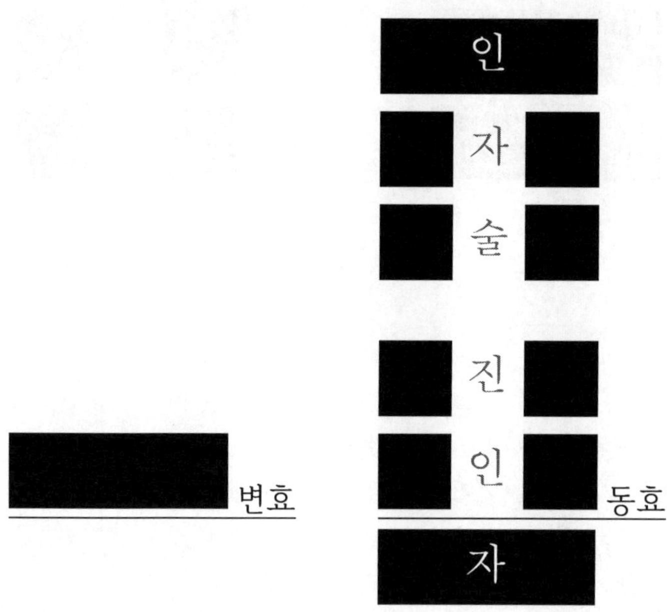

2. 납지를 붙인다.

- 하괘의 초효에 양효가 하나 있다. 12지지의 첫 번째 양의 지지 자수를 초효에 붙이고 순행하여 삼효까지 올라간다. 자 인 진
- 상괘의 상효에 양의 지지가 하나 있다. 12지지의 여섯 번째 양의 지지 술토를 사효에 붙이고 순행하여 상효까지 올라간다. 술 자 인

- 이효를 동효로 놓고 이효의 배합효를 하괘로 변환하여 변효의 납지를 붙인다.
- 하괘의 삼효에 음의 지지가 하나 있다. 12지지의 세 번째 음의 지지 사화를 초효에 붙이고 역행하여 삼효까지 올라간다. 사 묘 축, 변효의 납지는 묘목이다.

- 변효의 납지

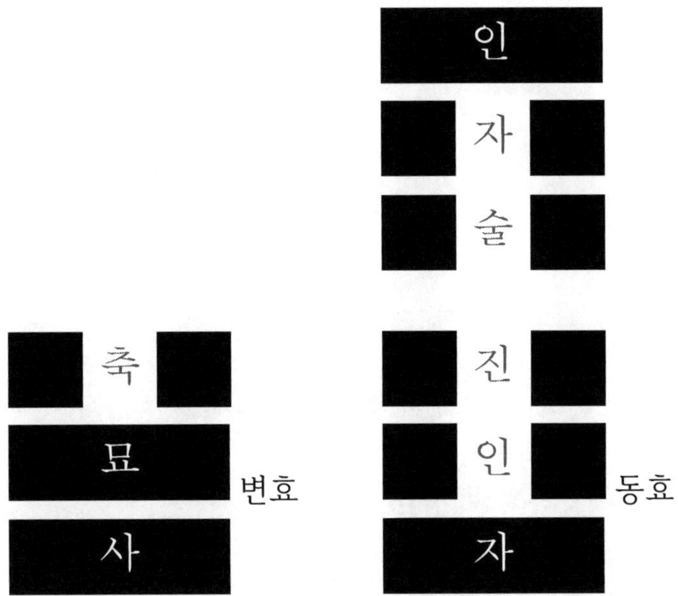

3. 모체괘를 찾는다.

- 상괘를 그대로 하괘와 비교한다.
- 인궁은 동이족이다. 인궁만 같으면 유혼괘다.
- 유혼괘의 모체괘는 하괘의 배합괘인 중풍손괘다.

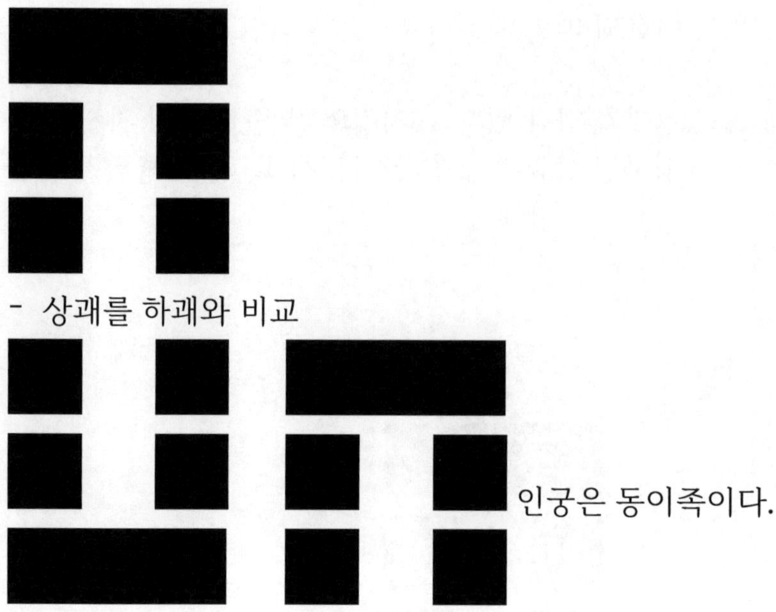

- 상괘를 하괘와 비교

인궁은 동이족이다.

4. 십성을 놓는다.

- 십성의 기준은 모체괘의 오행이다. 손괘의 오행은 양목이다.
- 초효 자수는 양목을 가생한다. 부성으로 놓는다.
- 이효 인목은 양목과 오행이 같다. 형제성으로 놓는다.
- 삼효 진토는 양목의 진극을 받는다. 재성으로 놓는다.
- 사효 술토은 양목의 진극을 받는다. 재성으로 놓는다.
- 오효 자수는 양목을 가생한다. 부성으로 놓는다.
- 상효 인목은 양목과 오행이 같다. 형제성으로 놓는다.
- 변효 묘목은 양목와 오행이 같다. 형제성으로 놓는다.

- 모체괘가 중풍손 괘인 본괘의 십성

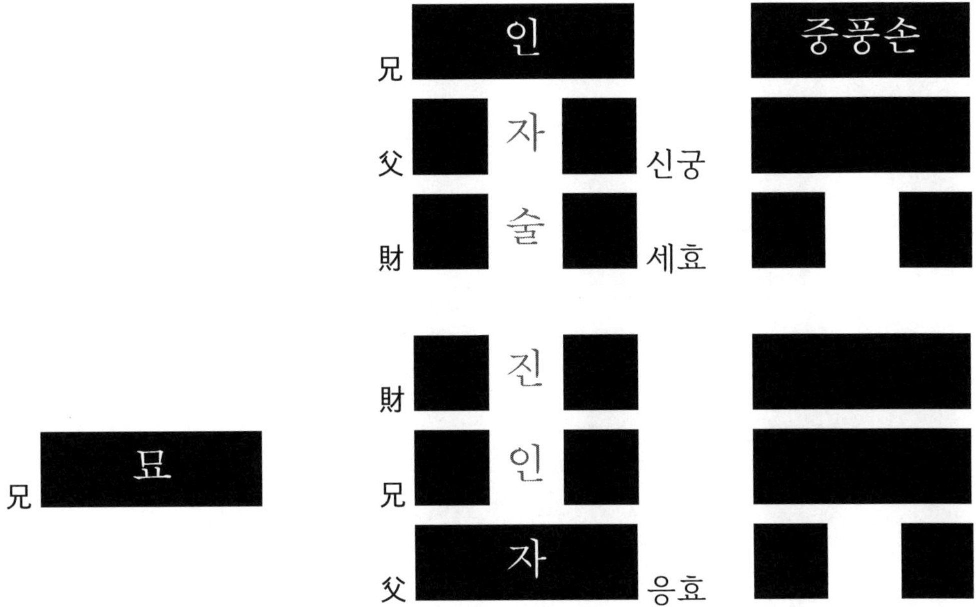

5. 세효와 응효, 신궁을 찾는다.

- 유혼괘를 완성한 효는 사효다. 사효가 세효가 되고 세효가 있는 지궁의 +3만큼 올라가면 응효가 나온다. 신궁은 세효의 납지가 붙은 납지의 원시반, 술토의 원시반인 오효에 신궁이 자리한다.

육효의 구성

정효와 동효와 변효

• 정효

득괘 시 순서대로 하괘와 상괘를 얻고 동효를 얻는다. 하괘와 상괘를 얻으면 하나의 대성괘, 육효 괘가 완성되고 초효부터 상효까지 각각의 효는 정효가 되어 사건의 구성요소가 된다. 정효가 모인 여섯 개의 효를 통틀어 육효라 부른다. 육효는 사건의 몸체로서 고정된다.

• 동효

이후 고정된 상태에서 동효를 얻으면 정효 중 하나가 동효가 된다. 동효는 움직이지 않는 정효 중 하나의 효를 가리키는 것으로 사건을 일으킨 효다. 사건이 일어나려면 어떤 것이든 움직여야 한다. 액션, 행동, 움직임이 없으면 사건도 없다. 그래서 정효 중 하나 혹은 복수의 효를 움직일 동을 쓰는 동효(動爻)라고 이름한다.

• 변효

동효는 이제 변효를 이끌어낸다. 동효가 된 정효는 양음을 변환하여 변효를 낳는다. 한 사건이 다른 사건을 유발하거나 어떤 일이 일어나게 만든다. 동효와 변효, 두 사건이 모여 단일 액션을 구성한다. 하나의 움직임엔 또 다른 하나의 움직임이 필요하고 둘은 연결되어 하나가 된다. 달리기를 하는 사람은 골인 지점이 있어야 하듯이 사건은 움직였으면 시간의 흐름에 따라 흘러야 한다. 액션은 마치 하괘에 상괘가 이층 구조처럼 쌓아 올라가며 사건의 몸체를 구성했던 것과 같이 변효와 동효라는 두 개의 이벤트가 모여 사건의 개연성을 더 해준다. 이어서 일어나는 두 개의 사건은 하나의 액션이 된다.

변효의 설계

변효는 하괘든 상괘든 동효만 변화시켜 만든 배합괘를 기본으로 여기에 납지를 붙인다. 국소적 양음 교대 대칭으로 후천팔괘의 원리와 같다. 괘 전체, 괘 단위가 아니라 효 하나, 효 단위로 나아간다. 후천팔괘를 정의하는 것도 효 하나의 양음의 차이를 가지고 구분하듯 변효도 동효 하나의 효를 변환하여 변효와 동효를 구분한다. 후천팔괘와 변효 동효는 전역적 설계가 아닌 국소적 설계로 이루어져 있다. 이는 납지를 붙이는 순간 양음의 전역적 설계에서 오행의 국소적 설계로 변환하는 것과 같다. 양음은 오행을 포함하는 전역적 범위이지만 오행은 그 안에 국소적으로 더 세분화되어있다. 후천팔괘와 변효, 동효 모두 양음을 구분점으로 오행화되어 있다.

정효와 동효와 변효의 의미

동효와 변효는 하나의 액션이 되어 정효와 이중구조를 띄고 시간의 흐름에 따라 해석이 가능케 한다. 동효, 변효는 가장 위의 들뜬 상태로 밑에 있는 정효와 왕생극을 통해 사건, 문제를 해석한다. 변효 동효는 움직임이기에 그 움직임에 따른 파장이 정효에게 어떠한 영향을 미치는가가 가장 중요하다. 전체 사건의 몸체에서 변효, 동효는 가장 눈의 띄는 움직임이 되어 가장 먼저 시선이 향하는 곳이 되고 변효와 동효를 따라 정효에게 시선이 가닿는다. 변효와 동효와 정효를 거치는 시선을 따라가다 보면 사건의 전개가 드러나고 이야기가 만들어진다.

움직임이 없으면 오늘과 내일은 같은 날이다. 정지된 시간과 공간에선 아무런 일도 일어나지 않는다. 그러니 무조건 하나의 이벤트가 발생해야 한다. 만약 동전 던지기와 같은 득괘법으로 동효를 얻지 못했다면 응기 하지 못했을 가능성이 있다. 동효가 없다는 것은 움직임 없는 사건, 정적 일상과 같기 때문이다.

동효와 변효는 양음 교대 대칭으로 발생한다. 여기에 납지가 붙으면 둘 사이는 시간 기호로서 동등한 연장선상에서 왕생극을 한다. 일방적으로 왕생극을 당하는 것이 아닌 같은 레벨에서 왕생극을 하게 되는 것으로 단지 생성 순서에서 동효가 먼저 존재하고 변효가 발생하는 것이고 해석을 할 때엔 동효와 변효를 구두점으로 연결하여 정효의 상황이 된다는 것을 잘 정리해야 한다.

예컨대 동효가 손성이고 변효가 재성이면 손성과 재성을 같은 선상에서 보고, 돈을 벌기 위한 마케팅이 정효에게 어떤 영향을 주고 받는지를 읽어 주어야 한다. 만약 동효가 변효를 진생 한다면 손성, 마케팅으로 - 재성, 돈이 잘 연결된다고 해석할 수 있다. 그리고 이제 사건을 바라보는 시선은 변효에서 정효를 따라가 연결하여 왕생극을 하면서 그 돈이 어디로 가는지 정효로 결정한다. 변효와 동효는 변하지 않는 고정된 바탕 공간으로써 왕생극으로 정효의 힘을 증감시킨다. 반대로 정효가 전체 바탕 공간인 변효 동효를 변화 시킬 수 없다. 물건을 떨어트렸으면(동효) 물건은 떨어져야 하고(변호) 결과적으로 물건이 부서졌는지 멀쩡한지는 정효가 정한다.

정효는 동효가 되고 동효가 된 정효는 변효를 만든다. 이 셋 중 하나라도 없으면 다음 하나가 나오지 않기에 변효와 동효와 정효는 서로 유기적 순환관계를 맺는다. 변효와 동효는 정효의 매개체, 변화 값, 매개변수로서의 사건의 인자, 원인이 되고 때로는 결과로 인식되기도 하여 정효가 갖는 결괏값을 설명하는 가장 중요한 역할을 한다.

공간궁과 시간성, 공시간 좌표계

여섯 개의 효는 내가 점사한 시간의 영향을 받는다. 점은 시간 위의 한 점, 시간은 공간의 테두리로 시간과 공간은 상호보완적이다. 시간이 연속적으로 회전하려면 선은 이어져야한다. 선을 잇게되면 나오는 것을 공간으로 둔다. 육효 괘는 사건의 몸체를 구성하는 공간 단위로 절대적 시간의 영향 아래에 놓여있다. 그 시간은 내가 득괘한 시간, 괘를 얻기 위해 질문한 시간이다. 육효는 이 시간을 기준으로 사건의 기본 환경을 설정한다.

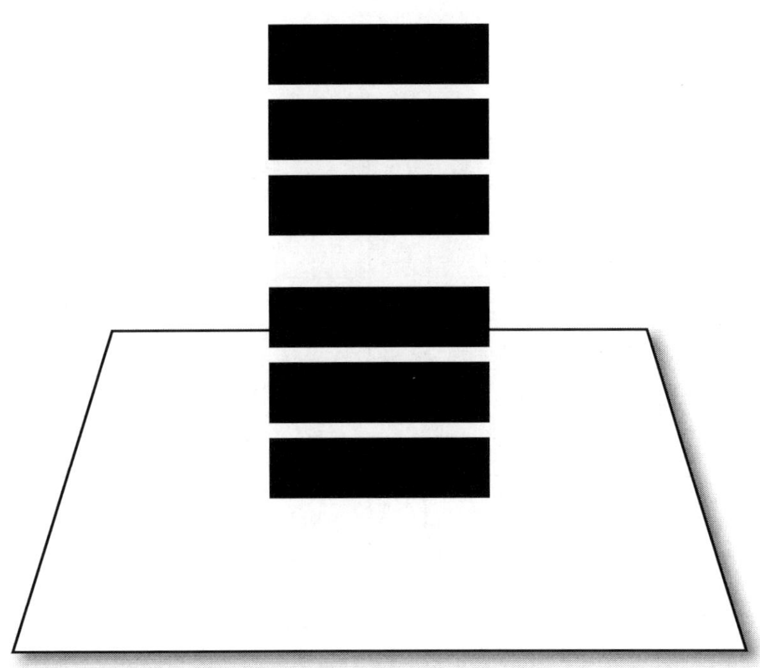

시간은 공간의 테두리라고 했다. 역학에서의 시간의 테두리는 자축인묘진사오미신유술해, 12지지이고 12지지가 한 바퀴를 돌면 하루, 일주라는 공간이 형성된다. 지지라는 이름은 땅을 지탱한다는 의미다. 땅이라는 공간적 배경을 열두 개의 시간이 이루고 있으니 12지지라는 이름이 붙었다. 이러한 열두 시간이 회전하여 얻은 공간 위에 세워진 괘가 육효다. 육효는 내 머릿속 공간에서 출발한 공간 단위이니 당연히 공간 위에 세워져야 한다. 그래서 육효점을 해석하는 기준은 시주가 아니라 일주가 된다. 그 시간이 아니라 그날이다. 육효의 해석은 그날로부터 시작한다.

그날은 12시진으로 이뤄져 있지만 그날이 어느 날인지를 정의하는 것은 어느 해, 어느 달이냐에 달려있다. 하루하루는 모두 같은 12 시진에 의해 이뤄져 있지만 그 하루는 일 년 열두 달 중 어느 하루이기 때문이다. 우리가 택배를 보낼 때 그저 딸랑 동네 이름만 붙이면 택배 상자는 갈 곳을 잃는다. 식별 가능한 가장 큰 단위부터 차례대로 기입해야 한다. 그래야 어느 동네의 누구 집으로 택배가 배달되어 주인을 찾는다.

	신축년		

60갑자년궁

임진월			

신축년궁

경인일			

임진월궁

사시	오시	미시	신
진시			유시
묘시			술시
인시	축시	자시	해시

경인일궁

그럼 역학의 가장 큰 시간 단위인 60갑자에서부터 육효괘가 세워진 그날을 찾아야 한다. 60갑자 년이라는 배경 중 지구는 1년에 태양을 한 바퀴 돌며 한 해를 보낸다. 그렇게 지구가 다시 1년을 기준으로 하는 태양을 한 바퀴 돌아오는 그 지점이 되면 신축년의 새해가 밝는다. 이제 그 공전 궤도 안의 황도를 12등분 하여 1년을 이루는 열두 달을 나누고 그중 임진 월에 태양이 들어오면 임진 월의 전원이 켜지고 다시 지구가 자전하며 경인 일의 태양이 떠오르면 비로소 공간에 태양빛이 닿아 그날이 되어 육효괘가 세워지는 공간적 배경의 몸체, 틀이 갖춰진다. 이렇듯 시간과 공간은 상호 보완적이어서 천체가 운동하는 주기를 공간궁으로 놓고 그 공간에 태양빛이 들어오는 시기를 시간성으로 놓는다. 경인일궁에 경인일성이, 임진월궁에 임진월성이, 신축년궁에 신축년성이 들어와 흐르는 것을 공간으로부터 나온 시간 좌표로 표현하여 공시간좌표계로 설정하고 이 좌표계에 세워진 육효 괘는 일, 월, 년의 시간의 영향을 받게 된다.

좌표계의 설정

• 공간적 표현

좌표는 특정 위치를 지정하기 위해 사용되는 값이다. 이를 역학에 적용하여, 육효의 특정 위치와 기본 상태 값을 정의할 수 있다. 이때 육효의 기본값을 정의하기 위해 사용되는 좌표가 공시간 좌표계이다. 공시간 좌표계는 공간은 고정해놓은 상태에서 시간의 흐름에 따라 해석한다. 고정된 공간엔 육효 괘가 수직으로 직립해있고 시간의 흐름의 따라 육효 괘는 기본값을 달리한다.

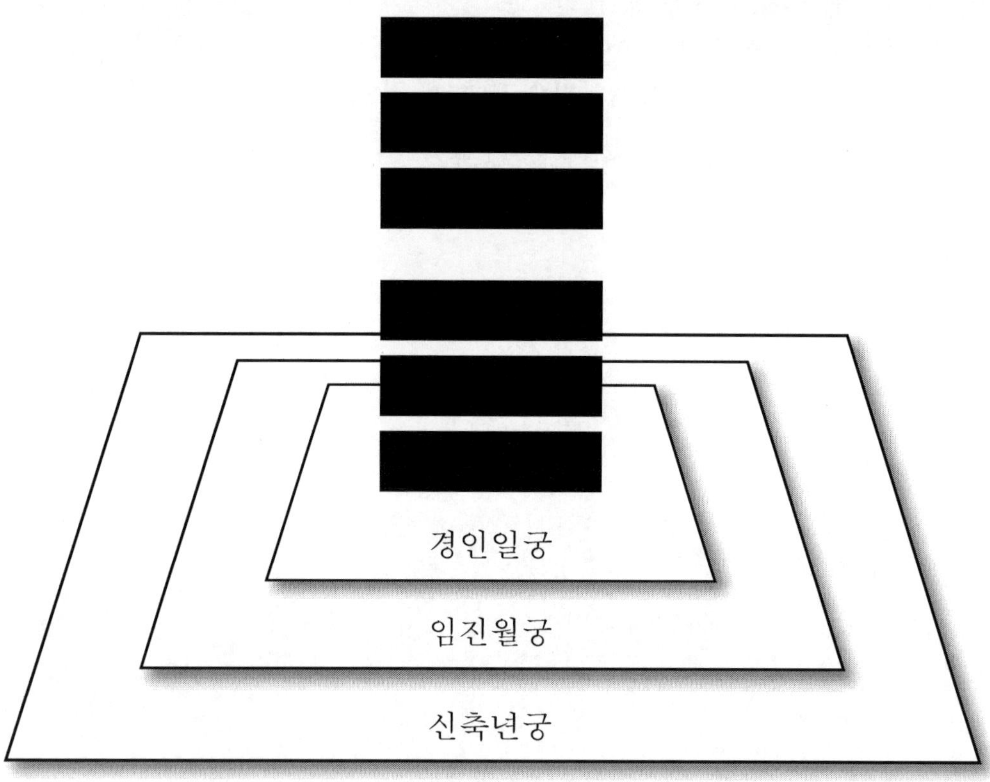

초효부터 상효, 육효괘 전체는 신축년 임진월 경인일의 환경 안에 놓여있다. 그렇기에 단지 경인일에 한 점사는 경인일에만 영향을 받는 것이 아니

다. 시간의 전체 주머니, 신축년 임진월의 환경을 포함하는 경인일의 영향을 받는다.

• 시간적 표현
마치 조건부 함수처럼 당일은 당일의 일지에 월지와 년지라는 조건이 붙는다. 즉 당일 일지의 좌표만 가지고 계산한 결괏값과 월지, 년지 각각의 좌표를 따로 거친 결괏값이 해석의 조건으로 붙게 된다. 당일의 환경에 영향을 받은 육효 괘는 당월과 당년의 영향을 받게 된다. 그 영향이란 힘을 주고 받는 것이 아닌 당년이 당월을 포함하고 당월이 당일을 포함하는 포함 관계로써 받는 영향으로 일지, 월지, 년지에 해당하는 결과 값을 비교해 사안의 흐름을 파악하는데에 사용된다.

만약 건강이 염려되어 문점 하였을 때 일지, 월지, 년지를 거친 괘효의 결괏값이 각각 0점, -1점, 0점이라 하면 지금 당장은 괜찮을지라도 증세가 악화될 수 있고, 시간이 걸리더라도 결국은 낳는다고 해석할 수 있다. 이처럼 괘효의 해석은 시간의 흐름에 따라 일지, 월지, 년지에 따른 결괏값의 힘의 크기에 의해 기본값이 결정된다. 시간의 흐름에 따라 해석되는 문제가 아닌 지금 당장 당락을 결정짓는 문제라도 월지와 년지에 따른 괘효의 결괏값에 주의해야 한다. 합격의 여부를 문점 하였을 때 일지에 의한 결괏값이 -1점이라도 월지와 년지에서 +1점이라면 특채나 추가 합격의 결과로 돌아올 수 있기 때문이다. 모든 일은 그 어떤 한 가지만으로 움직이거나 정해지지 않는다. 다양한 변인에 의해 지금에 이르는 상태를 갖추게 된다. 육효도 마찬가지로 좌표계와 변효 동효 정효간의 왕생극, 공망 등 여러 가지 조건이 목적을 충족시킬 때를 알아야 진정한 술사가 될 수 있다.

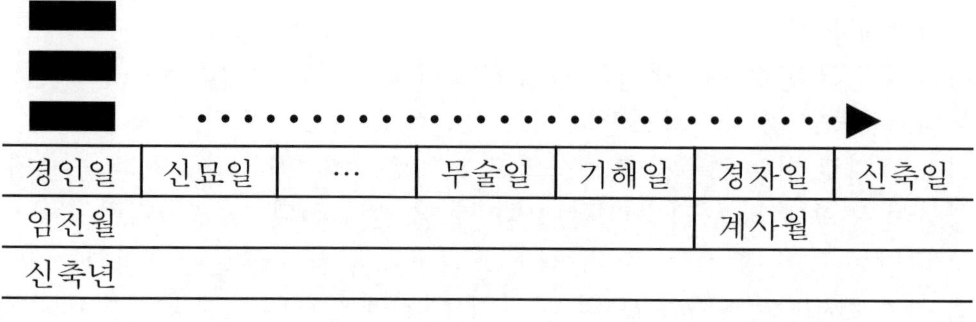

육효괘는 시간의 흐름에 따라 경인일을 시작으로 신묘일을 지나 계사월, 갑오월을 넘어 신축년이라는 한해동안 유효하다. 괘효의 현재상황을 정의하는 기본값은 년지, 월지, 일지에 의해 결정되고 힘의 크기는 실제 상황과 맞물려 돌아간다. 사안에 따라 일지 좌표계로 현재상황을 계산할지 월지와 년지를 써야할지 선택해야하는 것은 술사의 몫이다. 확실한 것은 무슨 일이든 당일만 보고 판단할 수는 없다. 누구든 오늘만 사는 사람은 없다. 내일도 보고 한달 후도 고려하며 사는게 사람이다.

공망

12지지 '궁'은 천간이 지지로 내려오면서 지지 '궁'으로 규정하는 공간 단위이다. 10천간이 12지지를 만나지 못한 나머지 지지궁이 비어있어 이를 공망이라 부른다. 천간이 지지에 미처 와닿을 수 없기에 공망이 되면 자리가 비워져 있다는 의미가 되어 공망궁에 들어간 지지는 작용을 하지 않는다. 분명 지지는 있지만 드러나질 않는다는 것, 쉬고 있다는 것, 잠재적이라는 것, 유예되어 있다는 의미로 다시 천간 갑부터 12지지를 순회해야 지지의 자리를 채우며 지지궁을 규정하므로 공망이 사라지고 지지, 오행의 왕생극이 발생할 수 있는 자리를 마련한다. 육효는 그날을 기준으로 육효

괘를 세운다고 했으니 당연히 육효의 공망 또한 일주를 기준으로 공망을 잡아야 한다.

기 사	경 오	신 미	임 신
무 진			계 유
정 묘			? 술
병 인	을 축	갑 자	? 해

공망의 생성

갑자부터 시작해 계유까지 10천간이 지지궁을 규정하면 술, 해가 남는다. 이에 납지에 술, 해가 붙으면 그 궁은 비어있는 것과 같아 술, 해는 왕생극을 하지 못한다. 다시 천간 갑이 돌아오면서 갑술, 을해로 공망을 채운다. 이를 탈골이라 하여 순, 열흘이 지났으니 공망을 벗어난다. 그대로 다시 갑술부터 계미까지 열흘을 보내게 될 때 신, 유가 천간으로부터 규정 받지 못해 갑술일 부터 계미일까지 신, 유가 공망궁이 된다. 그리고 다시 갑신, 을유로 신, 유가 채워지면 탈공으로 공망이 풀린다. 공망은 마치 무궁화 꽃이 피었습니다를 하듯 그대로 멈춰있는 상태로 아직 그 상태를 규정할 수 없다. 공망이 풀려야 그제야 움직일 수 있는 일종의 좌표계의 역할을 하고 있다.

공망은 일주를 기준으로 하여 신유가 공망일 때 신일과 유일을 만나면 공망이 채워져 왕생극을 할 수 있게 된다. 이를 전실이라 하는데 공망이 되는 그날이 돌아와 자리를 마련했기에 그날을 만나면 왕생극을 할 수 있게 된다. 또 한 가지 일종의 전실이라 할 수 있는 충하여 동하면 또한 왕생극을 할 수 있으니 신, 유 공망일 때 신과 충이되는 날인 인일이 오면, 유와 충이 되는 지지인 묘일이 오면 충동하여 왕생극을 할 수 있다. 전실은 그 날이 되어 같은 공간을 제공하는 의미이다. 12지지에서 같은 공간을 의미하는 충의 개념은 앞서 육효의 원시반에서 다뤘다. 지지충 또한 공망궁에 같은 공간을 제공하기 때문에 충이되는 날이 오면 신, 유는 왕생극을 할 수 있다. 이렇듯 오행의 왕생극은 언제나 상태의 경로를 나타내어 시간을 따라 흐르게 된다. 공망을 탈출하는 방법을 다시 정리하면 탈공으로 순, 열흘을 지나거나 전실로 같은 일지를 만나고 충동하여 충이 되는 일지를 만나면 공망은 해소되어 왕생극을 할 수 있다.

공망은 점학과 명학에서 두루 사용되는 개념인데 그 사용법은 기문, 사주 등 역학과목 마다 상이하다. 지지를 정의하기도 하면서 천간의 빈자리를 나타내기도 하는 어려운 개념이지만 육효에서 알아둘 것은 공망을 만나면 오행의 왕생극을 잠시 멈춘다는 것이다.

육효의 계층구조와 작동방식

• 육효의 계층구조

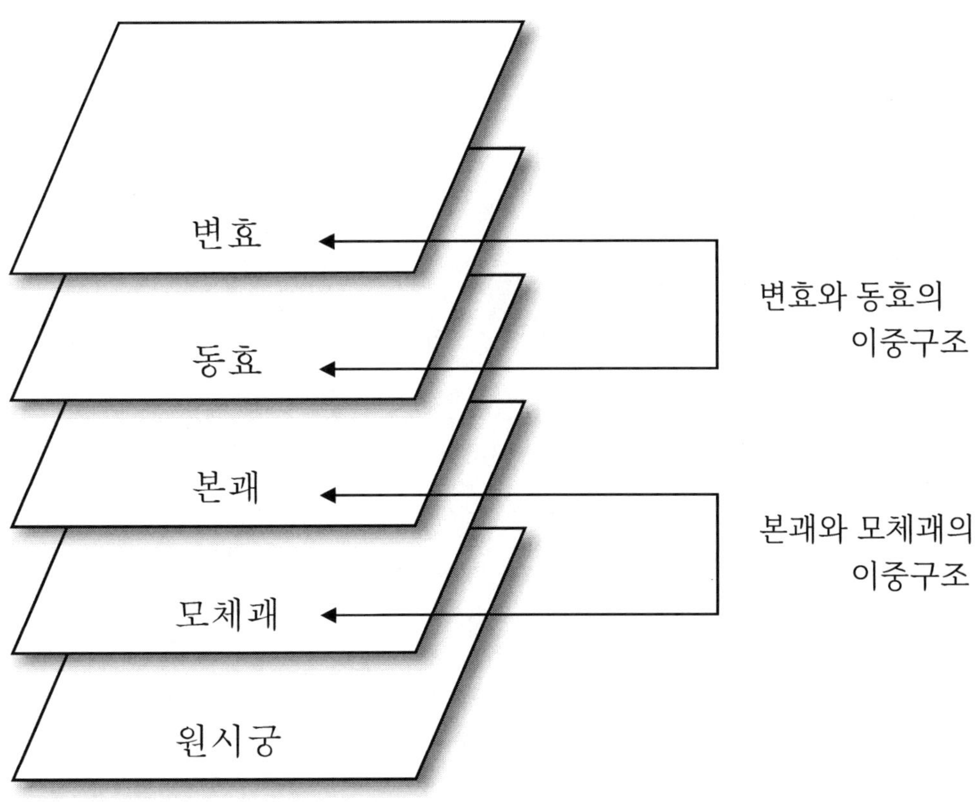

육효의 설계 원리에 따라 육효는 아래에서 위로 올라가며 계층구조를 이룬다. 맨 처음 가장 바닥에 육효의 원시궁이 있다. 원시궁은 12지지궁에서 비롯된 최초의 궁이다. 원시궁의 바탕 공간 안으로 괘를 얻는 것이 순서다. 괘는 팔괘의 모체괘를 포함하는 경방 64괘에서 얻는다. 원시궁 위로 본괘의 모체괘가 올라간다. 본괘는 모체괘의 편차반으로 원시궁 위로 올라갈 수 없다. 설계 원리에 입각하여 본괘를 낳은 모체괘가 먼저 원시궁의 위로 올라간다. 그 위로 모체괘의 편차반, 본괘가 올라간다. 모체괘와 본괘는 이중구조를 이룬 같은 레벨이라고 볼 수 있다. 다만 모체괘는 본괘의 기저에서 드러나지 않는다. 같은 층에 있지만 편차반으로 드러내고 모체괘는 은복해있다. 본괘 위에 동효가 오른다. 본괘의 여섯 효 중 하나의 움직인 효로 뽑혔기에 정효의 위에 올라간다. 동효는 정효의 위에 올라가 모든 정효에게 영향을 끼친다. 이후 동효로부터 나온 변효는 동효의 위에 올라간다. 그러나 동효와 변효는 같은 레벨로 모두 정효의 위에 있는 것과 같다. 변효와 동효는 정효를 기반으로 선택되고 만들어진다. 변효와 동효는 이중구조로 본괘인 정효의 위에 있다. 원시궁 모체괘 본괘 동효 변효의 순서로 쌓인 육효괘는 모두 동일 한 크기로 그 위를 덮는다. 동효와 변효는 하나지만 본괘 전체를 덮을수 있다. 본괘 전체에 영향을 준다.

- 육효의 작동방식

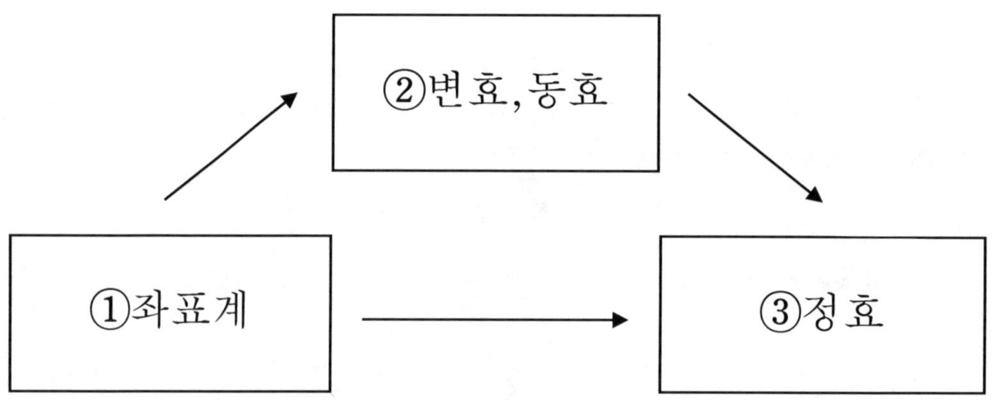

공시간좌표계는 공간 안에 시간으로 년, 월, 일, 시가 자리 잡았다. 육효괘 또한 육효라는 공간 단위에 납지라는 시간 단위를 붙인 공간궁과 시간성

으로 좌표계와 대응할 수 있다. 그러면, 좌표계의 시간성과 육효의 시간성 간의 오행의 왕생극으로 시간의 흐름을 따라 육효괘를 해석할 수 있다.

① 좌표계는 초효부터 상효까지 각각의 효와 왕생극하여 변효, 동효, 정효의 힘의 크기를 산출한다. 좌표계는 불변하는 시간으로 절댓값을 갖는 사건의 바탕, 보이지 않는 손처럼 효 하나하나에 일대다 대응하여 힘을 주기도 힘을 빼앗기도 한다. 좌표계라는 독립적 시간에 종속된 육효는 왕생극을 통해 영향을 받아 기본값이 세팅된다. 이 기본값은 현재 상황, 점을 치는 순간 내가 머릿속으로 떠올린 공간이다. 이 공간을 이루는 괘효의 기본값을 정의하는 것이 좌표계의 역할이다.

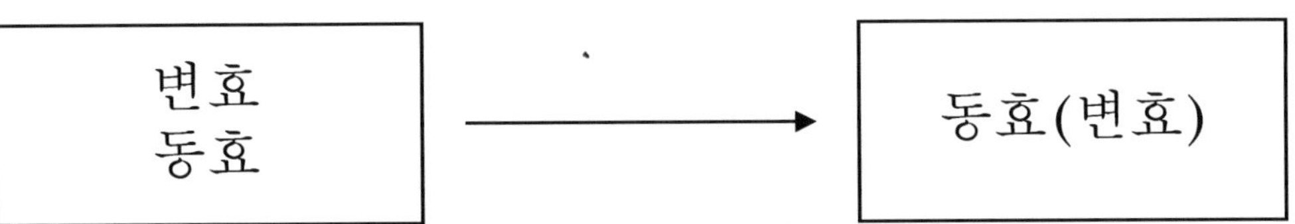

② 변효와 동효와 정효의 기본값이 정해지면 사건의 인자, 변효와 동효의 힘의 크기를 비교한다. 변효와 동효는 좌표계로부터 기본값을 부여받은 결과이면서 동시에 정효의 원인이 되는 움직임이다. 좌표계로부터 왕생극을 마친 변효 동효는 인과적 연결을 통해 정효와 왕생극을 한다. 이때 변효와 동효가 둘 중 하나에 의해 힘을 빼앗기면 왕생극을 하지 못한다. 변효 동효가 좌표계에 의해 모두 0점일 때 서로 왕생극을 하지 않는다면 변효 동효 모두 정효에게 영향을 줄 수 있다. 그러나 만약 변효가 동효를 생하면 변효는 동효에게 힘을 주고 동효는 변효의 힘을 가지기 때문에 변효의 힘이 실린 동효만 정효와 왕생극을 할 수 있다. 변효는 동효에 힘을 주고 잠재되어 정효와 왕생극을 하지 않는다. 변효는 동효의 전재가 되어 동효를 따른다. 변효와 동효는 같은층에서 이중구조를 이뤘다. 이중구조는 변효가 동효에게 힘이 넘어가면서 동효는 변효를 포함한다. 이렇게 변효와 동효의 힘의 크기를 비교해 우위를 점한 효가 드러난 변인으로 작용한다. 둘 중 하나 혹은 둘 다 원인이 되어 정효와 왕생극한다.

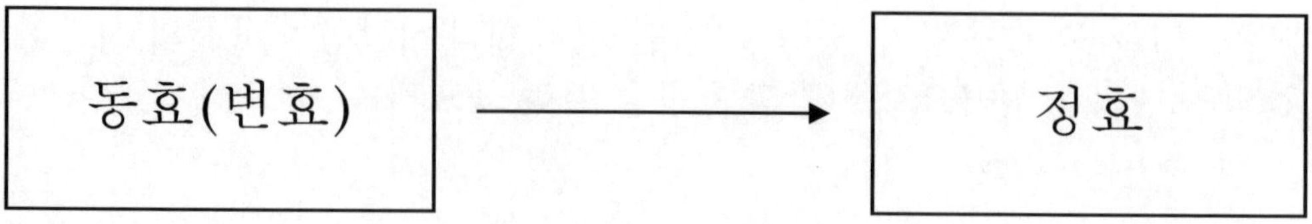

동효(변효)	→	정효

③ 변효와 동효 둘 중 하나 혹은 둘 다 정효와 왕생극을 통해 결과값을 도출한다. 정효는 인자에 의해 결정된 최종값으로 정효까지 왕생극을 마쳐야 육효의 작동은 마무리된다. 변효 동효는 원인, 정효는 결과다. 동효와 변효는 가장 상위의 계층에서 본괘 전체를 뒤덮는다. 그래서 본괘의 정효 하나하나는 동효와 변효에 모두 영향을 받고 변효와 동효는 정효를 결정하는 조절값으로 고정된 상태에서 정효와 오행의왕생극으로 정효의 힘이 어떤 상태에 이르는지 결정한다.

오행의 왕생극

왕생극의 전제조건

현재까지 널리 알려진 육효를 해석하는 방법론으로 오행의 왕생극은 진가를 따지지 않았다. 그러나 이 책에선 철저히 양음오행, 왕생극의 진가를 따져 오행이 지니는 힘을 계산한다. 육효의 괘효는 양음을 교대하며 설계되었다. 양음을 베이스로 12지지 오행의 납지를 붙였기 때문에 양음을 따져 진가를 나누어야 한다.

子	丑	寅	卯	辰	巳	午	未	申	酉	戌	亥
+	-	+	-	+	-	+	-	+	-	+	-
水	土	木	木	土	火	火	土	金	金	土	水

공시간 좌표계의 양음오행

• 오행의 상태

오행의 힘은 기본 '0'에서 출발하여 양음오행이 같은 진왕이면 '+1', 양음이 다른 진생을 받으면 '+1', 양음이 같은 진극을 받으면 '-1'이 되고, 양음이 다른 진생을 하면 '-1', 양음이 같은 진극을 하면 '+1' 이 된다. 양음이 다른 가왕, 양음이 같은 가생, 양음이 다른 가극은 영향력이 없다고 본다. 오행의 힘의 변화는 충돌로 일어난다. 가왕, 가생, 가극은 충돌하지 않는다. 또한 힘의 변화는 '-1', '0', '+1'로 정확해야 한다. 가왕, 가생, 가극의 경우 그 힘이 0.3으로 변하거나 0.5로 변할지 알 수 없고 그 값은 연속적일 수 없다. 값으로 표기한 오행의 상태는 '-1'을 사(死), '0'을 생(生) '+1'을 왕(旺)으로 표현하고 '-1'은 힘이 없는 사, 죽음으로 다른 오행에게 영향을 미치지 못한다. 그러나 힘이 있는 오행이 와서 진왕, 진생으로 힘을 받을 수 있고 진극으로 다른 오행이 극을 당해주면 다시 생의 상태 값 '0'으로 돌아온다.

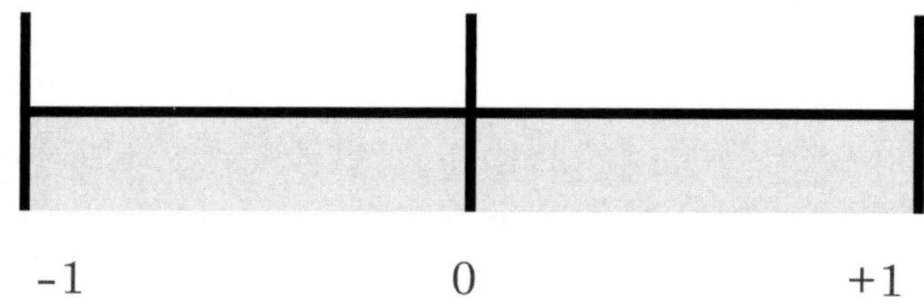

오행의 순환과정

목 화 토 금 수의 오행은 다섯 가지의 기운으로 대표되는 궁(官)이다. 오행궁은 목궁 화궁 토궁 금궁 수궁으로 오행이 독립해 있다. 독립해 있다는 것은 따로 떨어져 있다는 것이고 섞이지 않았다는 것이다. 오행은 궁으로써 존재하고 그 안에 오행의 힘을 담고 있다. 오행이 순환하는 것은 이 오행의 힘, 오행성(星)이 순환하는 것이다. 생과 극의 관계로 순환하는 힘은 불연속적인 양을 가지고 있어 순환할 뿐 연결되어 있지 않다. 연속적인 실수가 아니라 띄엄띄엄 떨어진 정수로 오행의 힘을 정의한다. 오행의 힘을 담고 있는 오행 궁이 독립해 있으니 오행의 힘 또한 연결되지 않는다. 오행의 힘이 '-1', '0', '+1'의 에너지를 갖는 이유다. 따로 떨어져 진왕, 진생, 진극의 통로가 열리면 그 힘을 주고받는 생과 극의 길로 순환한다.

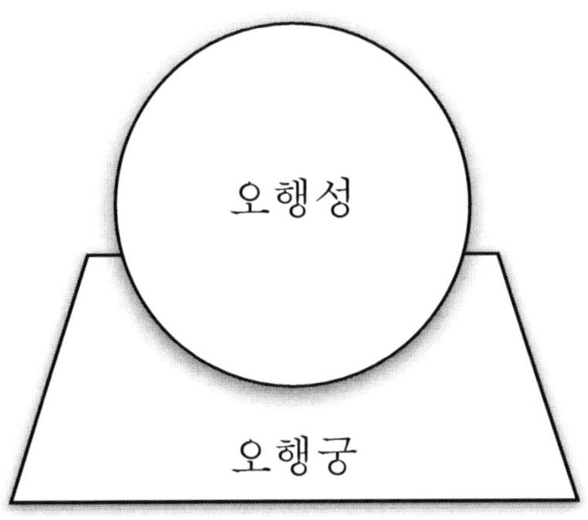

오행의 힘은 가장 안정된 값 '0'에서 시작한다. 힘은 순환하기 때문에 '0'에서 '-1', '+1'로 힘이 가감될 때 어떤 한 오행이 힘을 더 받거나 더 빼앗긴다 해도 '-1'과 '+1'의 값을 벗어나지 않는다. 기본값 '0'에서 출발하는 정효가 좌표계와 변효, 동효로부터 모두 생을 받는다고 해도 정효의 힘은 '+1'이다. 오행이 가용할 수 있는 힘은 일정하게 순환해야 하기 때문에 '-1', '0', '+1'로 고정된다. 여기서 더 커지거나 줄어들 수 없다.

오행의 힘이 '-1'이라고 해서 극을 못하지는 않는다. 힘이 없는 상태에서도 극을 할 수 있다. 오행은 순환하기 때문에 내가 '-1'의 상황에서 극을 할 수 있는 힘을 지닌 오행이 오면 힘은 순환한다. 오행은 궁으로 있고 힘은 성으로 순환한다. 성이 '-1'이라고 해서 궁의 존재가 사라지지 않는다. 오행은 힘으로 순환하기에 오행이 '-1'로 힘이 없어도 궁이 있기 때문에 힘을 가져올 수 있다. 어떤 1등은 내가 공부를 잘해서 1등일 수 있지만, 어떤 1등은 1등이 전학을 가서 2등이 1등이 되기도 한다. 힘의 순환은 인력에 의해 서로 끌어당기며 순환한다. 극은 내가 극을 해서 상대의 힘을 설기 할 수 있는 게 아니라 힘이 있는 상대가 극을 받아주기 때문에도 일어난다. 내가 힘이 있는 지를 먼저 살피고 상대가 힘이 있는지, 그 힘이 내 것이 될 수 있는지 판단하는 것이 순서다.

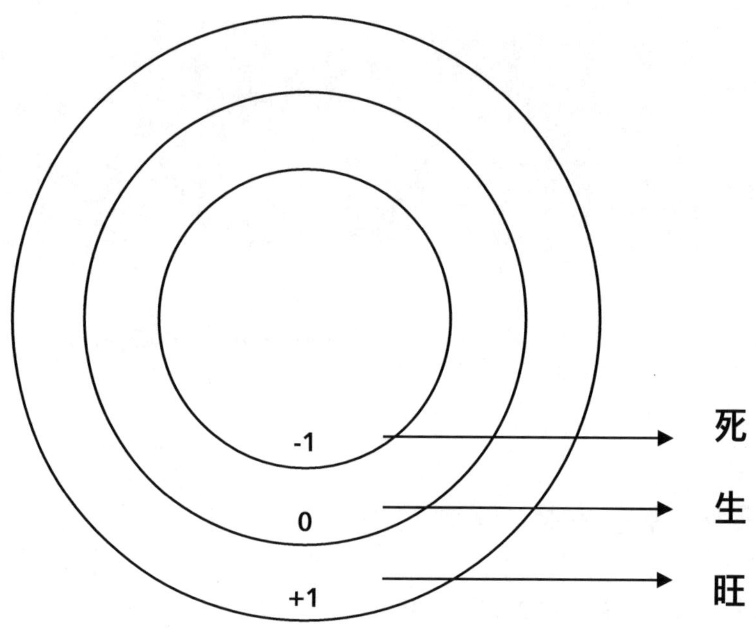

오행의 순환은 다섯 가지의 오행이 먼저 출발하며 이뤄진다. 받고 주는 것이 아닌 주고 받는 것이다. 내가 생하는 것이 먼저 생을 받는 것은 그다음이다. 작용 반작용의 법칙에 따라 내가 다른 한쪽에 가한 작용력은 고스란히 나에게 돌아온다. 오행의 순환은 생과 극으로 나누어진다고 했다. 생을 하면 생을 받을 것이고 극을 하면 극을 받는 것이 인간사와 다르지 않다.

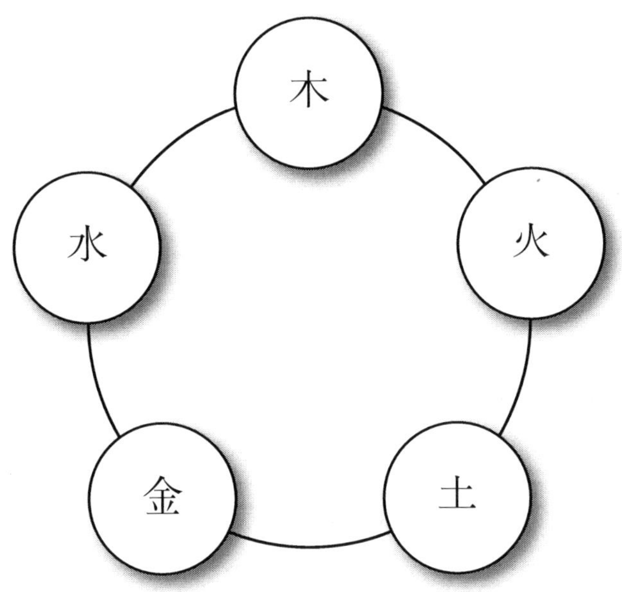

힘의 순환은 수평면에서 진행된다. 좀 더 자세히 살펴보면 왕은 순환하지 않고 일방통행한다. 같은 양음오행이 있을 때 오행은 설계 원리에 따라 먼저 나온 것에서 나중에 나온 것으로 이동한다. 변효 동효가 같은 오행이면서 모두 에너지가 '0'일 때 동효에서 변효로 진왕하여 변효에게 힘을 싣는다. 결과적으로 변효는 +1, 동효는 -1이 된다. 이를 오행의 이동경로를 따라 살펴보자.

오행의 이동경로

육효는 계층구조에 따라 아래에서 위로 직립해있다. 모체괘에서 본괘, 동효에서 변효라는 이중구조로 쌓아 올린 괘효의 구조를 따라 왕생극이 일어난다. 맨 처음 공시간 좌표계에 의해 모든 효의 힘의 세기는 초깃값이 세팅된다. 변효와 동효는 이중구조를 이룬 같은 층에 있는 매개체다. 매개체라는 것은 앞서 설명한 것과 같이 정효를 거쳐 인과를 설명하기 위한 장치다. 모든 정효는 변효와 동효를 거쳐 왕생극한다. 정효끼리 왕생극하지 않는다. 변효와 동효는 일종의 순환의 고리, 왕생극의 벨트가 되어 정효는 변효 동효를 거치지 않고 왕생극을 할 수 없게 설계되어 있다.

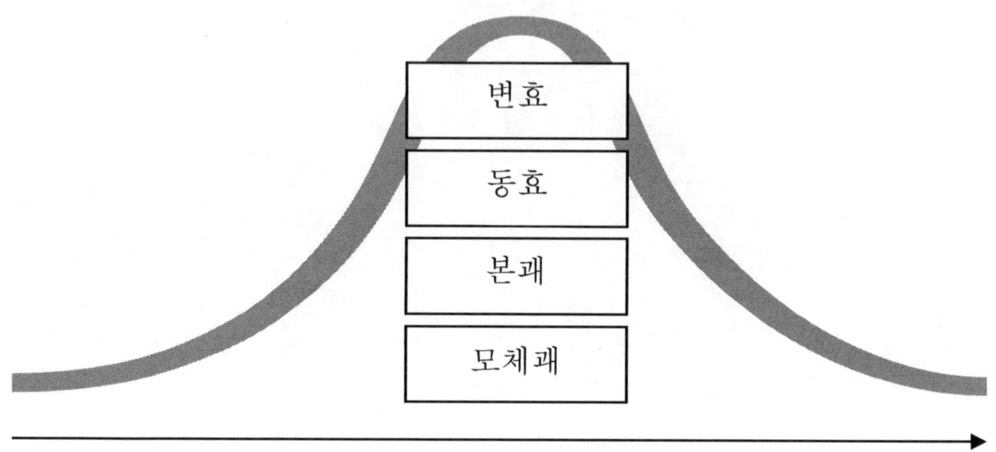

좌표계

• 복신
이미지를 쌓아 올린 레이어처럼 위에서 내려다보면 변효 동효는 본괘와 모체괘 위의 같은 수평면에 있다. 그림 전체를 감상하려면 모든 레이어를 활성화해야 한다. 그중 본괘에 없는 양음오행이 모체괘에서 드러난다. 본괘와 중복된 모체괘의 양음오행은 그림이 겹쳐서 모습이 드러나지 않는다. 숨어있던 오행, 본괘에 없는 양음오행이 드러나면 이 괘효를 복신이라 부른다. 정효와 복신은 변효, 동효를 거친다. 왕생극의 순환은 이동경로를 따라간다. 맨 위에 있는 그림이 변효와 동효다. 변효와 동효를 먼저 정의해야 밑에 그림을 규정할 수 있다. 변효와 동효에 의해서 그 아래 정효와 복신이 정의된다.

중천건 괘를 모체괘로 하는 천풍구 괘가 본괘로 나왔다. 동효는 삼효로 정해졌고 삼효의 배합괘가 변효가 된다. 여기서 본괘와 모체괘를 살펴보면 사효 오효 상효가 같다. 그러므로 모체괘의 사효 오효 상효는 드러나지 않는다. 그러나 모체괘의 초효 이효 삼효는 본괘에 없다. 본괘에 없는 모체괘는 본괘 아래 은거 하지만 변효와 동효에 의해 진왕 진생 진극으로 끌어올

려질 수 있다. 변효와 동효는 본괘와 모체괘의 상위에서 모든 정효와 복신에 1대1 대응한다. 정효와 복신은 움직이 않는 비활성화 상태에서 동효와 변효를 만나는 순간 활성화되어 변효, 동효와 왕생극을 한다. 그중 힘을 주고 받는 진왕 진생 진극의 관계가 변효, 동효와 정효를 인과로 연결한다.

오 ▅ ▅	오 ▅ ▅	오 ▅ ▅	오 ▅ ▅	오 ▅ ▅	오 ▅ ▅	변효 Layer
유 ▅▅▅	유 ▅▅▅	유 ▅▅▅	유 ▅▅▅	유 ▅▅▅	유 ▅▅▅	동효 Layer
축 ▅ ▅	해 ▅▅▅	유 ▅▅▅	오 ▅▅▅	신 ▅▅▅	술 ▅▅▅	본괘 Layer
자 ▅▅▅	인 ▅▅▅	진 ▅▅▅	오 ▅▅▅	신 ▅▅▅	술 ▅▅▅	모체괘 Layer

정효는 좌표계로부터 왕생극을 받고 변효와 동효를 통해 힘의 세기가 결정된다. 가장 아래에서 가장 위로 올라오는 경로가 오행의 이동경로가 된다. 시작에서 끝으로 올라가야 왕생극을 마칠 수 있다. 순환이란 아래에서 위로 올라간다는 것을 의미한다. 시간의 흐름을 따라 하루가 지나면 다시 좌표계로부터 다시 괘효의 힘을 세팅하고 위로 올라가 변효와 동효로부터 결괏값을 얻는다. 이것이 시간의 흐름을 따라 반복적으로 순환하는 오행이 이동경로를 따라 왕생극을 하는 육효의 작동 방식이다. 사람이 생긴 대로 살아가듯 육효도 생긴 대로 움직인다. 육효는 내 머릿속의 공간을 점을 치는 순간의 시간을 고정해 좌표계로 설정하고 득괘하여 얻은 괘효를 아래에서 위로 순차적으로 쌓아 올린다. 그리고 변효 동효라는 반환점을 돌아 정효를 읽고 해석한다. 육효는 아래에서 위로 올라가며 생겼다. 오행의 이동경로 또한 아래에서 위로 올라가며 이어진다. 그 사이 계층을 나누고 특성에 따라 왕생극으로 힘의 세기를 계산하는 방식이 납지의 오행을 계산하는 방식이다.

왕생극의 반응속도

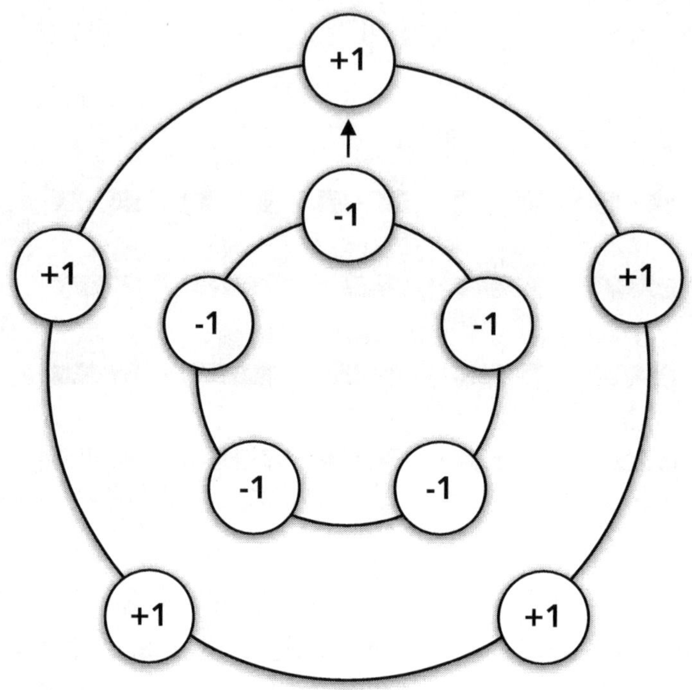

• 왕

왕은 오행이 같을 때 일어나는 오행 사이의 편차가 없는 가장 안정된 값이다. 그중에서도 음양이 같은 진왕은 거울 대칭처럼 빛의 속도로 동시에 존재하여 진왕은 진생, 진극을 우선한다. 왕은 이동경로를 따라가는 가장 빠른 오행의 속도다. 오행이 순환하기 전에 설계를 따라가며 힘의 세기를 판가름한다. 사주의 통근과 비교하면 천간이 지지로 통근하는 것은 진왕으로만 정의한다. 천간과 지지의 이중구조에서 아래에서 위로 이동경로를 따라 통근하는 것이 사주의 오행이 이동경로를 따라 진왕하는 경우다. 육효도 설계를 따라 아래에서 위로 계층구조를 따라 진왕 한다. 그러므로 변효와 동효는 같은 레벨에서 생극하지만 왕은 좌표계에서 정효, 동효에서 변효, 정효에서 동효 혹은 변효로 그 힘이 이동한다.

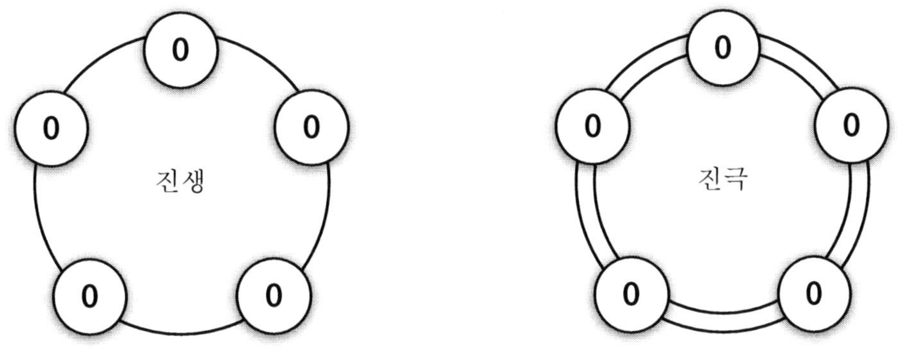

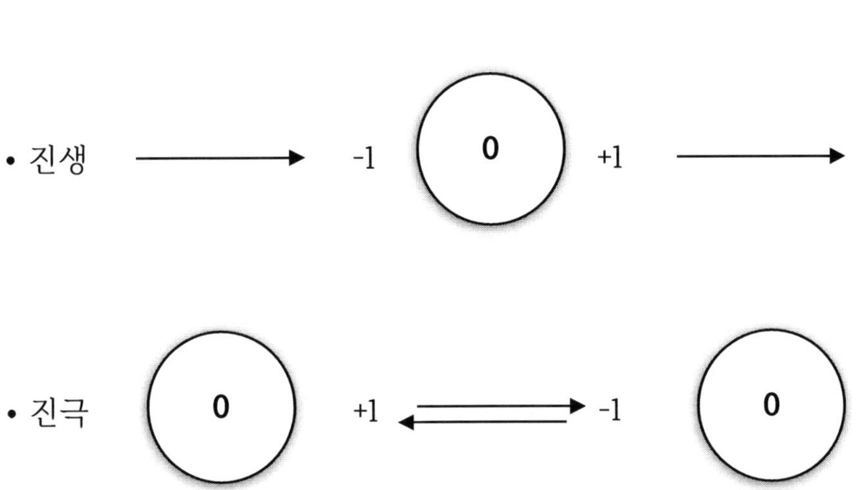

• 생극

생과 극은 오행이 수평 회전운동하는 두 가지 방법으로 생은 극보다 빠르다. 위의 그림처럼 생은 1way, 한 방향으로 순환하고 극은 2way, 되돌아오며 순환한다. 생은 극보다 빠를 수밖에 없다. 오행의 생극제화란 균형을 의미한다. 살려주고 제어하고 받쳐주고 다스리는 힘이 오행의 균형을 유지한다. 균형이란 '0'값을 의미하여 오행이 진생, 진극으로 순환할 때 이뤄진다. 오행은 이 균형 값을 유지하기 위해 하나에서 둘로 이어지며 균형 값을 찾는 방식으로 생극한다. 기본적으로 왕생극의 반응속도의 순서는 왕 -> 생 -> 극의 순서로 일어난다. 그러나 만약 복수동효일때, 그러니까 같은 레벨에 오행이 여러 개일 때 좌표계에 의한 초깃값이 각각 -1, 0, +1, -1이라고 한다면 그 속도는 -1을 먼저 채우는 방식으로 균형을 이뤄나간다. 오행은 마치 살아있는 생명체로 환경 변화에 대응하여 계속해서 스스로의 행동을 바꾸는 복잡적응계와 같은 방식으로 균형을 이루기 위해 '0'의 값으로 가장 빠르게 이동한다. 이러한 반응속도에 의한 오행의 특성을 이해하고 왕생극해야 그 어떤 경우에도 해석이 막히지 않고 프로토콜에 따라 힘의 세기를 계산하는 방법이 눈에 들어온다.

육효의 해석

해석은 주고받는 것으로 시작한다. 힘이 어디에서 나가고 들어오고 빼앗고 빼앗기느냐에 따라 괘효가 가진 십성의 의미가 결정된다. 변효 동효를 통해 정효가 가진 힘의 크기를 읽고 사건의 구성요소는 납지가 붙은 효의 십성으로 해석한다.

• 현재 상황
공시간 좌표계로부터 변효, 동효, 정효의 초깃값이 결정되면 그대로 십성에 대응하여 읽어 준다. 만약 부모님의 건강에 관련하여 문점하였을 시엔 부모님의 상의에 해당하는 부성이 붙은 괘효의 초깃값을 보고 음의 값을 갖는 '사'라면 현재 건강이 좋지 못하다.라고 해석한다.

• 원인
변효와 동효는 원인이다. 변효와 동효의 힘의 크기를 비교하여 인자를 찾는다. 인자는 변효가 될 수도, 동효가 될 수도, 둘 다 될 수도 있다. 변효가 동효에게 힘을 주면 변효의 동효가 된다. 반대로 동효에게서 변효가 힘을 받게 되면 동효의 변효가 된다. 진가를 따져 동효가 형제성, 변효가 재성일 때 형제성은 재성을 진극하여 힘을 가져오기 때문에 변효의 동효가 된다.

그럼 돈을 가져간 형제 혹은 돈을 없앤 형제라고 해석할 수 있다. 친구에게 돈을 빌려주었고 돌려받을 수 있을지 문점하였다면 이 동효가 정효에게 어떤 작용을 하느냐에 따라 결과를 확인할 수 있다. 원인은 반드시 결과를 불러일으킨다. 인과의 법칙에 따라 변효 동효는 반드시 진왕, 진생, 진극의 한 번의 연결점을 갖게 된다. 그래서 정효에서 진왕, 진생, 진극을 할 수 없으면 복신을 끌어올려 결과를 이끌어낸다.

• 결과

인자가 결정되면 각각의 정효와 왕생극한다. 순서대로 진왕부터 진생, 진극으로 각각의 정효와 왕생극을 한다. 이때 변효와 동효 모두 인자가 되면 변효부터 왕생극을 마치고 동효와 왕생극을 한다. 계층구조에 따라 변효가 가장 상위에 있기 때문이다. 그리고 변효와 동효로부터 가왕, 가생, 가극도 상호작용을 한다고 본다. 힘을 주고받지는 않지만 관계성을 읽어줄 수 있다. 재성이 정효인데 변효, 동효로부터 가극이면 재성을 빼앗기지 않는다고 해석할 수 있기에 진가 원칙을 따르되 가왕 가생 가극을 해석에서 제외해선 안된다.

해석은 언제나 상대적이다. 내가 힘을 빼앗아서 힘이 생기는 경우가 있는 반면 누가 힘을 주어서 힘이 생기는 경우도 있다. 누군가 힘을 빼앗겼기 때문에 나에게 득이 될 수도 있고 누군가에게 힘이 생기면 나에게 실이 될 수도 있다. 이렇게 힘이 어디에서 와서 어디로 가는지, 왕생극의 경로를 따라가다 보면 육효점은 저절로 읽을 수 있다. 육효점을 치는 목적이 뚜렷할수록 잘 드러난다. 목적을 이룰 수 있는지 왕생극을 통해 이 차이를 잘 읽어 주어야 사건의 해석이 가능하다.

변효와 동효의 힘이 어디로 향하는지 아는 것이 가장 중요하다. 그리고 세효와 응효의 비교를 통해서 상대적 결과를 확인할 수 있다. 용신은 다음이다. 용신 잡기에 치우치면 해석이 안되는 경우가 많다. 무조건 변효 동효가 우선이다. 모든 일은 변효 동효를 거쳐 일어나서 변효 동효 없이 용신을 위주로 해석하려 하면 해석이 틀어진다. 육효의 해석은 육효의 작동 방식을 따른다. 원리를 따라야만 해석이 정교할 수 있다.

사건의 실체는 내가 아는 만큼 드러나게 돼있다. 육효의 본질은 나의 머릿속 생각이다. 내가 지금 궁금한 사건에 대하여 얼마나 잘 알고 이해했는지에 따라 괘효에 나타난다. 그러니 득괘는 문점자 스스로 해야 한다. 나와 육효를 잘 매칭해야 해석도 가능하다.

복수 동효의 해석

득괘 방법에 따라 혹은 사용자의 선택에 따라 복수동효를 취할 수 있다. 복수동효는 동일한 복수의 변효를 낳기 때문에 자칫 해석이 난해해질 수 있어 필자는 지양한다. 그러나 꼭 복수동효가 필요한 상황이 있을 수 있기에 알아두어야 한다.

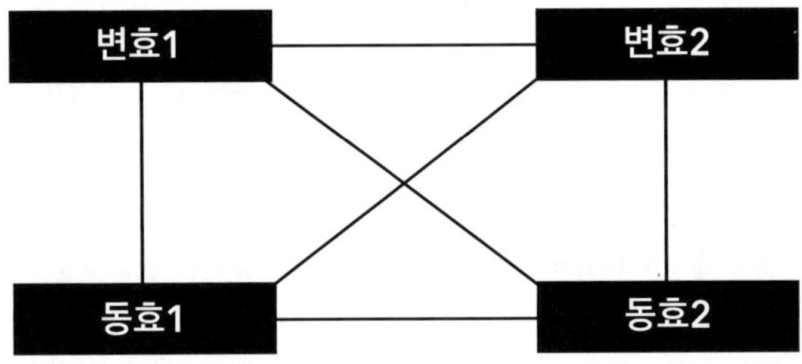

변효와 동효는 이중구조를 이룬 같은 수평면에 있는 괘효다. 오행의 순환 과정과 이동경로를 이해했다면 복수동효를 다루는 문제는 쉽다. 단수동효와 마찬가지로 먼저 좌표계와 왕생극하여 기본값을 정리한다. 이후 왕생극의 순서에 따라 변효와 동효의 힘의 크기를 계산한다. 먹이사슬처럼 다수의 변효와 동효는 마지막으로 살아남는 괘효만 인자로 남겨둘 수 있다. 동효는 동효끼리 변효는 변효끼리 왕생극하지 않는다. 복수의 동효와 변효는 모두 같은 평면상에 있다. 모두 동등한 인자로서 왕생극의 순서를 따른다. 생극은 수평면에서 이뤄지고 왕은 이중구조를 이뤄 동효에서 변효로 상승하는 길을 따라 힘이 이동한다. 복수동효와 변효를 십성에 따라 해석하고 정효와 왕생극하기만 하면 해석을 마칠수 있다.

육효의 해석은 만사에 적용이 가능하다. 명학은 굵직한 이벤트나 물상에 따른 용신 잡기의 범위가 광대하여 특정 사건, 어떤 하나의 일이 모두 통제되지 않기 때문에 알기 어렵다. 그러나 점학은, 그중에서도 육효는 지금 당장 나의 머릿속과 세상을 연결하는 것이기 때문에 무엇이든 점을 쳐 해석할 수 있다.

동시성과 통시성

동시성의 간단한 예로 스포츠 경기를 들 수 있다. 홈팀과 원정팀을 비교했을 때 원정팀은 홈팀과 같은 시간 경기를 한다. 그러나 원정팀은 원정으로 인해 팀이 속한 홈구장을 벗어난다. 같은 시간 경기를 한다는 것이 시간을 고정한다는 의미이고, 원정팀이 타구장으로 이동한다는 말이 원정팀의 입장에서 공간이 변화한다는 의미이다. 시간을 고정하고 공간의 변화를 일으키는 것을 동시성이라고 한다. 원정팀의 입장에선 공간의 변화를 겪는 셈이다. 점을 치는 행위는 동시성에 입각한다. 궁금한 것을 떠올린 그 시간, 그때의 나의 머릿속 생각을 육효괘로 옮기는 과정이 육효의 동시성이다. 공간의 변화를 겪는 나의 생각은 육효괘로 옮겨간다.

육효에서 괘효를 다룬다는 것은 평면에 있는 낙서를 직립으로 세우는 것이다. 낙서를 나의 머릿속 2차원의 세계와 거울 대칭으로 세운다. 나의 머릿속을 원본으로 두고 거울에 괘효의 상을 두어 공간 대칭을 이끌어내 활용하는 것이 육효에서 괘효를 다루는 방식이다. 동시성은 시간은 고정하고 공간의 변화를 이끌어 그 시간 안에 나의 머릿속 공간에 있던 원본을 낙서의 천인지 삼재의 상에 투영하여 그 시간에 들어온 공간의 정보, 신호를 괘효로써 잡아둔다.

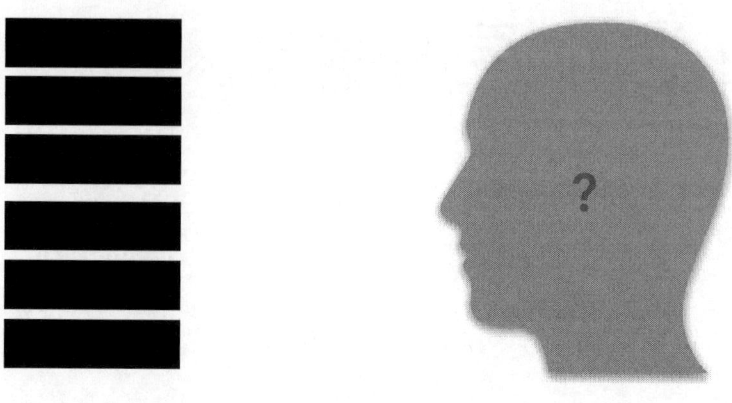

시간을 고정한다는 것은 일종의 스케줄러처럼 기상시간 알람을 정하고 그 시간에 몸을 일으켜 공간의 변화를 일으키겠다는 것인데 기상은 나 혼자 하는 것이라 변수가 적고 상대하는 것이 없어 예측이 필요가 없다. 그러나 스포츠 경기처럼 상대가 있을 때에는 상대가 거기에 응할지 미지수이다. 때문에 육효는 시간을 고정하고 공간 대칭을 이용해 상대하는 것과 내가 같은 공간에서 일어날 일을 미리 알려준다. 여기에서 동시성은 통시성으로 전환된다. 시간을 고정하여 공간을 변화 시키고 그 변화한 공간을 다시 고정하여 시간의 흐름에 따라 사건을 해석한다. 점은 사건이 일어나기 전, 일어나는 중에 친다. 괘효가 알려주는 신호를 고정하고 납지를 붙여 사건이 일어날 때를 시간의 흐름을 따라 통시성으로 해석한다. 통시성은 공간을 고정하고 시간의 흐름을 따라가는 것이다. 육효로 사건의 흐름에 따라 벌어지는 일과 점을 친 시간으로부터 일이 일어날 시간, 응기 시기까지도 알 수 있다.

인간은 시간의 흐름에 따라 살고 있다. 그러나 시간은 개개인마다 차이가 있어 같은 공간에 있어도 어떤 이는 시간이 느리게 가고 어떤 이는 시간이 빠르게 흐른다. 또한 사람의 시간은 누구에게나 동등하게 주어지지 않는다. 그래서 시간을 고정한다. 시간을 고정하지 않으면 점사는 소용이 없다. 멈춰 있는 시간만은 누구에게나 동등하기 때문이다. 그 시간에 괘효를 통해 얻은 정보는 누구에게나 동등하다. 내 머릿속 생각은 지극히 주관적이지만 괘효를 통해 얻는 정보는 객관적이다. 내 생각은 정해져 있지만 다른 변인과 대상에 의해 내 머릿속 공간은 외부에서 언제든 변화할 수 있다. 변화하는 공간을 고정하여 시간의 흐름에 따라 해석하는 것이 통시성이다. 삶은 동시성과 통시성이 번갈아가며 연속된다.

해석하기

지금 여기까지 모두 읽고 나름의 이해를 마쳤다면 육효로 점을 쳐 괘를 얻고 괘효를 세워 해석할 수 있는 준비과정을 마친것이나 다름없다. 이제 마지막, 직접 점을 쳐 해석하는 단계만 남아있다.

점이 학문으로 인정받지 못하는 이유는 누구에게나 일관된 객관성이 없기 때문이다. 그러나 점은 일관될수도 객관적일수도 없는 지극히 주관적인 학문이다. 점을 친다는 건 누군가의 머릿속의 생각을 엿보는 것이다. 이것은 이 사람의 인식의 영역이 어디에 닿아있느냐의 문제다. 이 사람이 보고, 듣고, 느끼는 것이 어디까지인지에 따라 그것을 대상으로 두고 바라본 점의 해석은 타인이 알 수 없다. 열 길 물속은 알아도 한 길 사람속은 모른다. 누구나 각자가 감각하는 세상에서 살기에 영화 한 편을 보더라도 수만 가지 이야기가 나올 수 있다. 점은 스스로 쳐야한다고 했다. 나와 남은 결코 같을 수가 없다. 두 개의 시선은 두 개의 사건을 낳는다. 정확한 해석을 원한다면 육효를 익히고 스스로 점을 쳐 스스로 해석해야 한다. 그것이 아니라면 문점자와 내가 깊이있는 교감을 통해 공감할 때 상대를 이해하고 상대가 머릿속에 떠올린 그 상을 육효괘로 해석할 수 있다.

육효점의 해석은 주관적이나 우리는 일관된, 객관성을 띈 획일화된 교육을 통해 사회적 통념을 갖고 다수와 소통한다. 이번 장에서 그 울타리를 벗어나지 않는 적당한 사례를 읽고 육효점을 해석해 앞서 익힌 육효의 개념을 숙지해 본다.

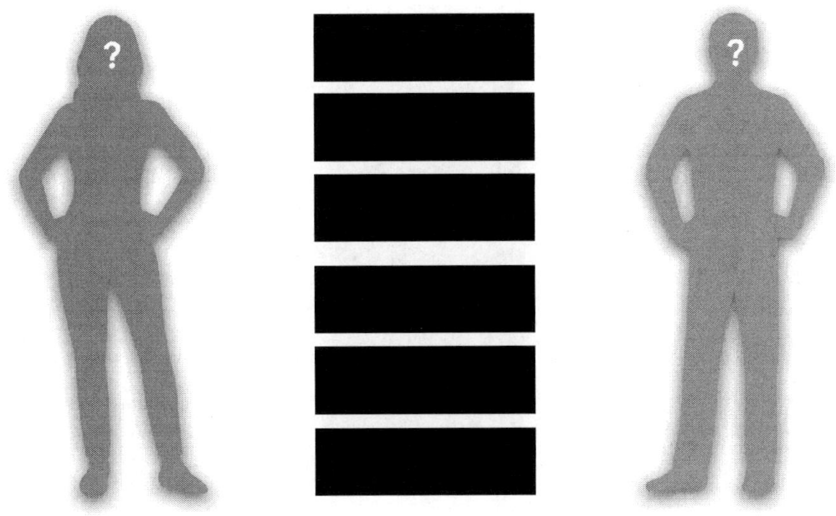

부동산

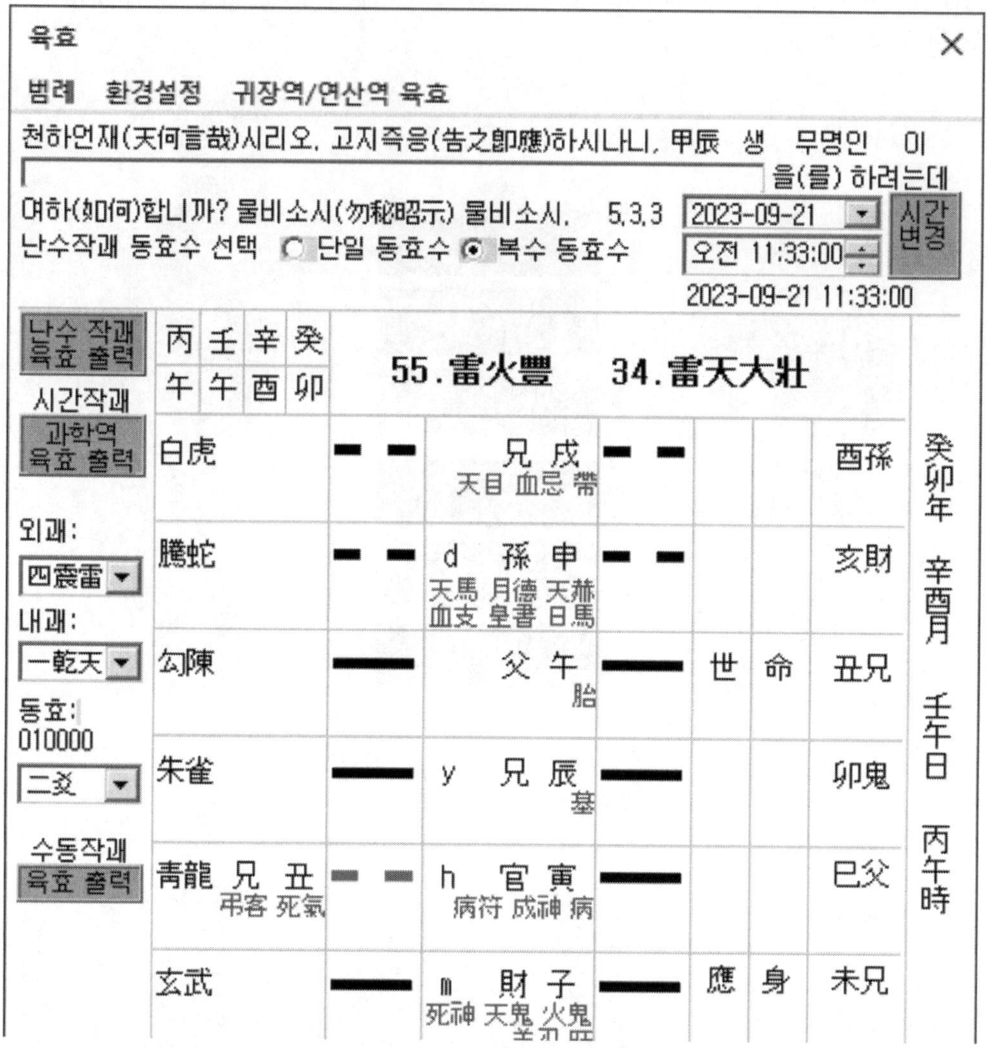

육효

범례 환경설정 귀장역/연산역 육효

천하언재(天何言哉)시리오. 고지즉응(告之卽應)하시나니. 甲辰 생 무명인 이

을(를) 하려는데

여하(如何)합니까? 물비소시(勿秘昭示) 물비소시. 5,3,3 2023-09-21 시간변경

난수작괘 동효수 선택 단일 동효수 복수 동효수 오전 11:33:00

2023-09-21 11:33:00

난수 작괘 육효 출력

시간작괘 과학역 육효 출력

외괘: 四震雷

내괘: 一乾天

동효: 010000

二爻

수동작괘 육효 출력

丙	壬	辛	癸
午	午	酉	卯

55.雷火豐 34.雷天大壯

六神	本卦		變卦					
白虎	▬ ▬	兄 戌 天目 血忌 帶	▬ ▬			酉孫	癸卯年
騰蛇	▬ ▬	d 孫 申 天馬 月德 天赫 血支 皇書 日馬	▬ ▬			亥財	辛酉月
勾陳	▬▬▬	父 午 胎	▬▬▬	世	命	丑兄	壬午日
朱雀	▬▬▬	y 兄 辰 基	▬▬▬			卯鬼	丙午時
青龍 兄 丑 弔客 死氣	▬ ▬	h 官 寅 病符 成神 病	▬▬▬			巳父	
玄武	▬▬▬	m 財 子 死神 天鬼 火鬼	▬▬▬	應	身	未兄	

• 유산으로 물려받은 집을 매도할수 있을까요?

집을 매도할 때 오늘 당장 매도될까요?하고 묻지 않는다. 대략 올한해나 몇개월의 기간을 예상한다. 그러므로 좌표계는 당월을 먼저 살핀다.

당월 유금에 의해 변효 축토는 0점, 동효 인목은 0점이다. 매도는 문서를 넘기고 돈이 들어오는 일이다. 변효와 동효에 의해 돈이 들어오는지 살펴야 한다. 초효 재성은 변효나 동효와 왕생극하지 않는다. 오효의 복신 해수 재성을 돈으로 두고 해석한다. 재성 해수는 변효의 진극을 받아 -1점, 동효를 진생하여 -1점이다. 돈이 들어오는 것이 아닌 나가고 있다. 이는 묘년의 환경 아래에서도 마찬가지이다. 매도가 어렵다.

당월은 물론이고 한해 내내 매물이 나가지 않고 빈집인 상태에서 관리비만 나가고 있는 상태다.

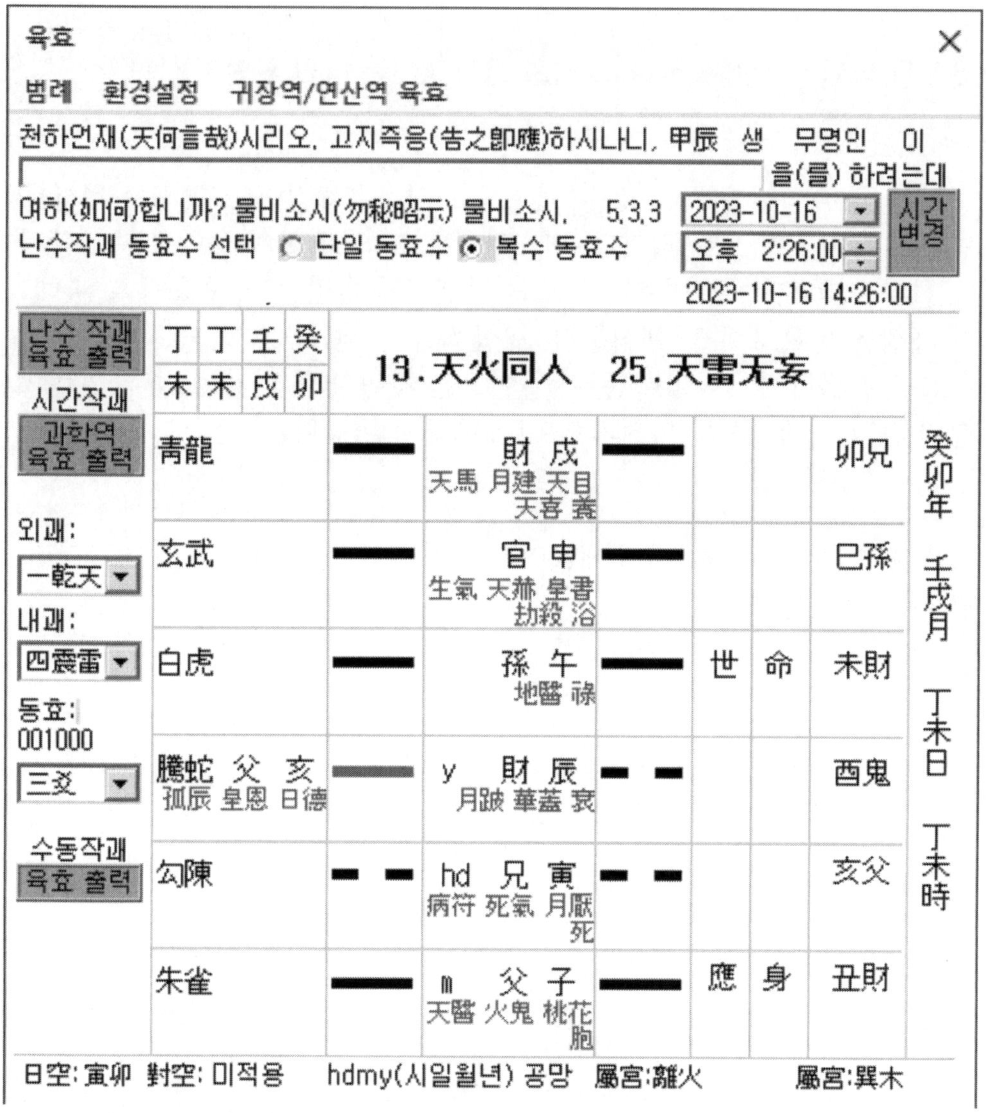

육효

범례 환경설정 귀장역/연산역 육효

천하언재(天何言哉)시리오. 고지즉응(告之卽應)하시나니. 甲辰 생 무명인 이 을(를) 하려는데 여하(如何)합니까? 물비소시(勿秘昭示) 물비소시. 5,3,3 2023-10-16 시간변경

난수작괘 동효수 선택 단일 동효수 복수 동효수 오후 2:26:00

2023-10-16 14:26:00

난수 작괘 육효 출력	丁 丁 壬 癸 未 未 戌 卯	13.天火同人 25.天雷无妄						癸卯年
시간작괘 과학역 육효 출력	青龍	▬▬▬	財 戌 天馬 月建 天目 天喜 養	▬▬▬			卯兄	壬戌月
외괘: 一乾天	玄武	▬▬▬	官 申 生氣 天赫 皇書 劫殺 浴	▬▬▬			巳孫	
내괘: 四震雷	白虎	▬▬▬	孫 午 地醫 祿	▬▬▬	世	命	未財	丁未日
동효: 001000 三爻	騰蛇 父 亥 孤辰 皇恩 日德	▬▬▬	y 財 辰 月跛 華蓋 衰	▬ ▬			酉鬼	
수동작괘 육효 출력	勾陳	▬ ▬	hd 兄 寅 病符 死氣 月厭 死	▬ ▬			亥父	丁未時
	朱雀	▬▬▬	m 父 子 天醫 火鬼 桃花 胞	▬▬▬	應	身	丑財	

日空: 寅卯 對空: 미적용 hdmy(시일월년) 공망 屬宮:離火 屬宮:巽木

• 매매가를 낮춰 불러도 토지를 살 수 있을까?

당일 일지부터 따져본다. 당일 미일에 문서 계약을 뜻하는 변효 부성이 진극 받아 -1점이다. 벌써 문서가 -1점이다. 그러나 오늘만 날은 아니다. 당일을 포함하는 당월의 환경을 살펴보기 위해 당월을 좌표계로 설정한다.

술월에 변효 해수는 0점, 동효 진토는 +1점이다. 변효 문서는 이효의 형제성 인목을 진생한다. 동효 진토는 초효 자수를 진극하여 힘을 빼앗는다. 세효는 움직임이 없다. 문서는 형제에게 가고 응효, 상대방은 문서를 잃는다. 다른이와 문서계약으로 응효, 토지주는 문서를 잃고 동효의 문서는 형제성 다른사람에게 간다. 토지를 매수할 수 없다.

결과적으로 땅문서는 다른사람에게 넘어갔다.

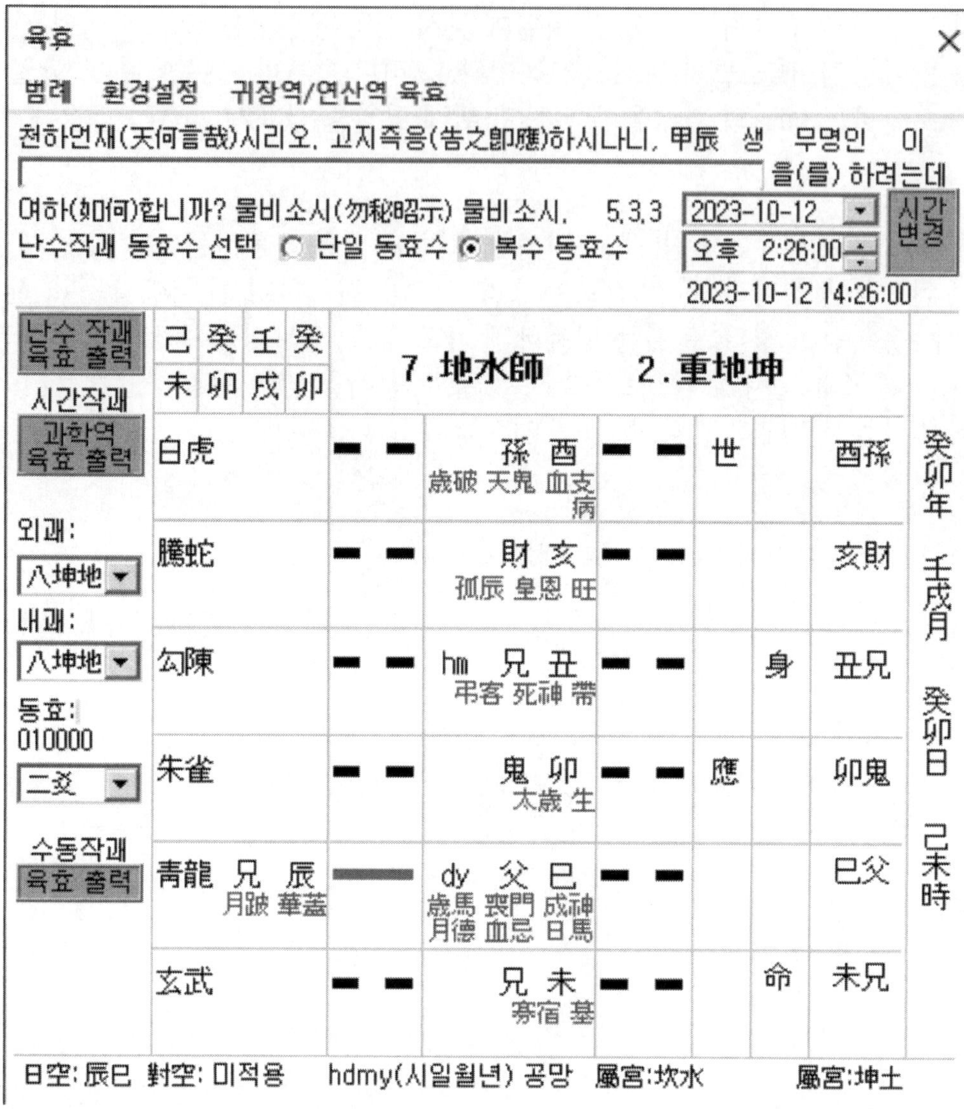

육효

범례 환경설정 귀장역/연산역 육효

천하언재(天何言哉)시리오. 고지즉응(告之卽應)하시나니. 甲辰 생 무명인 이 을(를) 하려는데 여하(如何)합니까? 물비소시(勿秘昭示) 물비소시. 5,3,3 2023-10-12 오후 2:26:00 시간변경

난수작괘 동효수 선택 단일 동효수 복수 동효수

2023-10-12 14:26:00

난수 작괘 육효 출력 / 시간작괘 / 과학역 육효 출력

외괘: 八坤地 / 내괘: 八坤地 / 동효: 010000 / 二爻

수동작괘 육효 출력

己	癸	壬	癸
未	卯	戌	卯

7.地水師 2.重地坤

六獸	本卦		之卦		世應	身命	納甲
白虎	▬ ▬	孫 酉 歲破 天鬼 血支 病	▬ ▬	世		酉孫
騰蛇	▬ ▬	財 亥 孤辰 皇恩 旺	▬ ▬			亥財
勾陳	▬ ▬	hm 兄 丑 弔客 死神 帶	▬ ▬		身	丑兄
朱雀	▬ ▬	鬼 卯 太歲 生	▬ ▬	應		卯鬼
靑龍 兄 辰 月殺 華蓋	▬▬▬	dy 父 巳 歲馬 喪門 成神 月德 血忌 日馬	▬ ▬			巳父
玄武	▬ ▬	兄 未 寡宿 墓	▬ ▬		命	未兄

癸卯年 壬戌月 癸卯日 己未時

日空: 辰巳 對空: 미적용 hdmy(시일월년) 공망 屬宮:坎水 屬宮:坤土

• 아파트가 매도될까요?

당일의 문제가 아니기 때문에 당월부터 본다. 당월 술월을 좌표계로 설정한다. 먼저 변효 진토는 술월에 진왕으로 +1점이다. 동효 사화는 술월을 진생하여 힘을 잃고 -1점이다. 그런 상황에서 세효 유금은 술월에 진생 받아 +1점이다. 일단 세효가 힘이 있는 상황에서 변효 형제성의 생을 받는다.

당년의 전체 환경을 살펴보자. 당월의 결과치가 모호할때는 당년의 환경까지 살펴야한다. 당월은 당년의 환경 아래에 속해 있다. 당년 묘년에 변효 진토는 0점, 동효 사화는 0점이다. 그리고 세효 유금은 +1점이다. 여기서 문서를 의미하는 부성 동효 사화는 변효 형제성을 진생한다. 동효 사화는 -1점, 변효 진토는 +1점으로 힘의 크기가 변했다. 그리고 변효 진토는 세효 유금을 진생한다. 동효에서 변효, 변효에서 세효로 이어지는 왕생극을 그대로 읽으면 다음과 같다.

동효 부성은 변효 형제성을 생하여 부성의 힘이 형제성에게 오행의 힘이 이동한다. 동효에서 변효로 힘이 이동하면 동효는 변효에 속하게 된다. 형제가 문서를 가져간다. 그리고 변효 형제성은 세효 손성을 진생한다. 형제성은 세효에게 힘을 준다. 매수자는 매도자와 거래한다. 당월에 아파트가 매도되었다고 한다.

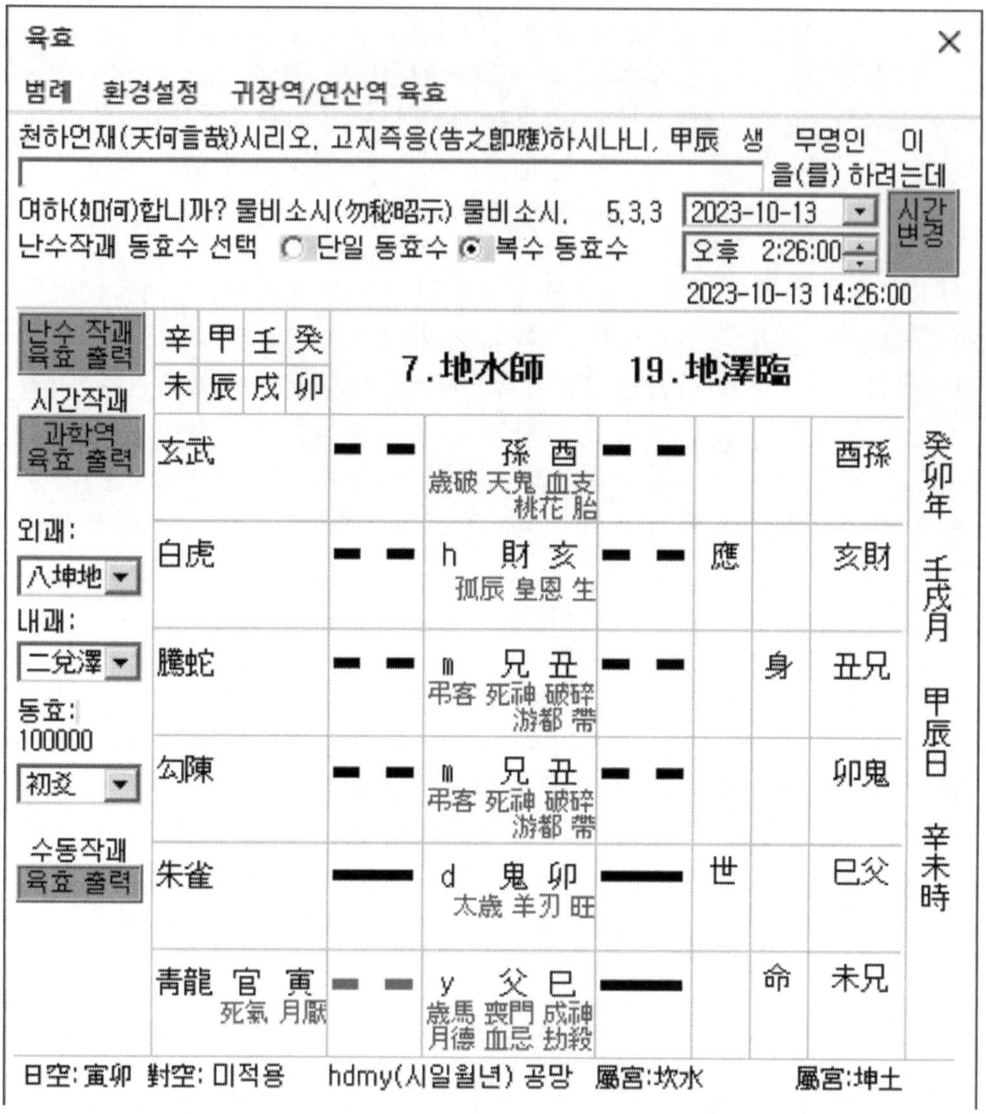

육효

범례 환경설정 귀장역/연산역 육효

천하언재(天何言哉)시리오, 고지즉응(告之卽應)하시나니, 甲辰 생 무명인 이 을(를) 하려는데

여하(如何)합니까? 물비소시(勿秘昭示) 물비소시. 5,3,3 2023-10-13 시간변경

난수작괘 동효수 선택 ○ 단일 동효수 ⊙ 복수 동효수 오후 2:26:00

2023-10-13 14:26:00

난수 작괘 육효 출력

시간작괘 과학역 육효 출력

외괘: 八坤地

내괘: 二兌澤

동효: 100000

初爻

수동작괘 육효 출력

辛	甲	壬	癸	7.地水師 19.地澤臨					
未	辰	戌	卯						
玄武				▬ ▬	孫 酉 歲破 天鬼 血支 桃花 胎	▬ ▬			酉孫
白虎				▬ ▬	h 財 亥 孤辰 皇恩 生	▬ ▬	應		亥財
騰蛇				▬ ▬	m 兄 丑 弔客 死神 破碎 游都 帶	▬ ▬		身	丑兄
勾陳				▬ ▬	m 兄 丑 弔客 死神 破碎 游都 帶	▬ ▬			卯鬼
朱雀				▬▬▬	d 鬼 卯 太歲 羊刃 旺	▬▬▬	世		巳父
青龍 官 寅 死氣 月厭				▬ ▬	y 父 巳 歲馬 喪門 成神 月德 血忌 劫殺	▬▬▬		命	未兄

癸卯年 壬戌月 甲辰日 辛未時

日空: 寅卯 對空: 미적용 hdmy(시일월년) 공망 屬宮:坎水 屬宮:坤土

- 인접한 맹지의 소유주가 토지를 매도하라고 제안한다. 어떻게해야할까?

당월 술월을 좌표계로 설정한다. 술월에 변효 인목은 +1점, 동효 사화는 -1점이다. 변효는 동효를 진생하여 변효는 동효의 안으로 속하게 되어 동효만 작동한다. 동효 사화는 응효 해수의 진극을 받고 응효 해수는 +1점이 된다.

맹지의 주인은 응효로 나와있다. 응효의 자리에 재성이 있고 응효는 동효 문서를 진극하여 도로가 나와있는 토지주의 토지를 매수해 맹지탈출을 시도하려는 모양이다. 땅을 팔면 상대방만 배불리는 꼴이 된다.

몇달전부터 땅이 인접해 있다는 이유로 맹지 주인이 이런저런 딴지를 걸어왔다. 땅을 팔라는 제안에 땅을 팔고 골칫거리를 덜어낼까하고 고민했지만 육효결과를 통해 제안을 거절했다.

육효

범례 환경설정 귀장역/연산역 육효

천하언재(天何言哉)시리오. 고지즉응(告之卽應)하시나니, 甲辰 생 무명인 이

을(를) 하려는데

여하(如何)합니까? 물비소시(勿秘昭示) 물비소시. 5,3,3 2023-10-09 시간변경

난수작괘 동효수 선택 ○ 단일 동효수 ◉ 복수 동효수 오후 2:26:00

2023-10-09 14:26:00

난수 작괘 육효 출력	癸	庚	壬	癸	54.雷澤歸妹 51.重雷震					
시간작괘	未	子	戌	卯						

	六神	本卦		變卦	世應	身命		年月日時
과학역 육효 출력	騰蛇	▬ ▬	財 戌 天馬 月建 天目 天喜 衰	▬ ▬	世		戌財	癸卯年
외괘: 四震雷	勾陳	▬ ▬	h 鬼 申 生氣 天赫 皇書 日德 祿	▬ ▬		身	申鬼	壬戌月
내괘: 四震雷	朱雀	▬▬▬	孫 午 地醫 浴	▬▬▬			午孫	庚子日
동효: 010000 二爻	青龍	▬ ▬	dy 財 辰 月跋 華蓋 養	▬ ▬	應		辰財	癸未時
수동작괘 육효 출력	玄武 兄 卯 太歲	▬▬▬	兄 寅 病符 死氣 月厭 日馬 胞	▬ ▬		命	寅兄	
	白虎	▬▬▬	m 父 子 天醫 火鬼 游都 死	▬▬▬			子父	

日空: 辰巳 對空: 미적용 hdmy(시일월년) 공망 屬宮:兌金 屬宮:震木

• 현재 거주하는 집 매도가 가능할까요?

매도를 위해 오랜기간 기다려왔기에 가장큰 좌표계 단위인 묘년을 기준으로 현재상황을 해석한다. 묘년에 변효 묘목은 진왕으로 +1점, 동효 인목은 가왕으로 0점이다. 집이 매도 되려면 문서가 없어지고 돈이 들어와야 한다. 문서를 의미하는 초효 자수는 변효를 진생하여 -1점이다. 문서가 없어졌다. 그러나 동효 인목이 세효 술토를 진극하여 세효 재성은 -1점이다. 매도가 어렵다.

부동산 매매 문점시에 헷갈리는 경우가 많다. 매도로 돈이 들어왔는데 문서계약도 같이 들어오는 점사가 나올 때가 있고 매수로 돈이 나가고 문서계약이 들어오는 점사를 읽어야할 때 매수가 되었다는건지 매도가 되었다는건지 해석의 난해함으로 혼동이 있을수 있다. 해석은 직관적이고 읽기 쉬워야한다. 해석에서 막힘이 있다면 언제든 재점을 해야한다.

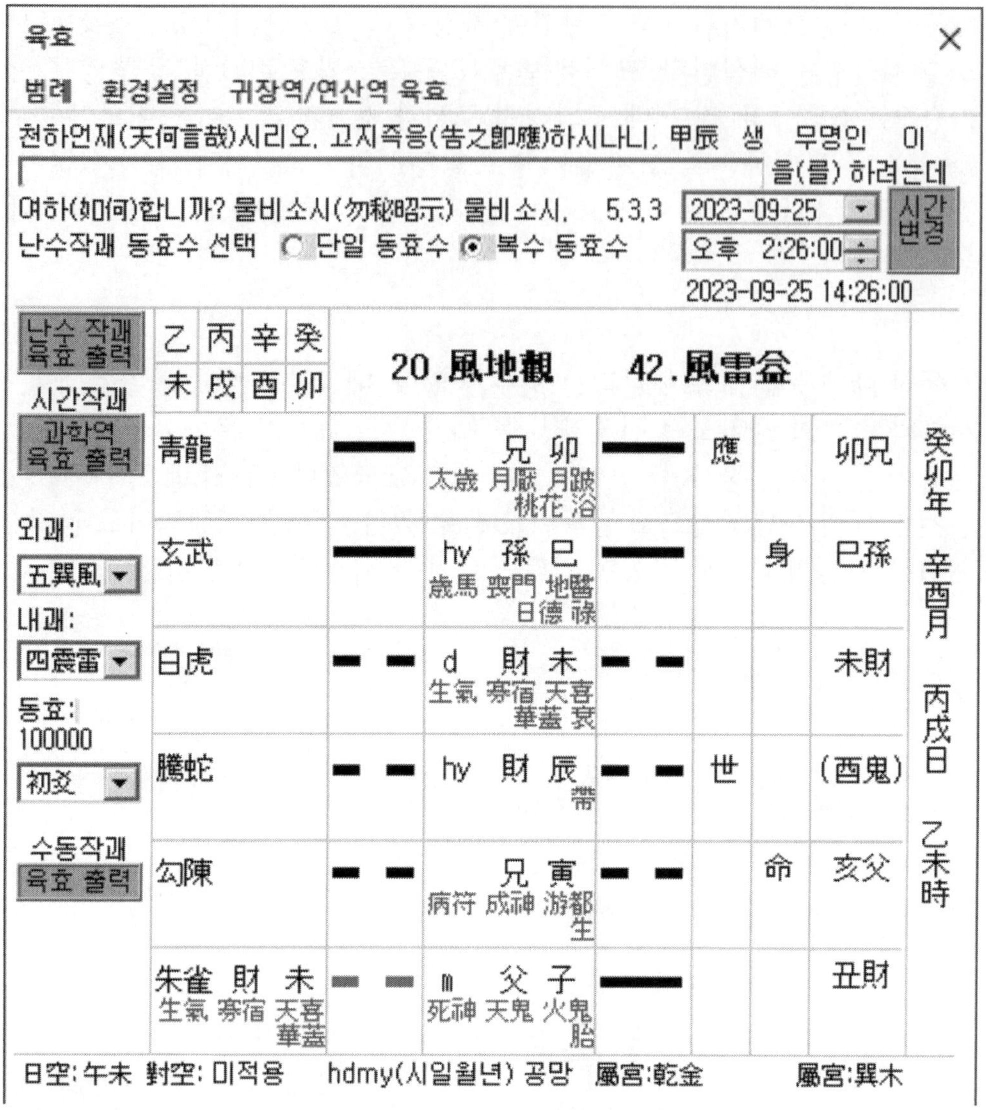

육효

범례 환경설정 귀장역/연산역 육효

천하언재(天何言哉)시리오. 고지즉응(告之卽應)하시나니, 甲辰 생 무명인 이

을(를) 하려는데

여하(如何)합니까? 물비소시(勿秘昭示) 물비소시. 5,3,3 2023-09-25 시간변경

난수작괘 동효수 선택 단일 동효수 복수 동효수 오후 2:26:00

2023-09-25 14:26:00

난수 작괘 육효 출력

시간작괘

과학역 육효 출력

외괘: 五巽風

내괘: 四震雷

동효: 100000

初爻

수동작괘 육효 출력

乙	丙	辛	癸	20.風地觀		42.風雷益				癸卯年 辛酉月 丙戌日 乙未時
未	戌	酉	卯							
青龍					兄 卯 太歲 月厭 月跛 桃花 浴		應		卯兄	
玄武					hy 孫 巳 歲馬 喪門 地醫 日德 祿			身	巳孫	
白虎					d 財 未 生氣 寡宿 天喜 華蓋 衰				未財	
騰蛇					hy 財 辰 帶		世		(酉鬼)	
勾陳					兄 寅 病符 成神 游都 生			命	亥父	
朱雀 財 未 生氣 寡宿 天喜 華蓋					m 父 子 死神 天鬼 火鬼 胎				丑財	

日空: 午未 對空: 미적용 hdmy(시일월년) 공망 屬宮:乾金 屬宮:巽木

- 투자용으로 부동산 매수시 이익이 있겠습니까?

누가 봐도 이익이 될 것 같은 물건이라도 사각지대는 있다. 그렇기에 육효를 통해 현재 혹은 장래의 상황을 짐작해 볼 수 있다. 부동산 투자는 오늘 내일 이익을 볼 수 있는 거래가 아니다. 묘년의 환경아래 괘효를 읽어보자.

변효는 재성이고 동효는 부성이다. 정효를 다 읽기도 전에 투자 관련 상수가 나왔다. 나의 관심사는 세효에 비춰질수도 있지만 이렇게 변효와 동효에의해 떠올라 그대로 나타날수도 있다. 그만큼 응기가 잘 되었다고 판단한다.

변효 재성은 묘년에 진극받아 -1점, 동효 부성은 묘년을 진생하여 -1점이다. 정효까지 읽을 것도 없이 묘년에 돈과 문서계약이 다 날아간다. 투자를 한다면 실패로 돌아간다.

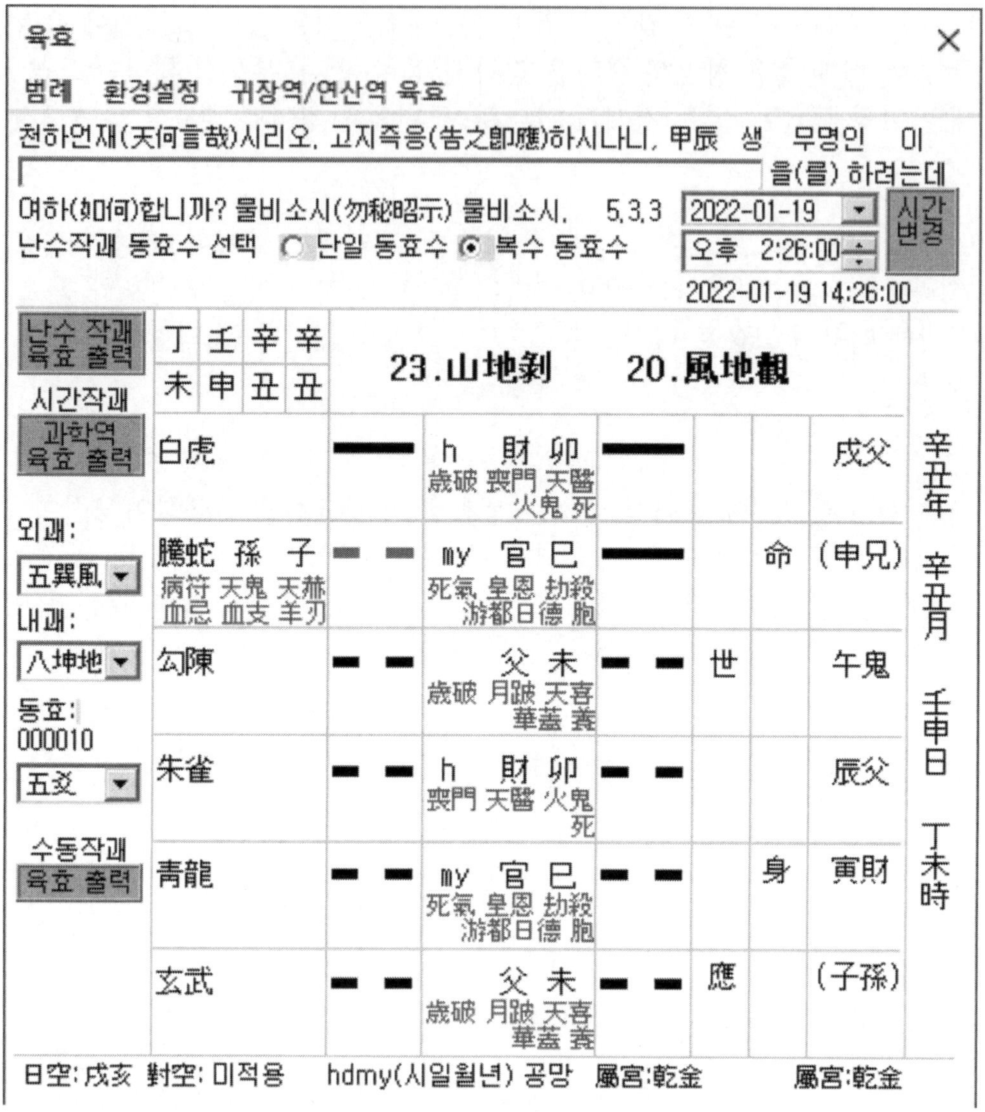

육효

범례 환경설정 귀장역/연산역 육효

천하언재(天何言哉)시리오, 고지즉응(告之卽應)하시나니, 甲辰 생 무명인 이

을(를) 하려는데

여하(如何)합니까? 물비소시(勿秘昭示) 물비소시. 5,3,3 2022-01-19

난수작괘 동효수 선택 ○ 단일 동효수 ⦿ 복수 동효수 오후 2:26:00 시간변경

2022-01-19 14:26:00

난수 작괘 육효 출력

시간작괘

과학역 육효 출력

외괘: 五巽風

내괘: 八坤地

동효: 000010

五爻

수동작괘 육효 출력

丁	壬	辛	辛
未	申	丑	丑

23.山地剝　20.風地觀

六獸	本卦	納甲	變卦	世應	命身	伏神
白虎	▬▬▬	h 財 卯 歲破 喪門 天醫 火鬼 死	▬▬▬			戌父
騰蛇 孫 子 病符 天鬼 天赦 血忌 血支 羊刃	▬ ▬	my 官 巳 死氣 皇恩 劫殺 游都日德 胞	▬▬▬		命	(申兄)
勾陳	▬ ▬	父 未 歲破 月跛 天喜 華蓋 養	▬ ▬	世		午鬼
朱雀	▬ ▬	h 財 卯 喪門 天醫 火鬼 死	▬ ▬			辰父
靑龍	▬ ▬	my 官 巳 死氣 皇恩 劫殺 游都日德 胞	▬ ▬		身	寅財
玄武	▬ ▬	父 未 歲破 月跛 天喜 華蓋 養	▬ ▬	應		(子孫)

辛丑年 辛丑月 壬申日 丁未時

日空: 戌亥 對空: 미적용 hdmy(시일월년) 공망 屬宮:乾金 屬宮:乾金

• 중도금이 들어올까요?

당일로 중도금을 입금하기로 계약했다. 당일이 기한이라면 당일을 기준으로 봐야한다. 먼저 신일로 좌표계를 설정하고 변효와 동효를 계산한다. 변효 자수는 신일에 0점, 동효 사화는 신일에 0점이다. 중도금을 의미하는 재성을 계산하다. 상효의 재성은 변효 자수로부터 진생받는다. 상효 재성은 +1점이다. 돈이 들어온다. 당일 중도금이 입금되었다고 연락이 왔다.

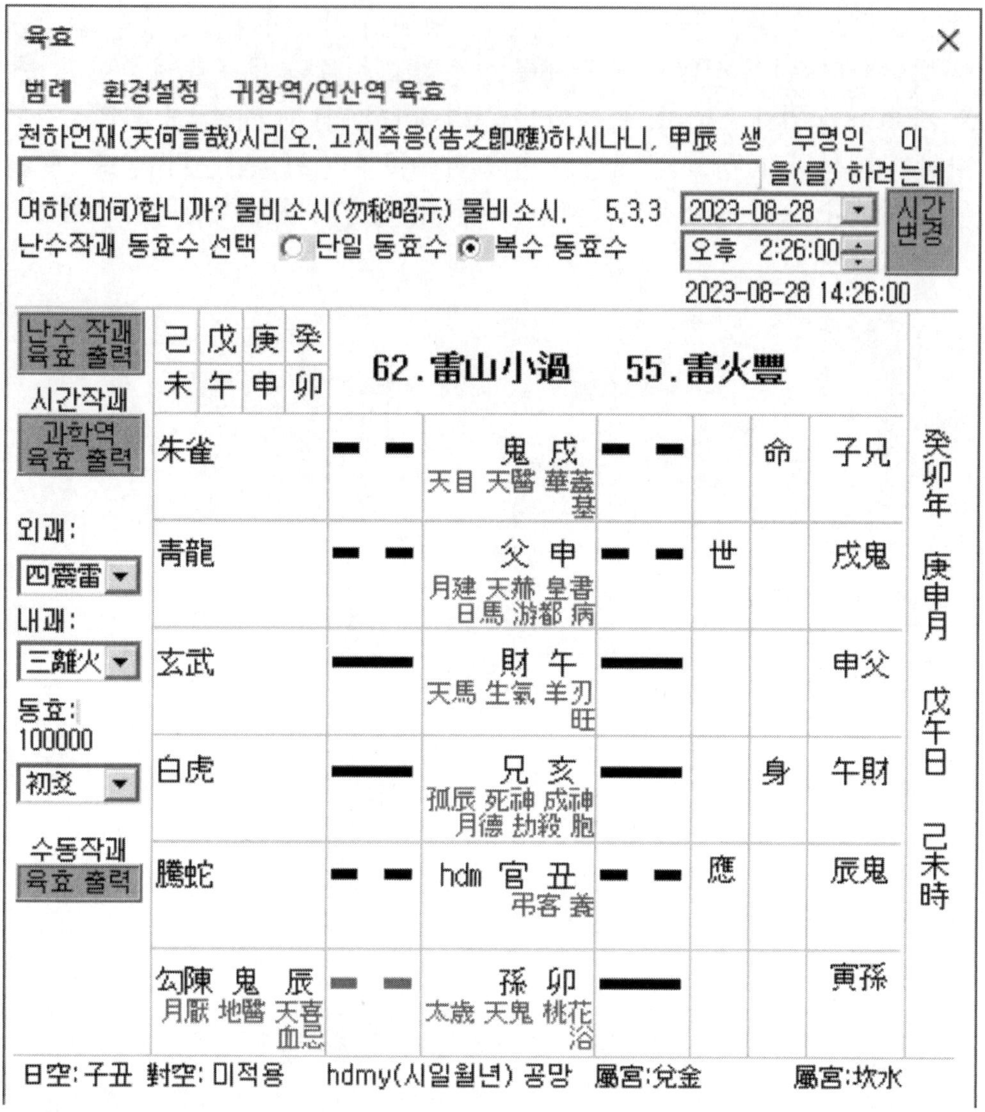

육효

범례 환경설정 귀장역/연산역 육효

천하언재(天何言哉)시리오. 고지즉응(告之卽應)하시나니, 甲辰 생 무명인 이 을(를) 하려는데

여하(如何)합니까? 물비소시(勿秘昭示) 물비소시. 5,3,3 2023-08-28 시간변경

난수작괘 동효수 선택 단일 동효수 복수 동효수 오후 2:26:00

2023-08-28 14:26:00

난수 작괘 육효 출력

시간작괘

과학역 육효 출력

외괘: 四震雷

내괘: 三離火

동효: 100000

初爻

수동작괘 육효 출력

己 戊 庚 癸 未 午 申 卯	62.雷山小過		55.雷火豐				
朱雀	▬ ▬	鬼 戌 天目 天醫 華蓋 墓	▬ ▬		命	子兄	癸卯年
青龍	▬ ▬	父 申 月建 天赦 皇書 日馬 游都 病	▬ ▬	世		戌鬼	庚申月
玄武	▬▬▬	財 午 天馬 生氣 羊刃 旺	▬▬▬			申父	戊午日
白虎	▬▬▬	兄 亥 孤辰 死神 戌神 月德 劫殺 胞	▬▬▬		身	午財	己未時
騰蛇	▬ ▬	hdm 官 丑 弔客 養	▬ ▬	應		辰鬼	
勾陳 鬼 辰 月厭 地醫 天喜 血忌	▬ ▬	孫 卯 太歲 天鬼 桃花 浴	▬▬▬			寅孫	

日空: 子丑 對空: 미적용 hdmy(시일월년) 공망 屬宮:兌金 屬宮:坎水

- 아파트를 매수 할 수 있을까요?

아파트 매물을 보고 부동산에 문의하기 전 상황을 알기 위해 문점하였다. 당일 좌표계를 활용해 당일의 상황을 알아본다. 당일 오일 변효 진토는 0점, 동효 묘목은 -1점이다. 세효의 부성 신금은 오일의 진극을 받아 -1점이다. 나의 관심사 부성은 -1점이고 상대하는 아파트 매물은 응효다. 응효는 공망이다.

공망은 왕생극을 하지 않는다. 공망은 왕생극으로부터 유예되어있다. 공망이 풀리는 당월의 환경아래 해석한다. 당월 신월에 변효 진토는 0점, 동효 묘목은 0점이다. 그리고 공망이었던 응효 축토는 신월을 진생하여 -1점이다. 매수하기 어렵다.

부동산 문의 결과 해당 매물은 당일 다른 사람이 가계약금을 넣은 상태에 있었고 다음날 매물을 내릴 예정이었다. 공망이라는 상태는 가계약의 상태와 유사하다. 완전히 계약서를 쓰지는 않았지만 계약을 하기 위해 매물을 잠가둔 상태가 공망의 상태로 나타났다.

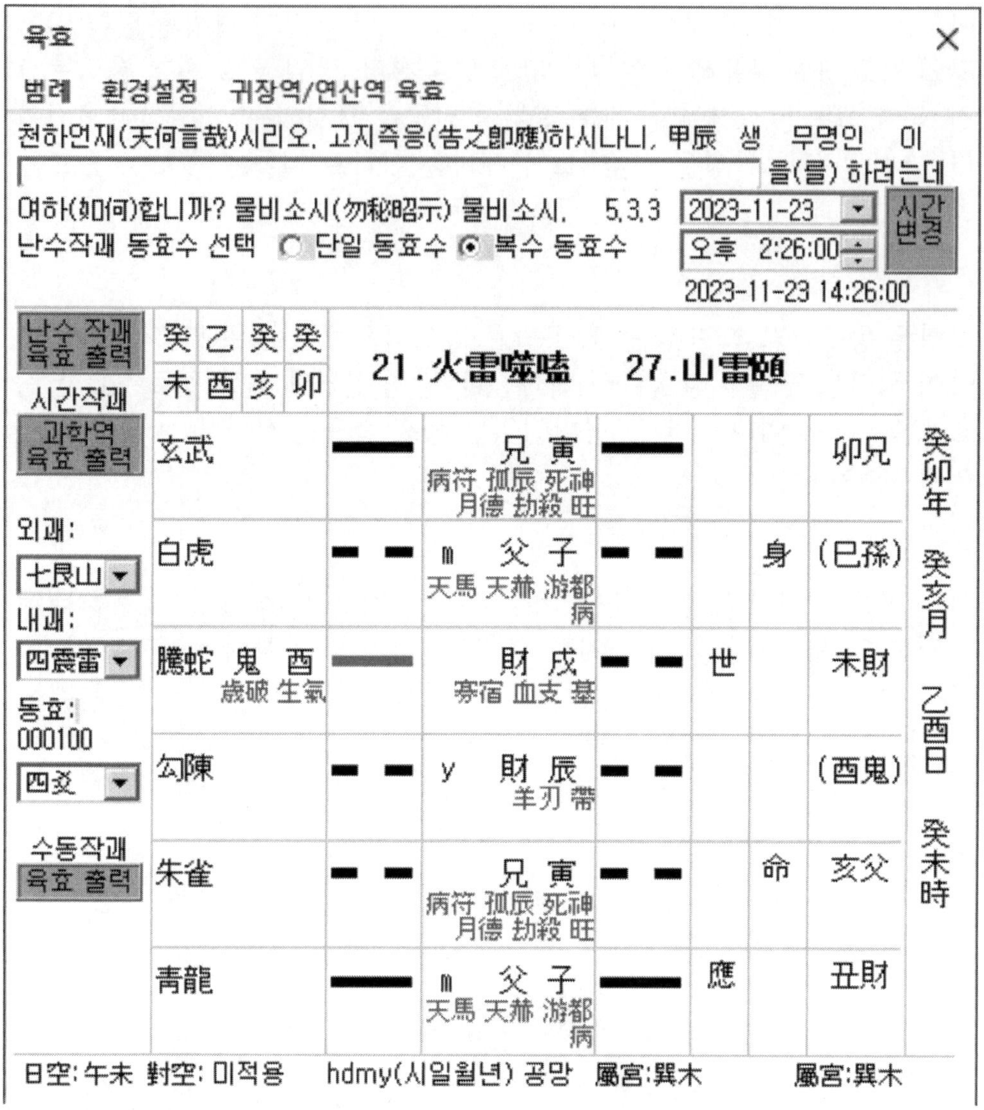

육효

범례 환경설정 귀장역/연산역 육효

천하언재(天何言哉)시리오. 고지즉응(告之卽應)하시나니. 甲辰 생 무명인 이

을(를) 하려는데

여하(如何)합니까? 물비소시(勿秘昭示) 물비소시. 5,3,3 2023-11-23 시간변경

난수작괘 동효수 선택 단일 동효수 복수 동효수 오후 2:26:00

2023-11-23 14:26:00

난수 작괘 육효 출력	癸 乙 癸 癸 未 酉 亥 卯	21.火雷噬嗑 27.山雷頤						癸卯年 癸亥月 乙酉日 癸未時
시간작괘 과학역 육효 출력	玄武	▅▅▅	兄 寅 病符 孤辰 死神 月德 劫殺 旺	▅▅▅			卯兄	
외괘: 七艮山	白虎	▅ ▅	m 父 子 天馬 天赫 游都 病	▅ ▅		身	(巳孫)	
내괘: 四震雷	騰蛇 鬼 酉 歲破 生氣	▅▅▅	財 戌 寡宿 血支 墓	▅ ▅	世		未財	
동효: 000100 四爻	勾陳	▅ ▅	y 財 辰 羊刃 帶	▅ ▅			(酉鬼)	
수동작괘 육효 출력	朱雀	▅ ▅	兄 寅 病符 孤辰 死神 月德 劫殺 旺	▅ ▅		命	亥父	
	青龍	▅▅▅	m 父 子 天馬 天赫 游都 病	▅▅▅	應		丑財	

日空: 午未 對空: 미적용 hdmy(시일월년) 공망 屬宮:巽木 屬宮:巽木

• 월세 계약이 이뤄질까요?

2년간 월세 계약을 했는데 직장문제로 두달간 살고 나오게 되었다. 다른 월세입자를 구할때까지 월세를 계속 내야하는 상황에서 다음 임차인이 구해질까? 당일의 문제는 아니니 당월과 당년을 기준으로 해석한다.

당월 해월에 변효 유금은 0점, 동효 술토는 0점이다. 세효에 자리한 동효 재성은 변효 유금을 진생하여 -1점으로 동효에 월세가 나가고 있는 상황이 드러나 있다. 그것도 세효에 앉아 현재 본인의 상황이 급한 것으로 보인다. 그리고 변효 유금은 삼효의 진토 재성의 생을 받고 재성은 -1점이 된다. 결과값으로 보는 정효의 재성이 -1점이다. 돈이 계속 나가는 상황에 처해있다. 그러나 응효 자수는 변효의 진생을 받아 +1점이다. 응효는 내가 기다리는 다음 세입자이다. 세입자가 나타날 확률이 있다.

여기까지 육효점을 해석하면 이달 안에 다음 세입자를 구하기가 어렵다. 그러나 육효점은 정해진 일을 그저 확인하기 위해 치지 않는다. 다음 세입자를 구하기 위해 현재 세입자는 다방면으로 노력해야한다.

육효 ×

범례 환경설정 귀장역/연산역 육효

천하언재(天何言哉)시리오, 고지즉응(告之卽應)하시나니, 甲辰 생 무명인 이

[ ] 을(를) 하려는데

여하(如何)합니까? 물비소시(勿秘昭示) 물비소시. 5,3,3 2023-12-04

난수작괘 동효수 선택 ○ 단일 동효수 ⊙ 복수 동효수 오후 2:26:00 시간변경

2023-12-04 14:26:00

난수 작괘 육효 출력

시간작괘

과학역 육효 출력

외괘: 一乾天

내괘: 七艮山

동효: 000010

五爻

수동작괘 육효 출력

乙	丙	癸	癸	56.火山旅		33.天山遯				
未	申	亥	卯							

青龍	▬▬▬	父 戌 奔宿 血支 墓	▬▬▬			戌父	癸卯年
玄武 父 未 地醫	▬ ▬	兄 申 成神 病	▬▬▬	應		申兄	癸亥月
白虎	▬▬▬	鬼 午 天鬼 羊刃 旺	▬▬▬		命	午鬼	丙申日
騰蛇	▬▬▬	兄 申 成神 病	▬▬▬			辰父	乙未時
勾陳	▬ ▬	鬼 午 天鬼 羊刃 旺	▬ ▬	世		(寅財)	
朱雀	▬ ▬	hdy 父 辰 帶	▬ ▬		身	(子孫)	

日空: 辰巳 對空: 미적용 hdmy(시일월년) 공망 屬宮:離火 屬宮:乾金

• 월세 계약이 이뤄질까요? 재점

위의 문점자가 월세입자를 구하기 위해 좀 더 여러 곳에 월세 매물을 올려 놓았고 당일 가계약하고자 하는 사람의 연락이왔다.

당일 연락이 닿았기에 당일이 중요하다. 당일 신일을 좌표계로 설정하고 변효와 동효 먼저 힘의 크기를 계산한다. 변효 미토는 신일을 진생하여 -1점, 동효 신금은 +1점이다. 동효 신금은 응효의 자리에 앉아 '왕'하다. 가계약을 위해 의사표현을 한 예비 임차인이 응효로 나타났다. 그리고 변효 부성은 동효 형제성을 진생한다. 그러므로 변효는 동효에 속하게 된다. 상대방이 계약을 할것으로 보인다. 그리고 세효 오화는 동효 신금을 진극하여 +1점이다. 응효가 세효에게 힘을 준다. 당일에 가계약했다.

당월까지 살펴보자. 당월 해월에 변효는 +1점, 동효는 -1점이다. 마찬가지로 변효가 동효를 생한다. 여기서 세효를 좀 더 자세히 살펴보면 세효의 복신인 재성 인목은 동효 신금의 진극을 받아 -1점이다. 그러나 해월이 되면 해수로부터 진생 받아 0점이 된다. 나가던 월세가 더이상 나가지 않게 되었다. 당월 해월에 임차인이 들어왔다.

건강

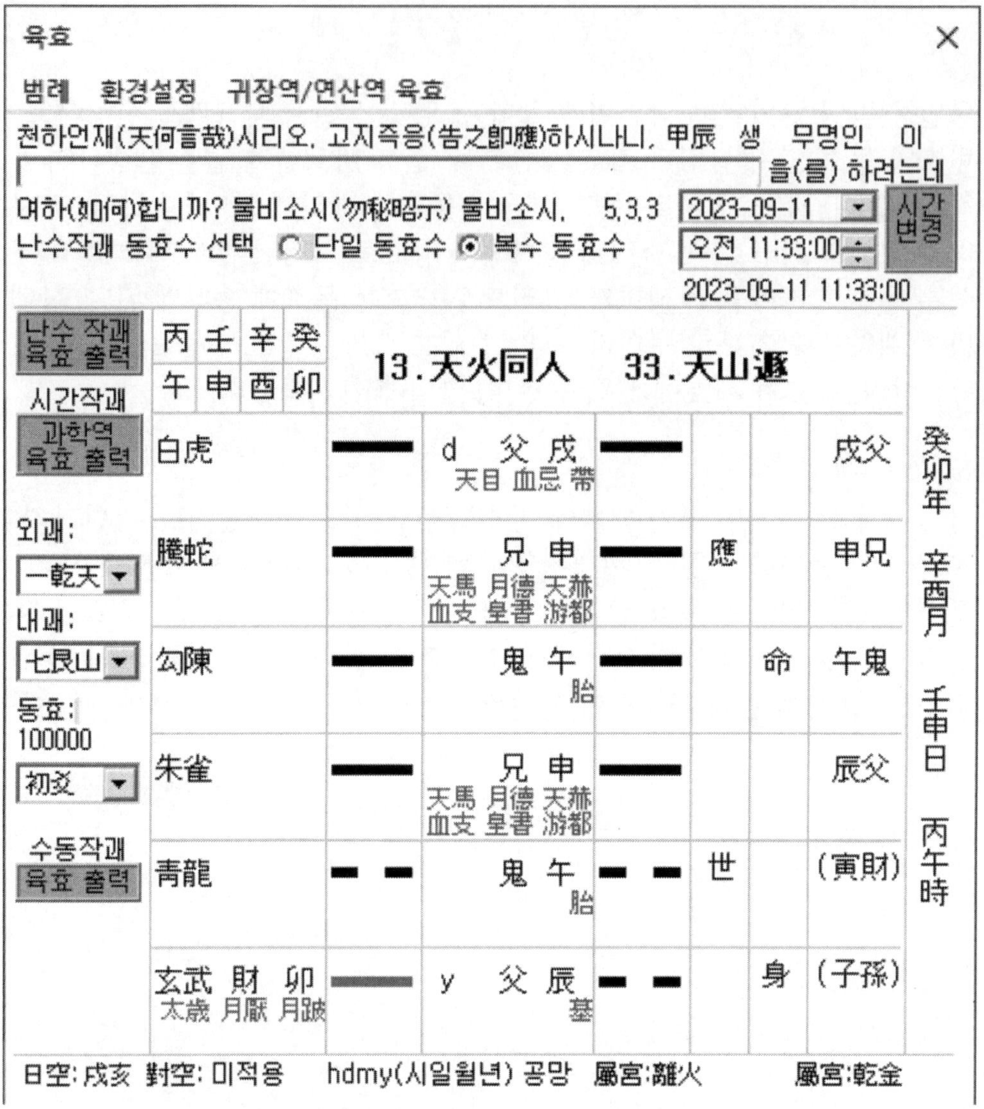

육효 ✕

범례 환경설정 귀장역/연산역 육효

천하언재(天何言哉)시리오. 고지즉응(告之卽應)하시나니, 甲辰 생 무명인 이 을(를) 하려는데
여하(如何)합니까? 물비소시(勿秘昭示) 물비소시. 5.3.3 2023-09-11 시간변경
난수작괘 동효수 선택 ○ 단일 동효수 ◉ 복수 동효수 오전 11:33:00
2023-09-11 11:33:00

난수 작괘 육효 출력

시간작괘

과학역 육효 출력

외괘: 一乾天

내괘: 七艮山

동효: 100000

初爻

수동작괘 육효 출력

丙	壬	辛	癸	13.天火同人 33.天山遯					
午	申	酉	卯						
白虎			━━━	d 父 戌 天目 血忌 帶	━━━			戌父	癸卯年
螣蛇			━━━	兄 申 天馬 月德 天赦 血支 皇書 游都	━━━	應		申兄	辛酉月
勾陳			━━━	鬼 午 胎	━━━		命	午鬼	壬申日
朱雀			━━━	兄 申 天馬 月德 天赦 血支 皇書 游都	━━━			辰父	丙午時
靑龍			━ ━	鬼 午 胎	━ ━	世		(寅財)	
玄武 財 卯 太歲 月厭 月跳			━━━	y 父 辰 墓	━ ━		身	(子孫)	

日空: 戌亥 對空: 미적용 hdmy(시일월년) 공망 屬宮:離火 屬宮:乾金

- 부친의 건강이 염려되어 문점하였다.

건강은 지금 당장 숨이 넘어가는 상황이 아니라면 당일의 문제가 아니다. 당년인 묘년의 바탕공간 안의 당월인 유월을 좌표계로 설정하고 변효와 동효와 정효의 기본값을 정의한다.

유월에 변효 묘목은 -1점, 동효 진토는 -1점이다. 그리고 정효 중 아버지를 의미하는 부성의 납지가 붙은 상효 술토는 -1점이다. 변효, 동효, 정효 모두 -1점이다. 현재상황으로써는 정효 부성의 힘이 -1점이니 아버지의 힘이 없다. 그러나 변효와 동효가 -1점이라 정효 부성에게 영향력이 없다. 이는 변효와 동효로부터 정효가 드러나지 않은 상황이다. 이제 당년 좌표계 묘년의 환경 아래 변효와 동효와 정효의 힘의 크기를 다시 계산하자. 묘년에 변효 묘목은 +1점, 동효 진토는 0점, 상효 술토는 0점이다. 당월에 드러나지 않은 문제는 당년, 한해 전체로 보면 드러날 수 있다. 동효 진토가 0점이라 상효 술토의 힘을 진왕으로 빼앗아 온다. 정효 부성은 동효에 의해 모습이 드러나 힘의 크기가 -1점이 되었다. 묘년의 바탕공간 안의 유월엔 그러나지 않았지만 유월을 지나 당년 전체로 보면 아버지의 병환이 드러날 수 있다.

유월을 지나 술월에 부친이 동네의원에서 진료를 보고 폐렴증세로 대학병원에서 검사를 받아보라는 소견서를 받았다.

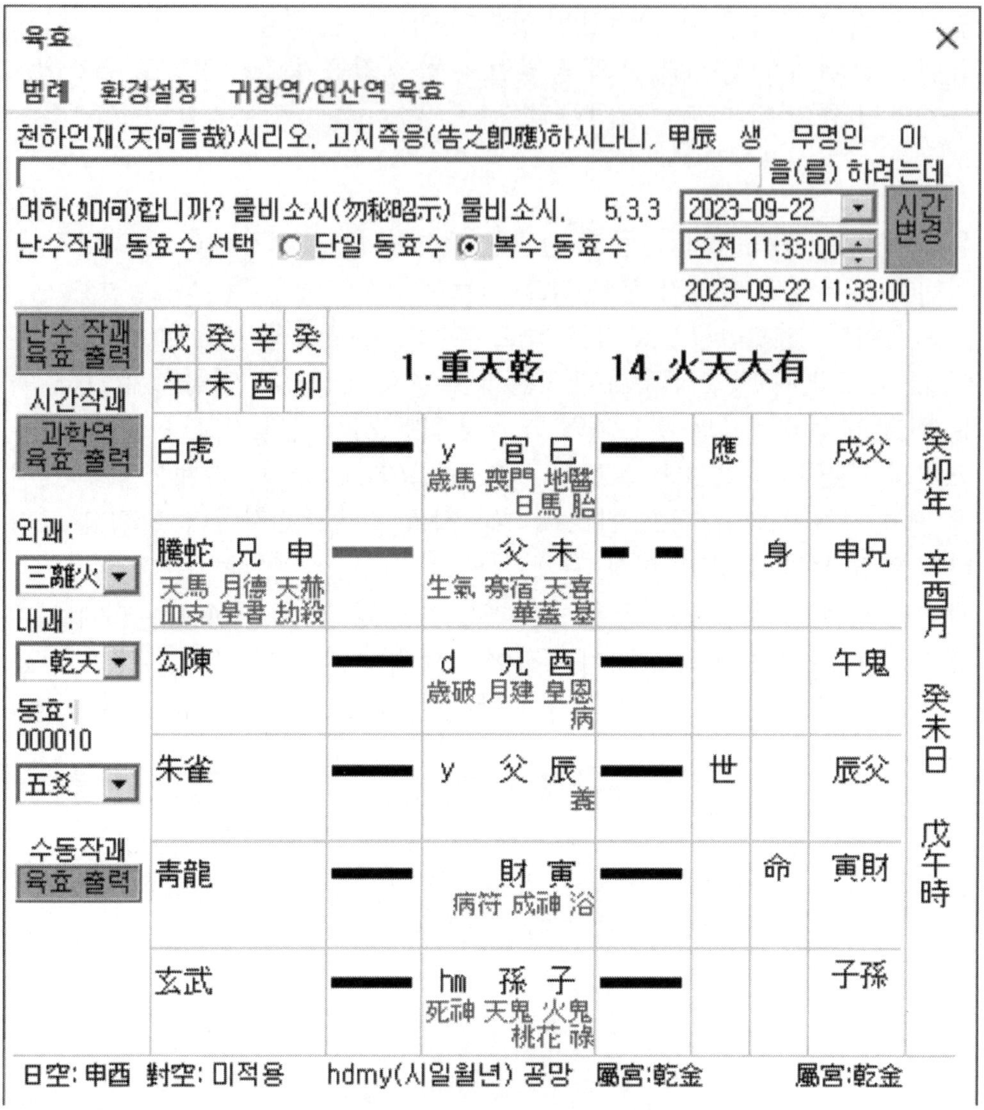

육효 ×

범례 환경설정 귀장역/연산역 육효

천하언재(天何言哉)시리오, 고지즉응(告之卽應)하시나니, 甲辰 생 무명인 이

을(를) 하려는데

여하(如何)합니까? 물비소시(勿秘昭示) 물비소시, 5,3,3 2023-09-22 시간변경

난수작괘 동효수 선택 단일 동효수 복수 동효수 오전 11:33:00

2023-09-22 11:33:00

戊	癸	辛	癸
午	未	酉	卯

1.重天乾 14.火天大有

				世應		
白虎	━━━	y 官 巳 歲馬 喪門 地醫 日馬 胎	━━━	應		戌父
騰蛇 兄 申 天馬 月德 天赫 血支 皇書 劫殺	━━━	父 未 生氣 寡宿 天喜 華蓋 墓	━ ━		身	申兄
勾陳	━━━	d 兄 酉 歲破 月建 皇恩 病	━━━			午鬼
朱雀	━━━	y 父 辰 養	━━━	世		辰父
青龍	━━━	財 寅 病符 成神 浴	━━━		命	寅財
玄武	━━━	hm 孫 子 死神 天鬼 火鬼 桃花 祿	━━━			子孫

癸卯年 辛酉月 癸未日 戊午時

난수 작괘 육효 출력

시간작괘

과학역 육효 출력

외괘: 三離火

내괘: 一乾天

동효: 000010

五爻

수동작괘 육효 출력

日空: 申酉 對空: 미적용 hdmy(시일월년) 공망 屬宮:乾金 屬宮:乾金

• 부친께서 폐렴증세로 대학병원의 검진을 받고 문점하였다.

위의 문점자가 병원에서 검진을 받고 재점하였다. 꼭 세효가 아니더라도 웃어른에 대해 물으면 그 결과는 부성으로 놓고 읽어야 해석이 수월한 경우가 많다. 세효에 부성이 자리한다. 나의 마음속이 아버지에 대한 염려로 가득하기에 세효의 자리에 부성이 앉았다. 이처럼 세효엔 지금 내 머릿속으로 떠올린 대상이 세효의 자리에 앉는 것으로 응기를 확인하기도 한다.

당일 변효 신금은 공망이다. 동효 미토는 당일 미일의 진왕을 받아 +1점으로 동효 부성은 당일에 문제가 없어 보이나 다음날 신일이 되면 공망은 해소되어 동효 부성의 힘을 빼앗는다. 그럼 다음날을 포함하는 당월의 환경 아래 힘의 크기를 계산한다. 유월의 변효 신금은 0점, 동효 미토는 0점으로 변효 신금은 동효 미토의 힘을 빼앗는다. 동효 부성의 힘은 -1점이다. 아버지의 힘이 약하다. 이제 아버지의 신궁을 찾아 몸의 상태를 확인한다.

동효 부성의 신궁은 부성 미토의 체, 납지의 체을 찾는다. 초효부터 상효까지, 자수부터 사화가 붙고 다시 초효부터 상효까지, 오화부터 해수가 붙는다. 그럼 미토의 체는 2효의 인목이다. 인목은 변효 신금의 진극을 받아 -1점이다. 정효이자 동효인 부성은 현상으로 드러나는 용(用)이고, 신궁은 건강의 근본인 체(體)다. 점단결과 체와용이 모두 -1점으로 건강이 심히 좋지 못하다.라고 해석할 수 있다.

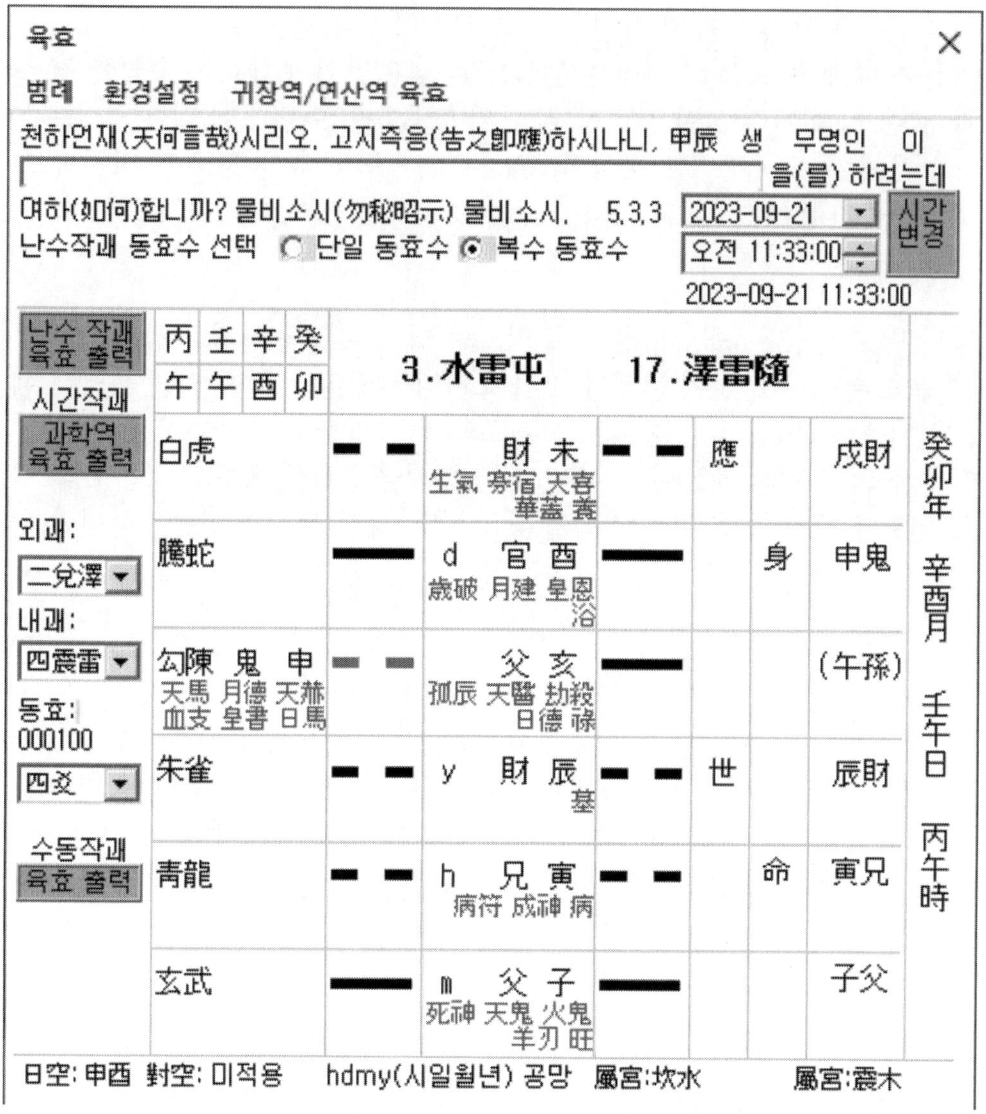

육효

범례 환경설정 귀장역/연산역 육효

천하언재(天何言哉)시리오, 고지즉응(告之卽應)하시나니, 甲辰 생 무명인 이

을(를) 하려는데

여하(如何)합니까? 물비소시(勿秘昭示) 물비소시. 5,3,3 2023-09-21 시간변경

난수작괘 동효수 선택 단일 동효수 복수 동효수 오전 11:33:00

2023-09-21 11:33:00

난수 작괘 육효 출력

시간작괘

과학역 육효 출력

외괘: 二兌澤

내괘: 四震雷

동효: 000100

四爻

수동작괘 육효 출력

丙	壬	辛	癸	3.水雷屯		17.澤雷隨				
午	午	酉	卯							
白虎				▬ ▬	財 未 生氣 寡宿 天喜 華蓋 養	▬ ▬	應		戌財	癸卯年
騰蛇				▬▬	d 官 酉 歲破 月建 皇恩 浴	▬▬		身	申鬼	辛酉月
勾陳 鬼 申 天馬 月德 天赦 血支 皇書 日馬				▬ ▬	父 亥 孤辰 天醫 劫殺 日德 祿	▬▬			(午孫)	壬午日
朱雀				▬ ▬	y 財 辰 墓	▬ ▬	世		辰財	丙午時
靑龍				▬ ▬	h 兄 寅 病符 成神 病	▬ ▬		命	寅兄	
玄武				▬▬	m 父 子 死神 天鬼 火鬼 羊刃 旺	▬▬			子父	

日空: 申酉 對空: 미적용 hdmy(시일월년) 공망 屬宮:坎水 屬宮:震木

• 부모님께서 건강기능식품을 드시면 병증 개선에 도움이 될까요?

아프면 치료는 기본이고 몸에 좋다는 것들을 챙기기 시작한다. 실질적으로 몸에 이로운지 육효의 체와 용으로 읽어본다.

대게 건강기능식품은 적어도 세달 꾸준히 복용하는 경우가 많다. 당년의 전체 환경을 좌표계로 설정한다. 묘년에 변효 신금은 0점, 동효 해수는 0점이다. 변효 신금은 동효 해수를 진생한다. 정효이다 동효 부성은 +1점이다. 이때 또 다른 초효의 부성 자수는 변효, 동효와 왕생극하지 않는다. 그러므로 동효인 부성 해수을 용신으로 잡는다.

부성 해수는 +1점이다. 정말 몸에 득이 될까? 부성 해수의 신궁을 찾는다. 부성 해수의 체는 상효 미토다. 신궁 미토는 묘년에 진극으로 -1점이다. 부모님의 몸 상태가 좋지 않다, 현재 병황이 있다는 것을 알려준다. 그리고 상효 미토는 동효 해수를 진극한다. -1점에서 0점으로 돌아온다. 0점은 몸에 무해무득, 좋지도 나쁘지도 않은 상황이라 해석한다.

결과적으로 동효 부성 용은 +1점이고 부성의 신궁 미토 체는 0점이다. 몸에 실질적인 도움을 주기는 어렵지만 건강기능식품을 먹으면서 건강이 개선되는듯한 느낌을 줄 수 있다.

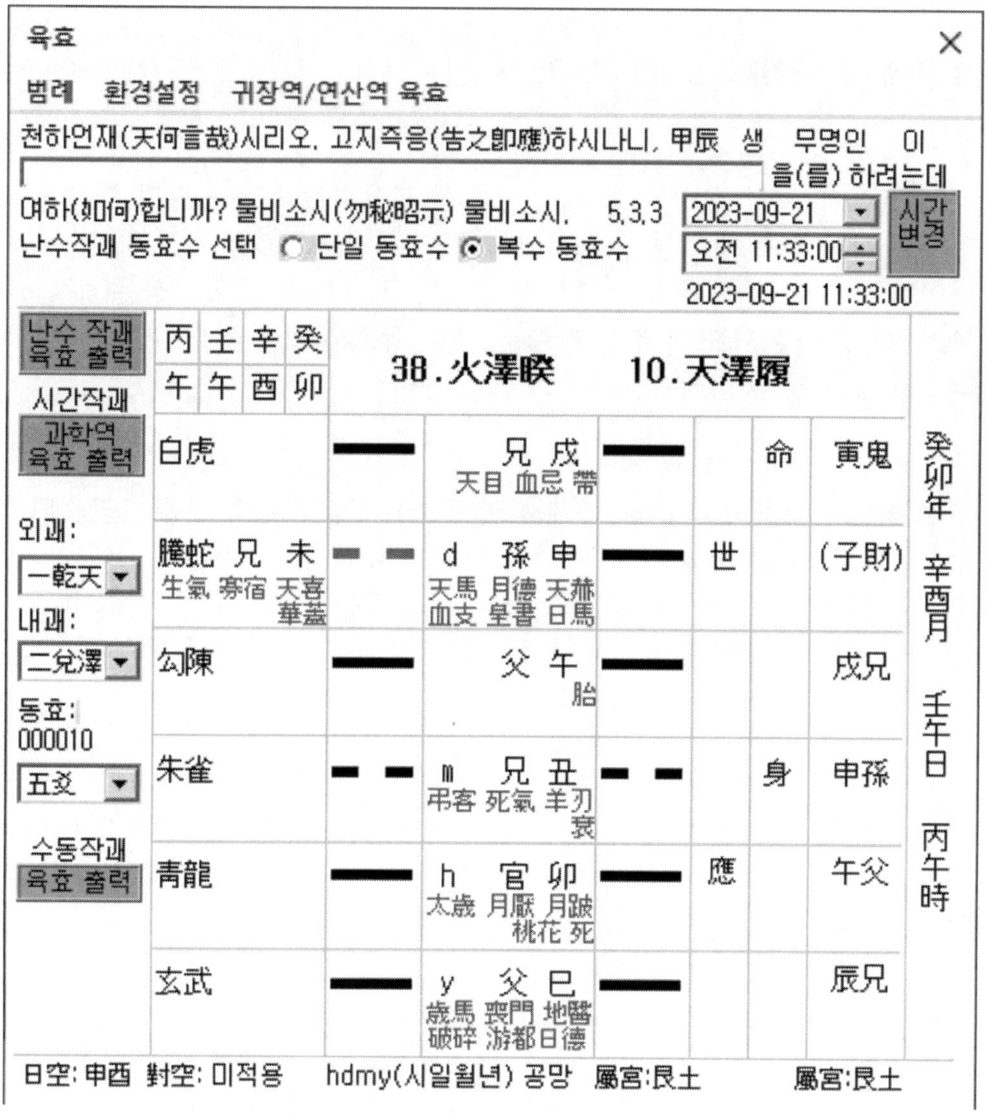

육효

범례 환경설정 귀장역/연산역 육효

천하언재(天何言哉)시리오. 고지즉응(告之卽應)하시나니. 甲辰 생 무명인 이
을(를) 하려는데
여하(如何)합니까? 물비소시(勿秘昭示) 물비소시. 5,3,3 2023-09-21 시간변경
난수작괘 동효수 선택 단일 동효수 복수 동효수 오전 11:33:00
2023-09-21 11:33:00

난수 작괘 육효 출력

시간작괘 과학역 육효 출력

외괘: 一乾天
내괘: 二兌澤
동효: 000010
五爻

수동작괘 육효 출력

丙	壬	辛	癸	38.火澤睽 10.天澤履					
午	午	酉	卯						
白虎				━━━	兄 戌 天目 血忌 帶	━━━		命	寅鬼
騰蛇 兄 未 生氣 寡宿 天喜 華蓋				━ ━	d 孫 申 天馬 月德 天赫 血支 皇書 日馬	━━━	世		(子財)
勾陳				━━━	父 午 胎	━━━			戌兄
朱雀				━ ━	m 兄 丑 弔客 死氣 羊刃 衰	━ ━		身	申孫
靑龍				━━━	h 官 卯 太歲 月厭 月跛 桃花 死	━━━	應		午父
玄武				━━━	y 父 巳 歲馬 喪門 地醫 破碎 游都 日德	━━━			辰兄

癸卯年 辛酉月 壬午日 丙午時

日空: 申酉 對空: 미적용 hdmy(시일월년) 공망 屬宮:艮土 屬宮:艮土

• 유산 후 다시 임신이 가능할까요?

먼저 현재상황을 살펴보자. 당일 오일에 변효는 0점, 동효는 -1점이다. 동효는 정효이자 손성으로 -1점은 '사' 현재 유산한 상황으로 드러나 있다. 그럼 다시 임신이 가능할까? 변효 미토는 동효 신금을 진생한다. 동효 손성은 -1점에서 0점이다. 0점은 '생'이다. 임신 가능성이 있다.

다시 임신을 하는 문제는 오늘 당장 일어날 수 있는 일이 아니다. 당년과 당월의 좌표계 인목으로 결정한다. 인목에의해 손성 신금은 인목을 진극하여 +1점, 그리고 변효에 미토의 진생을 받아 +1점이다. +1점은 '왕'으로 올해 안에 다시 임신이 가능하다. 당해 안으로 다시 임신하여 출산을 했다.

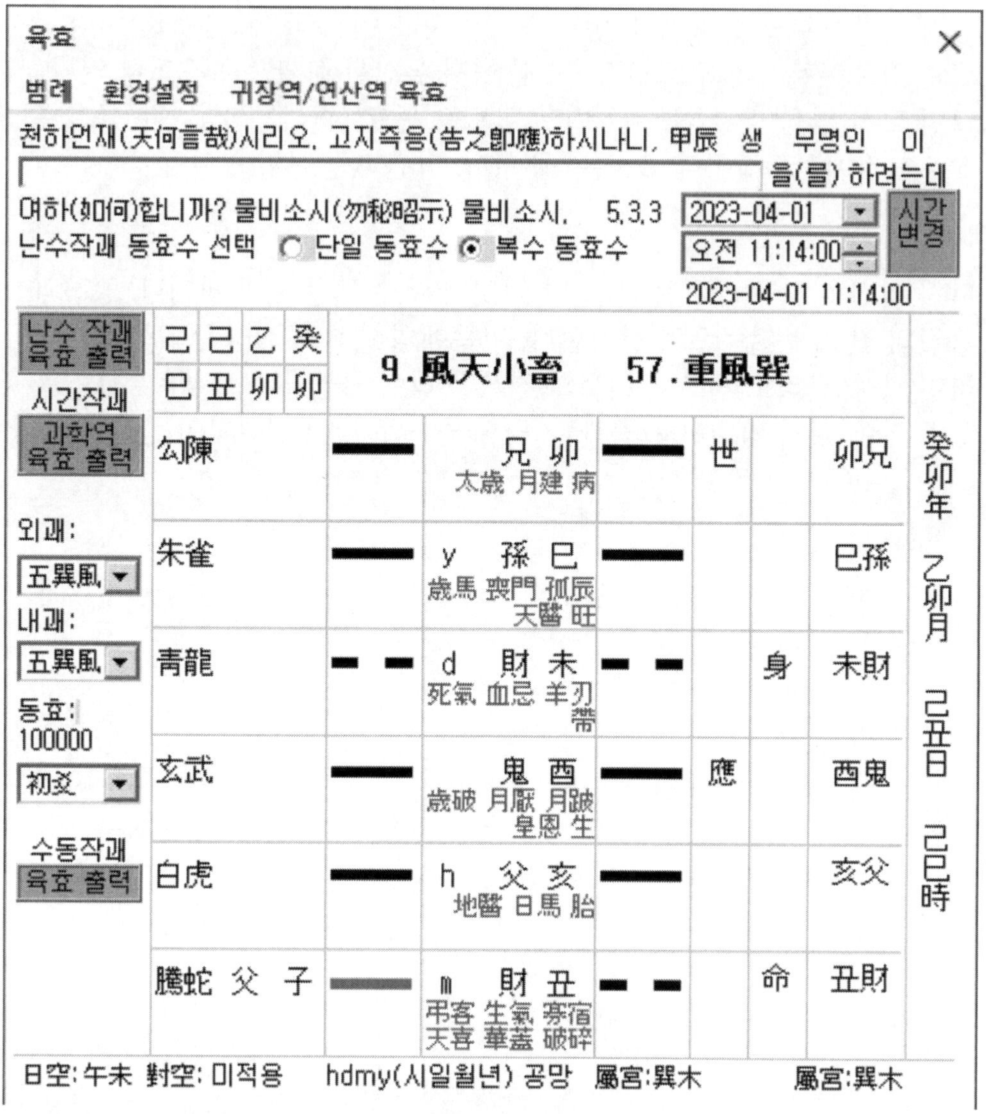

육효 ×

범례 환경설정 귀장역/연산역 육효

천하언재(天何言哉)시리오. 고지즉응(告之卽應)하시나니, 甲辰 생 무명인 이

을(를) 하려는데

여하(如何)합니까? 물비소시(勿秘昭示) 물비소시. 5,3,3 2023-04-01 시간변경

난수작괘 동효수 선택 단일 동효수 복수 동효수 오전 11:14:00

2023-04-01 11:14:00

난수 작괘 육효 출력

시간작괘 과학역 육효 출력

외괘: 五巽風

내괘: 五巽風

동효: 100000

初爻

수동작괘 육효 출력

己	己	乙	癸	9.風天小畜 57.重風巽					
巳	丑	卯	卯						
勾陳				▬▬▬	兄 卯 太歲 月建 病	▬▬▬	世		卯兄
朱雀				▬▬▬	y 孫 巳 歲馬 喪門 孤辰 天醫 旺	▬▬▬			巳孫
靑龍				▬ ▬	d 財 未 死氣 血忌 羊刃 帶	▬ ▬		身	未財
玄武				▬▬▬	鬼 酉 歲破 月厭 月跛 皇恩 生	▬▬▬	應		酉鬼
白虎				▬▬▬	h 父 亥 地醫 日馬 胎	▬▬▬			亥父
騰蛇 父 子				▬▬▬	m 財 丑 弔客 生氣 寡宿 天喜 華蓋 破碎	▬ ▬		命	丑財

癸卯年 乙卯月 己丑日 己巳時

日空: 午未 對空: 미적용 hdmy(시일월년) 공망 屬宮:巽木 屬宮:巽木

• 자녀가 급성위염으로 수술을 받았다. 괜찮을까?

당일 수술을 받았다고 해서 몸이 지금 당장 괜찮아지지 않는다. 당년과 당월로 좌표계를 설정해야한다. 당년은 계묘년이고 당월은 을묘월이다. 같은 지지 묘를 기준으로 상황을 파악한다.

변효 자수와 동효 축토는 합으로 변효와 동효가 묶여 왕생극을 하지 않는다. 자녀를 의미하는 오효의 손성 사화는 좌표계와 변효, 동효로부터 왕생극을 하지 않는다. 그리고 복신에도 자녀를 의미하는 오화의 손성은 없다. 해석은 용신이 아닌 움직인 효를 기준으로 한다. 가장 먼저 움직인 변효와 동효를 살펴야 하는데 변효와 동효는 육합으로 묶여서 정지해 있다. 손성은 좌표계와 왕생극을 하지 않는다.

수술은 몸이 가장 중요한 포인트다. 몸을 의미하는 세효의 신궁을 살펴야 한다. 사효의 신궁 미토는 당일 축토와 축미충으로 암동했다. 동했다는 것은 움직였다는 의미로 당일 수술을 하게 된 현상황이 충으로 나타났다. 그리고 신궁 미토는 당년과 당월 묘목으로 부터 진극을 받는다. 수술후에도 몸을 잘 살펴야한다. 그리고 세효 묘목은 당년과 당월 묘목으로부터 진왕한다. 세효가 힘이 강하기 때문에 몸관리만 잘하면 무탈하다 해석한다.

점은 떠오른 하나의 시점이다. 인간적으로 접근하는 것은 해석을 산으로 가게한다. 육효라는 설계원리에 근거한 해석을 해야 정밀하게 진단할수 있다.

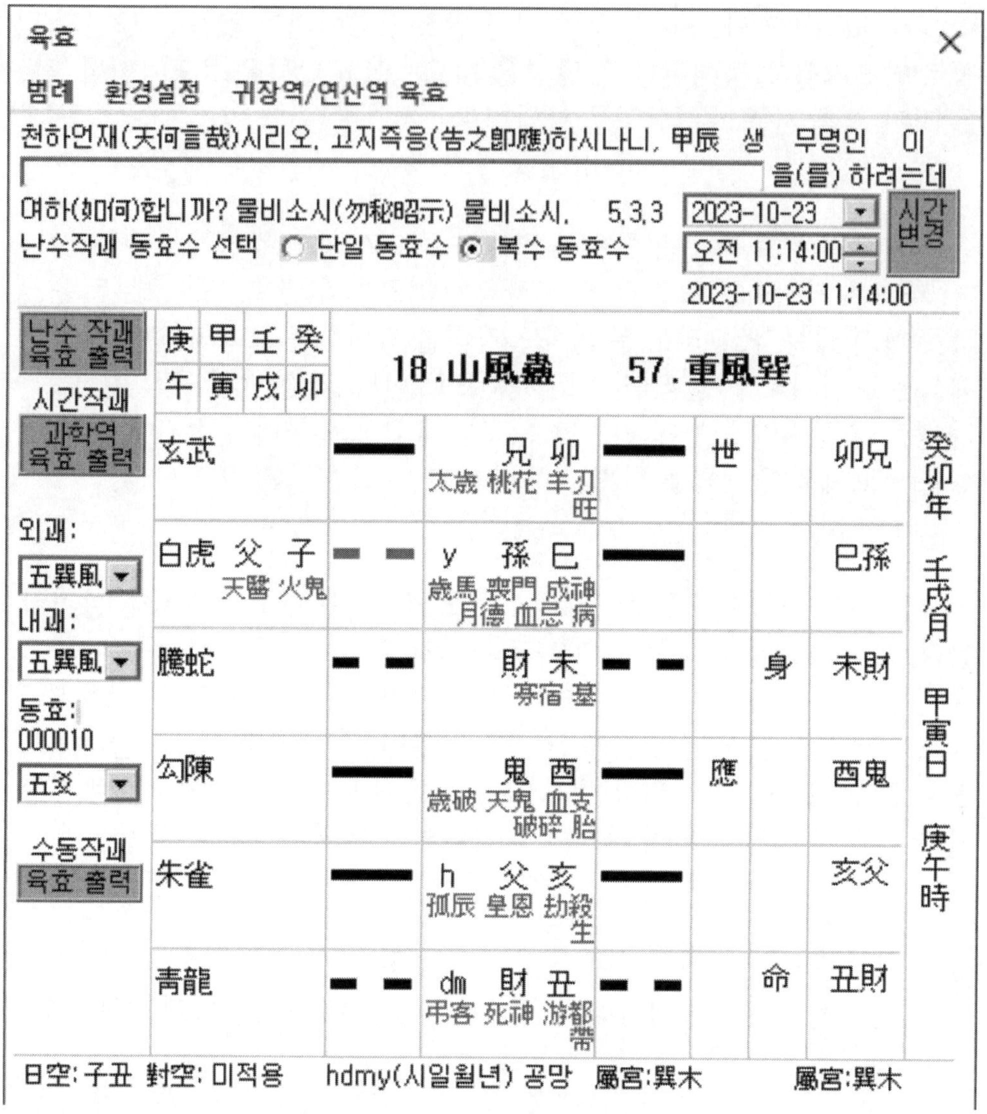

육효

범례 환경설정 귀장역/연산역 육효

천하언재(天何言哉)시리오. 고지즉응(告之卽應)하시나니, 甲辰 생 무명인 이

을(를) 하려는데

여하(如何)합니까? 물비소시(勿秘昭示) 물비소시. 5,3,3 2023-10-23 시간변경

난수작괘 동효수 선택 ○ 단일 동효수 ⦿ 복수 동효수 오전 11:14:00

2023-10-23 11:14:00

난수 작괘 육효 출력

시간작괘

과학역 육효 출력

외괘: 五巽風

내괘: 五巽風

동효: 000010

五爻

수동작괘 육효 출력

庚	甲	壬	癸	18.山風蠱		57.重風巽				
午	寅	戌	卯							
玄武				▬▬▬	兄 卯 太歲 桃花 羊刃 旺	▬▬▬	世		卯兄	癸卯年
白虎 父 子 天醫 火鬼				▬ ▬	y 孫 巳 歲馬 喪門 成神 月德 血忌 病	▬▬▬			巳孫	壬戌月
騰蛇				▬ ▬	財 未 寡宿 墓	▬ ▬		身	未財	甲寅日
勾陳				▬▬▬	鬼 酉 歲破 天鬼 血支 破碎 胎	▬▬▬	應		酉鬼	庚午時
朱雀				▬▬▬	h 父 亥 孤辰 皇恩 劫殺 生	▬▬▬			亥父	
靑龍				▬ ▬	dm 財 丑 弔客 死神 游都 帶	▬ ▬		命	丑財	

日空: 子丑 對空: 미적용 hdmy(시일월년) 공망 屬宮:巽木 屬宮:巽木

• 발목이 아파 병원에 갔는데 이상이 없다고 한다. 괜찮을까?

병원에 가도 아픈곳을 잘 짚어내면 좋겠지만 그렇지 못한 경우도 많이 보았다. 오늘 잠깐 발목이 삐끗한 일이 아니라 오랫동안 아파온 문제다. 당월과 당년의 좌표계로 현재상황을 모두 고려해야한다.

먼저 당월 술월에 변효 자수는 -1점, 동효 사화는 -1점으로 움직임이 없다. 또한 세효 묘목은 당월 술토와 왕생극이 없다. 또한 세효의 신궁 사효의 미토마저 술월의 영향을 받지 않는다. 겉으로 드러나기 어려운 문제이기에 병원에 가도 이상을 찾기가 쉽지 않다.

당년 묘년을 기준으로 살펴보면 묘년에 변효 자수는 -1점, 동효 사화는 0점이다. 그러나 변효와 동효는 세효와 신궁에 영향을 주지 않는다. 변효와 동효는 원인이다. 역시나 한해 내내 발목이 아픈 원인을 찾기 어렵다. 세효 묘목은 묘년에 진왕으로 +1점이다. 세효의 신궁 사효 미토는 묘년에 진극받아 -1점이다. 이유를 알 수 없는 병증으로 몸이 아프고 병원에서 방법을 찾기도 수월하지 않다. 그나마 세효가 왕하기 때문에 일상생활을 하는데엔 큰 어려움은 없지만 올 한해 동안은 발목이 계속 아플수 있다고 나왔다.

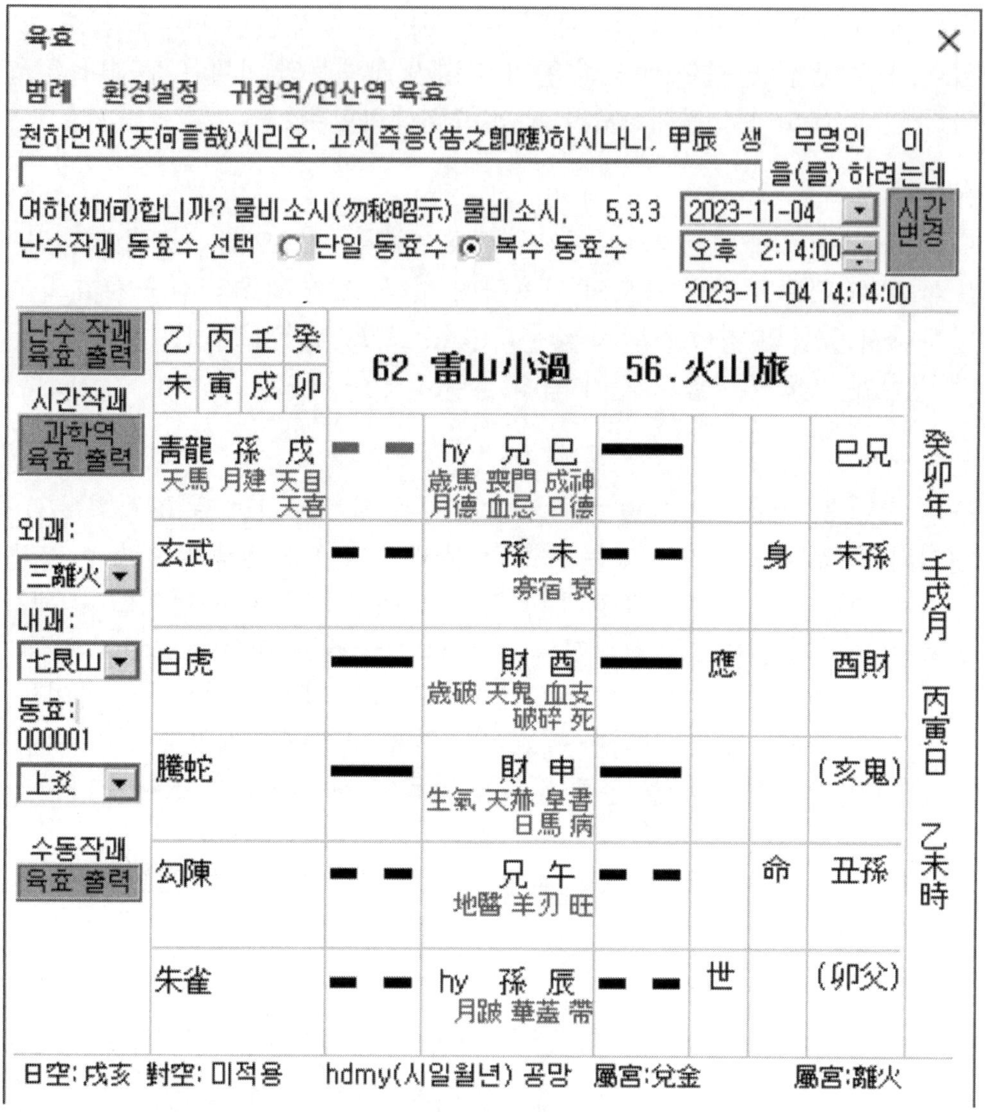

육효 ×

범례 환경설정 귀장역/연산역 육효

천하언재(天何言哉)시리오, 고지즉응(告之卽應)하시나니, 甲辰 생 무명인 이

을(를) 하려는데

여하(如何)합니까? 물비소시(勿秘昭示) 물비소시, 5,3,3 2023-11-04 시간변경

난수작괘 동효수 선택 ○ 단일 동효수 ◉ 복수 동효수 오후 2:14:00

2023-11-04 14:14:00

난수작괘 육효 출력

시간작괘

과학역 육효 출력

외괘: 三離火

내괘: 七艮山

동효: 000001

上爻

수동작괘 육효 출력

乙 丙 壬 癸 未 寅 戌 卯	62.雷山小過 56.火山旅					
青龍 孫 戌 天馬 月建 天目 天喜	▬ ▬	hy 兄 巳 歲馬 喪門 戌神 月德 血忌 日德	▬▬▬			巳兄
玄武	▬ ▬	孫 未 寡宿 衰	▬ ▬		身	未孫
白虎	▬▬▬	財 酉 歲破 天鬼 血支 破碎 死	▬▬▬	應		酉財
騰蛇	▬▬▬	財 申 生氣 天赫 皇書 日馬 病	▬▬▬			(亥鬼)
勾陳	▬ ▬	兄 午 地醫 羊刃 旺	▬ ▬		命	丑孫
朱雀	▬ ▬	hy 孫 辰 月跛 華蓋 帶	▬ ▬	世		(卯父)

癸卯年 壬戌月 丙寅日 乙未時

日空: 戌亥 對空: 미적용 hdmy(시일월년) 공망 屬宮:兌金 屬宮:離火

• 자녀의 시부모님이 위독하여 점단하였다.

위독하다는 이야기는 한시가 급하다는 말이다. 그럼 당연히 당일을 먼저 혹은 시진까지 살펴야 한다. 여기선 당일을 좌표계로 설정하고 현재상황을 판단한다.

당일 술일 변효 술토는 진왕으로 +1점, 동효 사화가 술일을 진생하여 사화는 -1점이다. 세효는 당일 술일의 진왕으로 +1점이다. 그러나 당일은 진사 공망으로 동효 사화와 세효 진토는 왕생극이 유예 된다. 여기서 세효 진토는 당일 술일에 진술충으로 공망이 해소되어 당일 술일에 +1점으로 왕생극을 하게 된다. 그리고 변효 술토에 진왕으로 +1점에서 0점이 된다.

세효는 문점자 본인이고 변효 손성을 자녀 동효 형제성은 변효의 동효, 그러니까 자녀의 시부모가 된다. 문점자와 자녀의 시부모는 동년배이기때문에 부성이 아닌 형제성으로 나온다.

동효 형제성은 현재 공망이다. 그럼 다음날인 해일 동효 사화는 사해충으로 공망이 풀린다. 그리고 변효 술토를 진생으로 왕생극하여 동효 형제성 사화는 -1점이된다. 공교롭게도 사화의 신궁 또한 같은 자리에 있어 형제성의 체와 용은 모두 -1점이다. 다음날인 해일에 작고 하셨다.

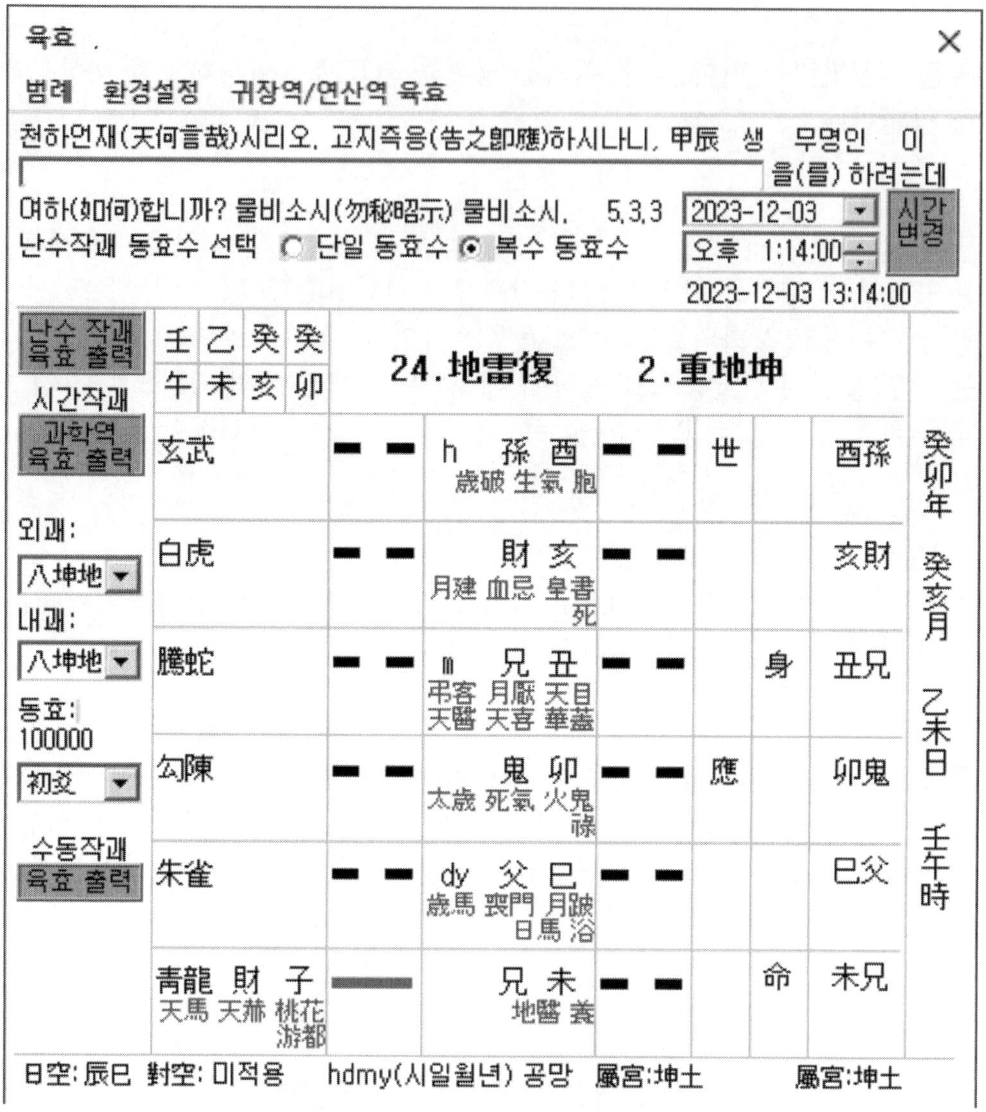

육효 .

범례 환경설정 귀장역/연산역 육효

천하언재(天何言哉)시리오. 고지즉응(告之卽應)하시나니. 甲辰 생 무명인 이 을(를) 하려는데

여하(如何)합니까? 물비소시(勿秘昭示) 물비소시. 5,3,3 2023-12-03 시간변경

난수작괘 동효수 선택 단일 동효수 복수 동효수 오후 1:14:00

2023-12-03 13:14:00

난수 작괘 육효 출력

시간작괘

과학역 육효 출력

외괘: 八坤地

내괘: 八坤地

동효: 100000

初爻

수동작괘 육효 출력

壬	乙	癸	癸
午	未	亥	卯

24.地雷復　　2.重地坤

玄武	▬ ▬	h 孫 酉 歲破 生氣 胞	▬ ▬	世		酉孫	癸卯年
白虎	▬ ▬	財 亥 月建 血忌 皇書 死	▬ ▬			亥財	癸亥月
騰蛇	▬ ▬	m 兄 丑 弔客 月厭 天目 天醫 天喜 華蓋	▬ ▬		身	丑兄	乙未日
勾陳	▬ ▬	鬼 卯 太歲 死氣 火鬼 祿	▬ ▬	應		卯鬼	壬午時
朱雀	▬ ▬	dy 父 巳 歲馬 喪門 月跳 日馬 浴	▬ ▬			巳父	
靑龍 財 子 天馬 天赫 桃花 游都	▬▬▬	兄 未 地醫 養	▬ ▬		命	未兄	

日空: 辰巳 對空: 미적용 hdmy(시일월년) 공망 屬宮:坤土 屬宮:坤土

• 암으로 너무 고통스럽다. 올해를 넘길수 있을까?

대장암 4기에서 이미 다른 장기로도 전이가 된 상태다. 생업을 포기하기 어려워 치료를 소홀히하다 결국 고통에 못이겨 병원 입원을 하고 문점하였다. 이 경우가 정말 오늘 내일하는 상황이라고 볼 수 있다. 이럴때 일지 좌표계를 활용한다.

미일에 변효 자수는 0점, 동효 미토는 진왕으로 +1점이다. 세효 유금은 변효를 진생하여 -1점, 세효의 신궁 사효 축토는 동효 미토를 진왕하여 -1점이다. 세효와 신궁 모두 -1점이다. 올해를 넘기기 어렵다. 그러나 미일에 신궁 축토가 진왕으로 동효를 진왕하여 설기 당해도 일지의 진왕으로 받아 0점이 된다. 당일은 버틸수 있다. 다음날 신일이면 세효 유금은 변효 자수에 의해 -1점이고 신궁 축토는 신일에 의해 -1점이다. 위태롭다.

당월 해월에 신궁 축토는 해월을 진극하여 +1점으로 동효를 진왕하여 힘이 빠져도 0점이다. 당월에 신궁이 버티고 있어도 일지 좌표계에 의한 세효와 신궁의 힘이 좋지 못하다. 결국 해월이 끝나고 자월이 들어서는 기해일에 작고 하셨다.

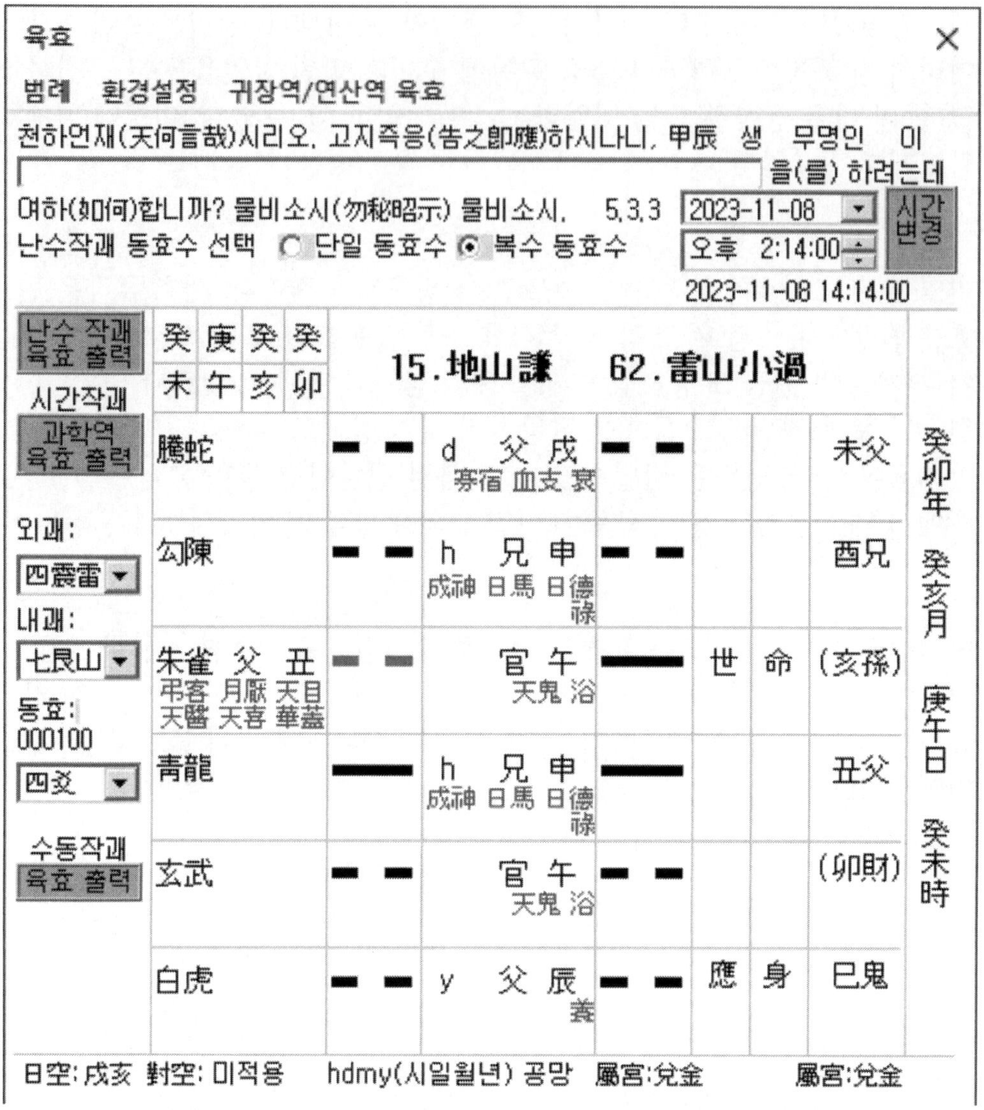

육효 ×

범례 환경설정 귀장역/연산역 육효

천하언재(天何言哉)시리오. 고지즉응(告之卽應)하시나니. 甲辰 생 무명인 이

을(를) 하려는데

여하(如何)합니까? 물비소시(勿秘昭示) 물비소시. 5,3,3 2023-11-08 시간변경

난수작괘 동효수 선택 ○ 단일 동효수 ⊙ 복수 동효수 오후 2:14:00

2023-11-08 14:14:00

난수 작괘 육효 출력

시간작괘

과학역 육효 출력

외괘: 四震雷

내괘: 七艮山

동효: 000100

四爻

수동작괘 육효 출력

癸 庚 癸 癸 未 午 亥 卯	15.地山謙		62.雷山小過				
騰蛇	▬ ▬	d 父 戌 寡宿 血支 衰	▬ ▬			未父	癸卯年
勾陳	▬ ▬	h 兄 申 戌神 日馬 日德祿	▬ ▬			酉兄	癸亥月
朱雀 父 丑 弔客 月厭 天目 天醫 天喜 華蓋	▬ ▬	官 午 天鬼 浴	▬▬▬	世	命	(亥孫)	庚午日
青龍	▬▬▬	h 兄 申 戌神 日馬 日德祿	▬▬▬			丑父	
玄武	▬ ▬	官 午 天鬼 浴	▬ ▬			(卯財)	癸未時
白虎	▬ ▬	y 父 辰 養	▬ ▬	應	身	巳鬼	

日空: 戌亥 對空: 미적용 hdmy(시일월년) 공망 屬宮:兌金 屬宮:兌金

- 무릎연골 수술을 하는 것이 좋을지, 약물치료를 유지하는 것이 좋을지 문의하였다.

당월 해월에 변효 축토는 +1점, 동효이자 세효 오화는 0점이다. 세효 오화는 변효 축토를 진생하여 -1점이 된다. 현재 세효는 수술을 고려할 정도로 무릎에 통증이 있을것으로 나온다.

당년 묘년에 변효는 -1점, 동효는 +1점이다. 그리고 동효는 변효를 생하여 동효 세효는 0점이 된다. 당월엔 -1점으로 눈에 띄이게 아프지만 당월이 지나면 괜찮아진다. 그리고 세효 오화의 신궁 초효 진토는 0점으로 멀쩡하다.

이달이 지나고 통증이 완화될 수 있으니 이렇때엔 수술을 좀 더 신중히 생각해 보는 것이 좋다.

육효

범례　환경설정　귀장역/연산역 육효

천하언재(天何言哉)시리오. 고지즉응(告之卽應)하시나니. 甲辰 생 무명인 이

[　] 을(를) 하려는데

여하(如何)합니까? 물비소시(勿秘昭示) 물비소시. 5.3.3 2023-12-11 시간변경

난수작괘 동효수 선택 ○ 단일 동효수 ⊙ 복수 동효수 오후 1:14:00

2023-12-11 13:14:00

난수 작괘 육효 출력

시간작괘

과학역 육효 출력

외괘: 一乾天

내괘: 二兌澤

동효: 001000

三爻

수동작괘 육효 출력

戊 癸 甲 癸 午 卯 子 卯		1.重天乾	10.天澤履				
白虎	▬▬	m 兄 戌 生氣 寡宿 華蓋 衰	▬▬		命	寅鬼	癸卯年
螣蛇	▬▬	孫 申 地醫 劫殺 死	▬▬	世		(子財)	甲子月
勾陳	▬▬	父 午 月破 血忌 胞	▬▬			戌兄	癸卯日
朱雀 兄 辰 死氣 天喜	▬▬	h 兄 丑 弔客 天目 帶	▬ ▬		身	申孫	戊午時
青龍	▬▬	官 卯 太歲 死神 天鬼 火鬼 皇恩 生	▬▬	應		午父	
玄武	▬▬	dy 父 巳 歲馬 喪門 日馬 破碎 胎	▬▬			辰兄	

日空: 辰巳 對空: 미적용 hdmy(시일월년) 공망 屬宮:乾金 屬宮:艮土

- 부친의 암검진결과가 어떻게 나오게 될까요?

병은 하루 아침에 생기지 않는다. 특히나 암은 오랜 기간에 걸쳐 발병하고 검진으로 알아낼 수 있기까지의 시간도 걸린다. 가장 큰단위의 년지 좌표계를 설정하여 검진결과를 예측하는 것이 좋다. 또한 당일과 당년의 지지가 모두 묘목이다.

당년 묘년에 변효 진토는 0점, 동효 축토는 -1점이다. 부친을 의미하는 부성은 초효의 사화와 사효의 오화가 있다. 먼저 오화는 묘년을 진생하여 -1점이다. 오화의 신궁이자 부성 초효의 사화는 좌표계와 왕생극 하지 않는다. 그 대신 변효 진토를 진생하여 -1점이다. 초효 부성의 신궁 상효 술토 또한 변효 진토를 진왕으로 힘을 빼앗겨 -1점이다. 부친을 의미하는 상수값이 모두 -1점이다. 암진단 결과 3기로 나왔다.

관련 상수값이 두가지 이상이 될 경우 변효, 동효와 왕생극을하는 정효를 결과값으로 정하는것이 해석상 자연스럽다. 무엇이든 변효, 동효를 거친 결과가 원인에 의한 결과로 풀이될 수 있기 때문이다.

직장, 영업

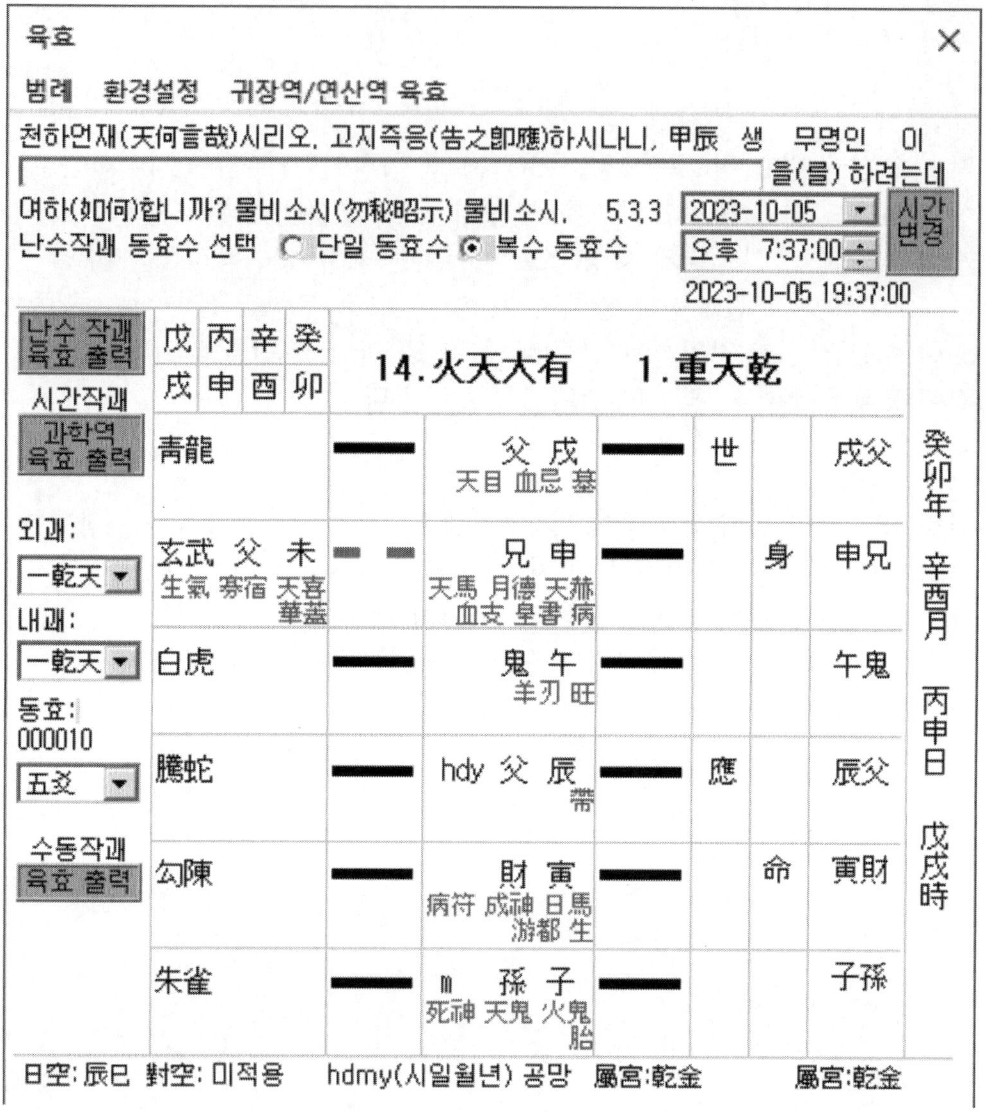

육효 ×

범례 환경설정 귀장역/연산역 육효

천하언재(天何言哉)시리오. 고지즉응(告之卽應)하시나니, 甲辰 생 무명인 이

을(를) 하려는데

여하(如何)합니까? 물비소시(勿秘昭示) 물비소시. 5,3,3 2023-10-05 시간변경

난수작괘 동효수 선택 ○ 단일 동효수 ◉ 복수 동효수 오후 7:37:00

2023-10-05 19:37:00

난수 작괘 육효 출력

시간작괘 과학역 육효 출력

외괘: 一乾天

내괘: 一乾天

동효: 000010

五爻

수동작괘 육효 출력

戊	丙	辛	癸
戌	申	酉	卯

14.火天大有 1.重天乾

青龍	━━━	父 戌 天目 血忌 墓	━━━	世		戌父	癸卯年
玄武 父 未 生氣 寡宿 天喜 華蓋	━ ━	兄 申 天馬 月德 天赫 血支 皇書 病	━━━		身	申兄	辛酉月
白虎	━━━	鬼 午 羊刃 旺	━━━			午鬼	丙申日
騰蛇	━━━	hdy 父 辰 帶	━━━	應		辰父	戊戌時
勾陳	━━━	財 寅 病符 成神 日馬 游都 生	━━━		命	寅財	
朱雀	━━━	m 孫 子 死神 天鬼 火鬼 胎	━━━			子孫	

日空: 辰巳 對空: 미적용 hdmy(시일월년) 공망 屬宮:乾金 屬宮:乾金

- 같은 지역에 경쟁업체 입점으로 매출이 감소했다. 회복 할 수 있을까?

현재상황인 당일 먼저 분석해보자. 당일 신일 변효 미토는 신일을 진생하여 -1점, 동효 신금은 진왕으로 +1점이다. 이런 상황에서 변효는 동효를 생하고자 한다. 동효는 형제성으로 경쟁업체라고 볼 수 있고, 변효 부성은 문서, 주문서 등으로 볼 수 있어 형제인 경쟁업체가 주문을 가져가려하고 있는 상황이다. 그리고 이효 재성은 매출로 형제성 동효가 재성 인목을 극하여 인목은 -1점이다. 경쟁자로 인하여 매출이 감소한 현재상황이 잘 반영되어 있다.

그렇다면 이런 상황이 언제 까지 지속될까? 당년 묘년의 상황을 살펴야한다. 묘년에 변효 미토는 진극 받아 -1점, 동효 신금은 0점이다. 동효 신금의 힘이 당일 +1점에서 당년은 0점으로 힘이 크지가 않다. 그러나 역시 이효 재성 인목을 극하여 재성이 -1점이다. 당분간 매출 회복은 어렵다고 볼수 있다.

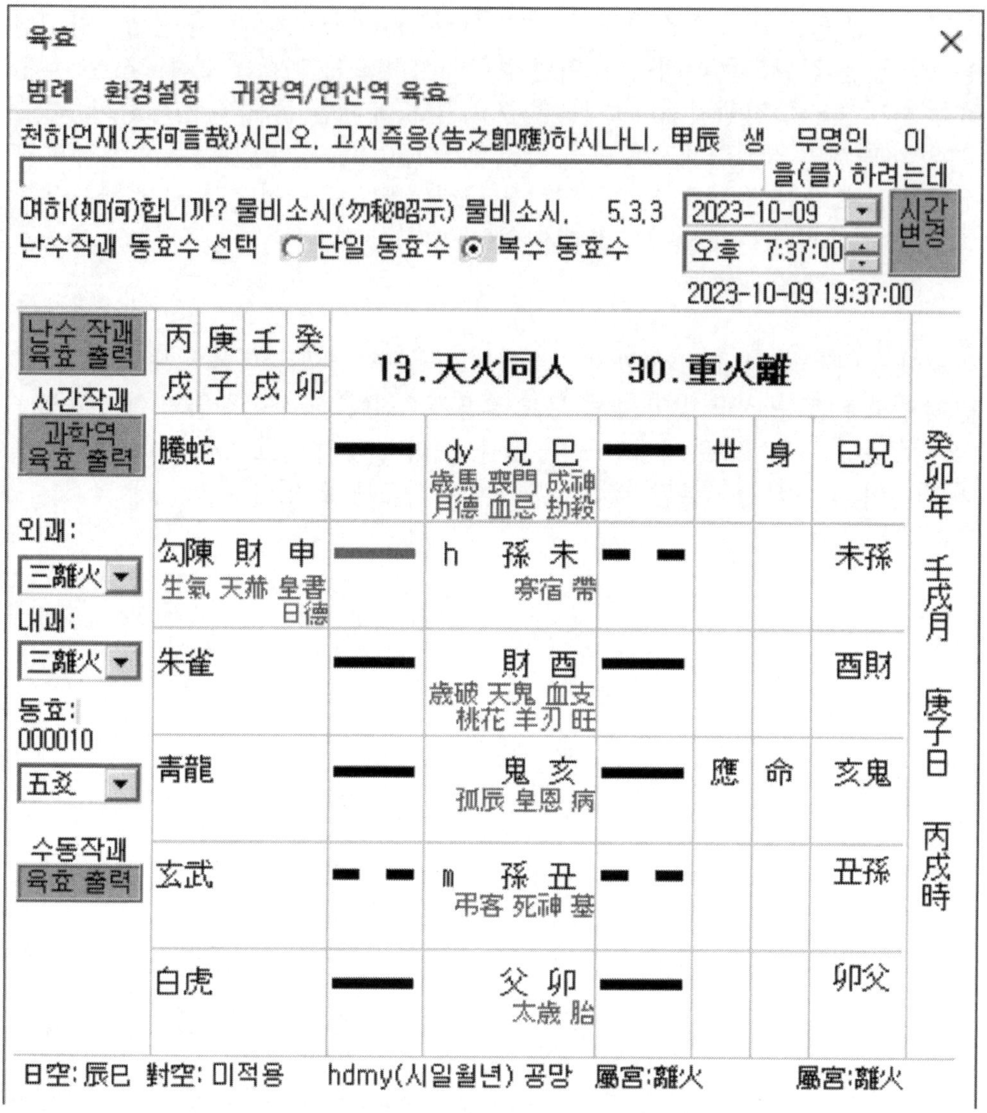

육효

범례 환경설정 귀장역/연산역 육효

천하언재(天何言哉)시리오. 고지즉응(告之卽應)하시나니. 甲辰 생 무명인 이

을(를) 하려는데

여하(如何)합니까? 물비소시(勿秘昭示) 물비소시. 5,3,3 2023-10-09 시간변경

난수작괘 동효수 선택 단일 동효수 복수 동효수 오후 7:37:00

2023-10-09 19:37:00

난수 작괘 육효 출력

시간작괘

과학역 육효 출력

외괘: 三離火

내괘: 三離火

동효: 000010

五爻

수동작괘 육효 출력

丙	庚	壬	癸
戌	子	戌	卯

13.天火同人 30.重火離

騰蛇	▬▬	dy 兄 巳 歲馬 喪門 成神 月德 血忌 劫殺	▬▬	世	身	巳兄	癸卯年
勾陳 財 申 生氣 天赫 皇書 日德	▬▬	h 孫 未 寡宿 帶	▬ ▬			未孫	壬戌月
朱雀	▬▬	財 酉 歲破 天鬼 血支 桃花 羊刃 旺	▬▬			酉財	庚子日
青龍	▬▬	鬼 亥 孤辰 皇恩 病	▬▬	應	命	亥鬼	丙戌時
玄武	▬ ▬	m 孫 丑 弔客 死神 墓	▬ ▬			丑孫	
白虎	▬▬	父 卯 太歲 胎	▬▬			卯父	

日空: 辰巳 對空: 미적용 hdmy(시일월년) 공망 屬宮:離火 屬宮:離火

• 온라인 작업을 오프라인으로 확장하면 돈이 될까?

당월과 당년의 환경에 초점을 맞춰 본다. 직장 업무는 매일매일 정산해서 돈을 받지 않기 때문이다. 먼저 당월 술월에 변효 신금은 0점, 동효 미토는 0점이다. 동효는 변효를 생한다. 변효 신금이 +1점으로 변효 신금은 응효의 해수를 생한다. 응효는 경쟁자로 응효가 변효 재성의 돈을 다 가져가고 있다.

당년인 묘년의 상황도 마찬가지이다. 응효가 변효 재성의 돈을 가져가고 있다. 직업 특성상 경쟁에서 자유로울 수 없고, 비교 대상이 되는 순간 수익이 감소한다. 그래서 경쟁자를 피해 오프라인으로 확장하려했지만 돈이 되기는 어렵다.

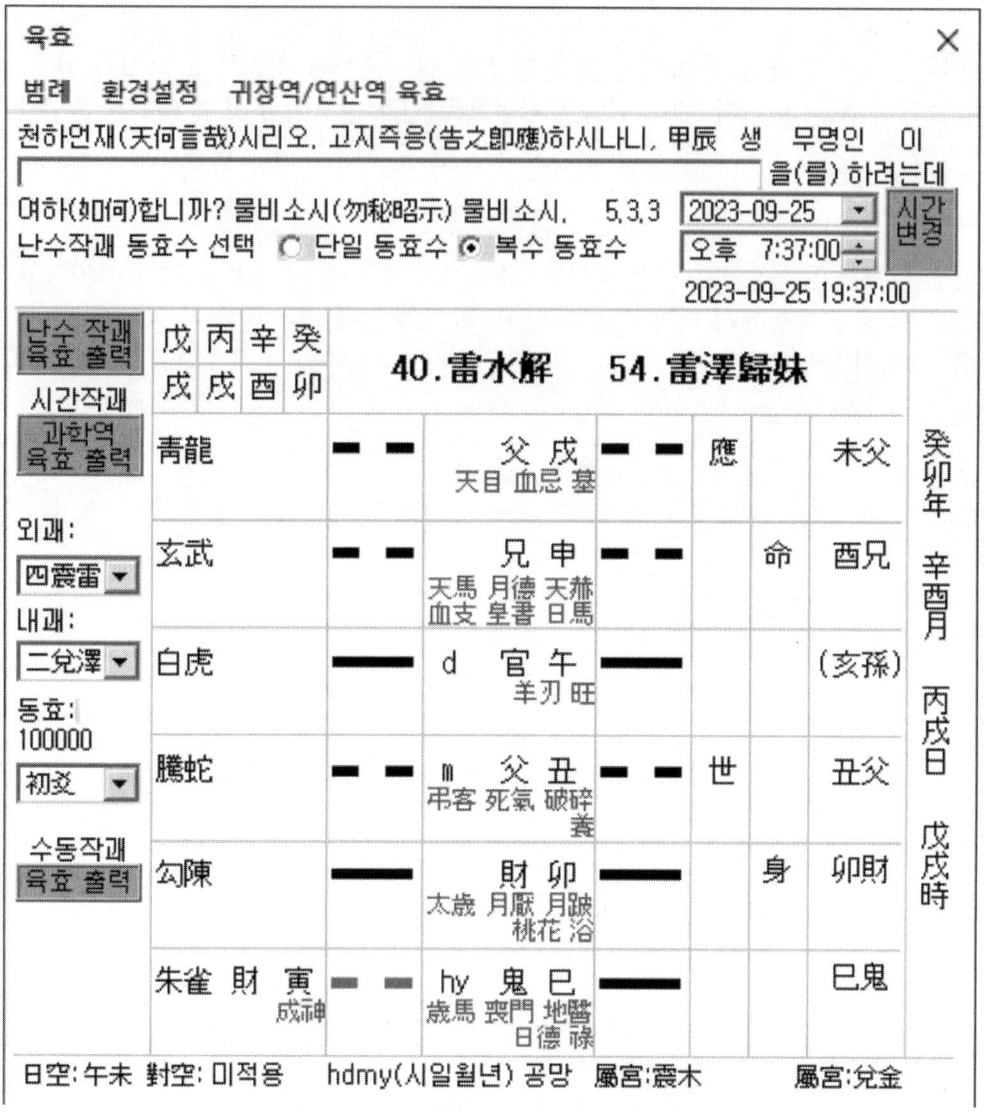

육효

범례 환경설정 귀장역/연산역 육효

천하언재(天何言哉)시리오. 고지즉응(告之卽應)하시나니, 甲辰 생 무명인 이

을(를) 하려는데

여하(如何)합니까? 물비소시(勿秘昭示) 물비소시. 5,3,3 2023-09-25 시간변경

난수작괘 동효수 선택 단일 동효수 복수 동효수 오후 7:37:00

2023-09-25 19:37:00

戊	丙	辛	癸
戌	戌	酉	卯

40.雷水解 54.雷澤歸妹

난수 작괘 육효 출력

시간작괘 과학역 육효 출력

외괘: 四震雷

내괘: 二兌澤

동효: 100000

初爻

수동작괘 육효 출력

青龍	▬ ▬	父 戌 天目 血忌 墓	▬ ▬	應		未父
玄武	▬ ▬	兄 申 天馬 月德 天赫 血支 皇書 日馬	▬ ▬		命	酉兄
白虎	▬▬▬	d 官 午 羊刃 旺	▬▬▬			(亥孫)
騰蛇	▬ ▬	m 父 丑 弔客 死氣 破碎 養	▬ ▬	世		丑父
勾陳	▬▬▬	財 卯 太歲 月厭 月跋 桃花 浴	▬▬▬		身	卯財
朱雀 財 寅 戌神	▬ ▬	hy 鬼 巳 歲馬 喪門 地醫 日德 祿	▬▬▬			巳鬼

癸卯年 辛酉月 丙戌日 戊戌時

日空:午未 對空: 미적용 hdmy(시일월년) 공망 屬宮:震木 屬宮:兌金

• 식당 메뉴 가격을 낮추었다. 매출을 올릴 수 있을까?

자영업은 오늘만에도 매출이 오르락 내리락 할 수 있다. 당일과 당월의 좌표계를 활용한다. 그 중에서도 당월을 좌표계로 설정한다. 장사는 오늘 하루만 할 것이 아니니까.

당월 유월에 변효 인목은 0점, 변효 사화는 유월을 진극하여 +1점이다. 변효 인목은 동효 사화를 생한다. 변효 재성은 동효 관성을 생한다. 돈을 포함하는 관리는 상효의 응효 술토에게 힘을 준다. 응효는 상대방이다. 돈이 상대한테 가고 있다. 반면 세효는 변효, 동효로부터 왕생극을 받지 못하고 당년 묘목으로부터 진극받아 -1점이다. 이대로 가다간 매출을 올리는 것이 어렵다.

문 밖을 나서면 1층은 죄다 식당, 까페가 자리하고 있다. 식당이 너무 많아 단순히 메뉴가격을 내린다고 문제가 해결되지 않는다. 문제는 문 밖을 나서면 널린 식당들이다. 다른 방법을 강구해야한다.

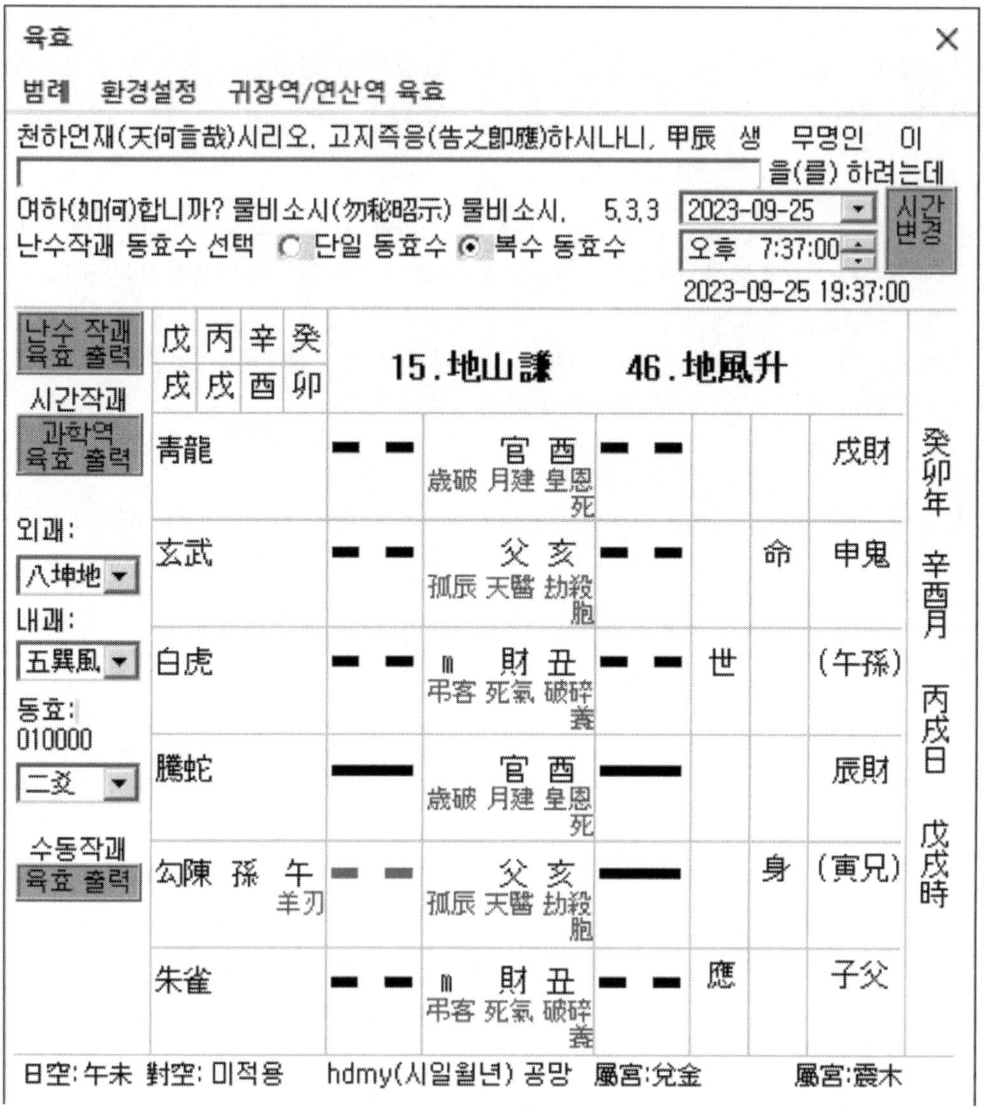

• 이직 할 수 있을까요?

이직은 당년이 중요하다. 무엇이든 그 일을 얼마나 숙고해왔는지 그 일이 앞으로 얼마나 유효한 일인지 종합적으로 따져 좌표계를 설정해야한다.

당년은 묘년이다. 언제나 변효와 동효를 먼저 계산한다. 묘년에 변효 오화는 +1점, 동효 해수는 0점이다. 그리고 묘년에 관성 유금이 묘유충으로 움직이고 있다. 관성은 묘년을 진극하여 +1점이다. 관성이 충으로 움직여 이직을 하고자 하고 관성이 +1점이라 이직을 할 수 있는 가능성이 높다.

동효 해수는 오효의 문서를 진왕으로 힘을 빼앗아 온다. 오효 해수는 -1점, 세효 축토는 묘년에 -1점이나 동효 부성 해수를 진극하여 0점으로 돌아온다. 해수 문서는 -1점에서 동효를 거쳐 결국 세효에게 힘을 준다. 다니던 직장을 그만 두고 이직을 했다.

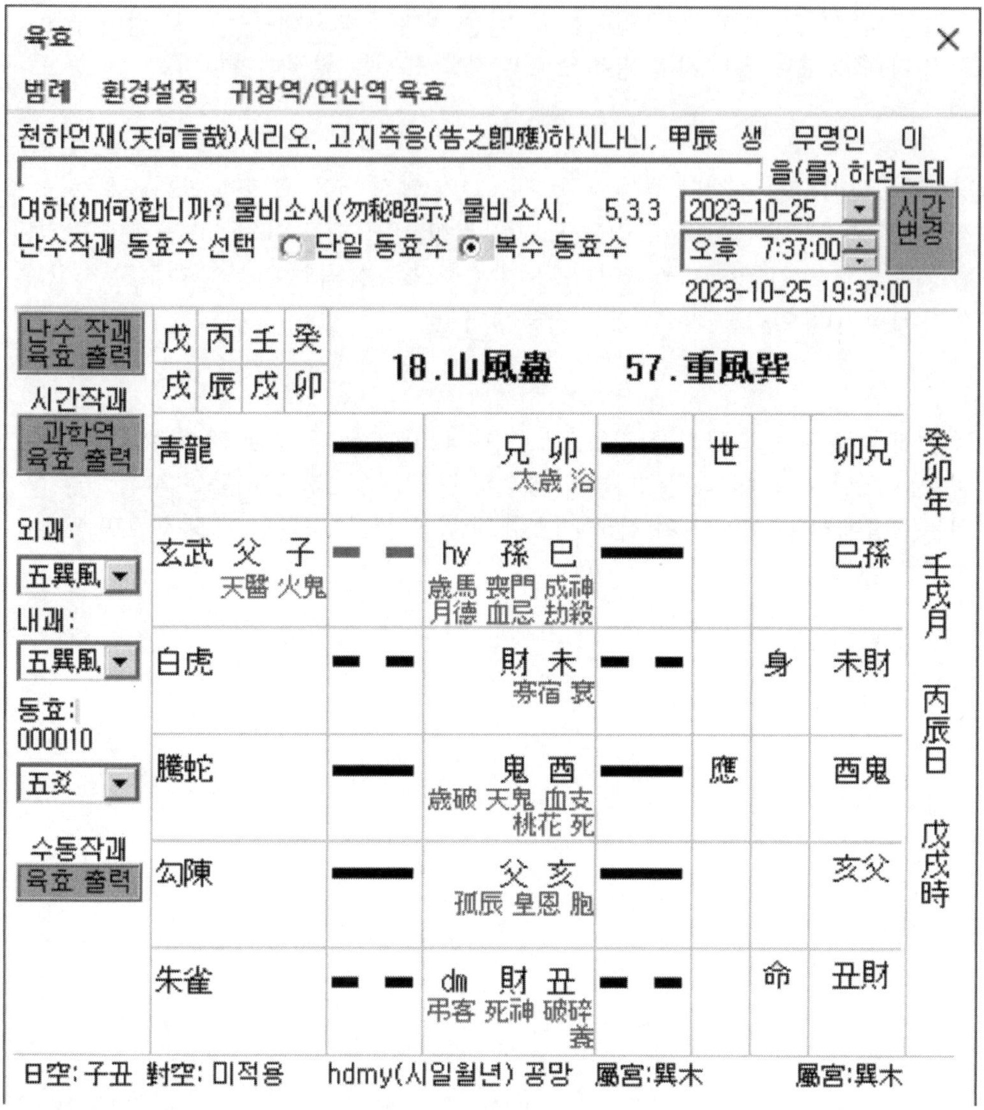

육효

범례 환경설정 귀장역/연산역 육효

천하언재(天何言哉)시리오, 고지즉응(告之卽應)하시나니, 甲辰 생 무명인 이

을(를) 하려는데

여하(如何)합니까? 물비소시(勿秘昭示) 물비소시. 5,3,3 2023-10-25 시간변경

난수작괘 동효수 선택 ○ 단일 동효수 ◉ 복수 동효수 오후 7:37:00

2023-10-25 19:37:00

난수 작괘 육효 출력

시간작괘

과학역 육효 출력

외괘: 五巽風

내괘: 五巽風

동효: 000010

五爻

수동작괘 육효 출력

戊	丙	壬	癸
戌	辰	戌	卯

18.山風蠱 57.重風巽

青龍	▬▬▬	兄 卯 太歲 浴	▬▬▬	世		卯兄	癸卯年
玄武 父 子 天醫 火鬼	▬ ▬	hy 孫 巳 歲馬 喪門 成神 月德 血忌 劫殺	▬▬▬			巳孫	壬戌月
白虎	▬ ▬	財 未 寡宿 衰	▬ ▬		身	未財	丙辰日
騰蛇	▬▬▬	鬼 酉 歲破 天鬼 血支 桃花 死	▬▬▬	應		酉鬼	戊戌時
勾陳	▬▬▬	父 亥 孤辰 皇恩 胞	▬▬▬			亥父	
朱雀	▬ ▬	dm 財 丑 弔客 死神 破碎 養	▬ ▬		命	丑財	

日空: 子丑 對空: 미적용 hdmy(시일월년) 공망 屬宮:巽木 屬宮:巽木

• 카페에 손님이 적어 고민이다. 언제까지 버틸까?

손님이 얼마나 없었는지 당월을 기준으로 해석해본다. 술월에 변효 자수는 진극받아 -1점, 동효 사화는 술월을 진생하여 -1점이다. 변효는 부성, 동효는 손성으로 주문과 손님이 술월에 모두 날라갔다. 당월에 장사가 거의 없었다.

그럼 앞으로 어떻게 될지 당년을 통해 짐작한다. 당년 변효 자수는 묘년을 진생하여 -1점, 동효 사화는 0점이다. 당월엔 -1점이었지만 당년으로 보면 0점으로 그나마 유지할 수 있는 토대라도 남아있다. 이제 정효 중 이효 해수의 부성은 동효 사화를 진극하여 +1점이 된다. 손님으로 주문수는 유지된다. 그러나 정효 중 초효와 사효 재성은 묘년에 진극당해 -1점이다. 손님은 유지하나 매출을 올리기는 어렵다고 볼 수 있다.

당월을 넘기면 다음달부터 손님이 있겠지만 유의미할만한 이익을 보기는 어렵다. 이렇게 당월과 당년을 종합적으로 시간의 흐름 따라 혹은 시간이 주는 무게로 경중과 일의 사안을 파악해 볼 수 있다. 이번 점단은 시간의 흐름따라 해석했다.

육효 ×

범례 환경설정 귀장역/연산역 육효

천하언재(天何言哉)시리오. 고지즉응(告之卽應)하시나니. 甲辰 생 무명인 이

[ ] 을(를) 하려는데

여하(如何)합니까? 물비소시(勿秘昭示) 물비소시. 5.3.3 2023-11-07 시간변경

난수작괘 동효수 선택 ○ 단일 동효수 ⊙ 복수 동효수 오후 7:37:00

2023-11-07 19:37:00

난수 작괘 육효 출력

시간작괘 과학역 육효 출력

외괘: 二兌澤

내괘: 三離火

동효: 001000

三爻

수동작괘 육효 출력

甲 己 壬 癸 戌 巳 戌 卯		17.澤雷隨	49.澤火革				癸卯年 壬戌月 己巳日 甲戌時
勾陳	- -	官 未 寡宿 羊刃 帶	- -		身	子兄	
朱雀	——	h 父 酉 歲破 天鬼 血支 破碎 生	——			戌鬼	
青龍	——	d 兄 亥 孤辰 皇恩 日馬 胎	——	世		申父	
玄武 鬼 辰 月跋 華蓋	- -	d 兄 亥 孤辰 皇恩 日馬 胎	——		命	(午財)	
白虎	- -	m 官 丑 弔客 死神 游都 墓	- -			辰鬼	
騰蛇	——	孫 卯 太歲 病	——	應		寅孫	

日空: 戌亥 對空: 미적용 hdmy(시일월년) 공망 屬宮:震木 屬宮:坎水

• 사위가 퇴사 후에 자영업을 준비하려는데 자금이 있는지 문의

.묘년을 좌표계로 설정하고 먼저 변효 동효를 계산한다. 묘년에 진토는 0점, 동효 해수는 0점이다. 사업 자금을 의미하는 상수 재성은 복신으로 동효 형제성 아래에 숨어 묘년에 진생 받아 +1점이다.

동업자가 있다면 자금은 동업자 측에서 댈 수 있다고 해석하니 동업자가 있다고 답변이 돌아왔다. 가장 중요한 변효와 동효만으로 점사를 이렇게 간단히 해석할 수 있다. 퇴사 후 동업자와 식당을 개업했다.

당락

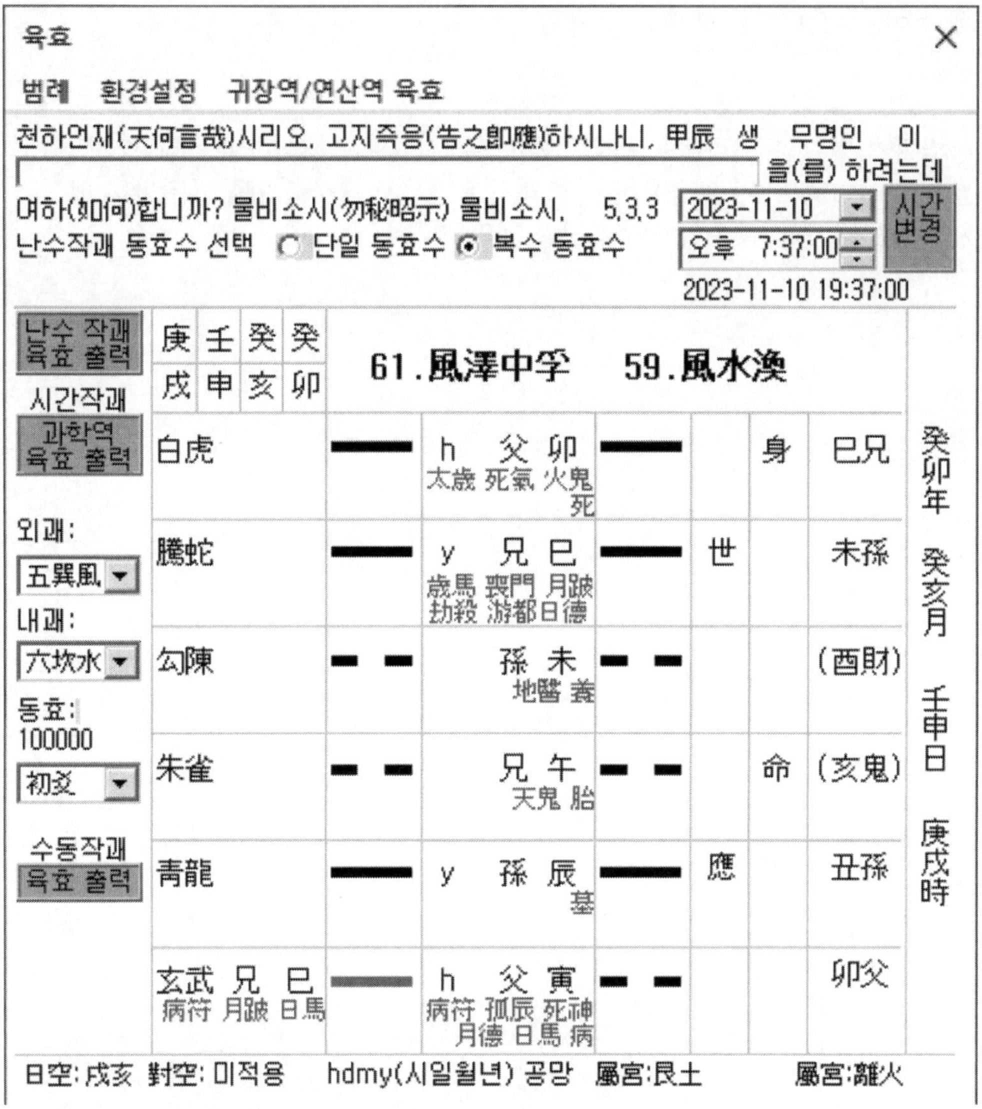

육효 ✕

범례 환경설정 귀장역/연산역 육효

천하언재(天何言哉)시리오, 고지즉응(告之卽應)하시나니, 甲辰 생 무명인 이 을(를) 하려는데

여하(如何)합니까? 물비소시(勿秘昭示) 물비소시. 5,3,3 2023-11-10 시간변경

난수작괘 동효수 선택 단일 동효수 복수 동효수 오후 7:37:00

2023-11-10 19:37:00

난수 작괘 육효 출력	庚 壬 癸 癸 戌 申 亥 卯	61.風澤中孚 59.風水渙							
시간작괘 과학역 육효 출력	白虎	▬▬	h 父 卯 太歲 死氣 火鬼 死	▬▬		身	巳兄	癸卯年
외괘: 五巽風	騰蛇	▬▬	y 兄 巳 歲馬 喪門 月跛 劫殺 游都 日德	▬▬	世		未孫	癸亥月
내괘: 六坎水	勾陳	▬ ▬	孫 未 地醫 養	▬ ▬			(酉財)	
동효: 100000 初爻	朱雀	▬ ▬	兄 午 天鬼 胎	▬ ▬		命	(亥鬼)	壬申日
수동작괘 육효 출력	青龍	▬▬	y 孫 辰 墓	▬▬	應		丑孫	庚戌時
	玄武 兄 巳 病符 月跛 日馬	▬▬	h 父 寅 病符 孤辰 死神 月德 日馬 病	▬ ▬			卯父	

日空: 戌亥 對空: 미적용 hdmy(시일월년) 공망 屬宮:艮土 屬宮:離火

- 시에서 추진하는 사업에 선정될 수 있을까?

당월 해수가 변효 사화를 진극으로 변효는 -1점, 해수가 동효 인목을 진생하여 동효는 +1점이다. 그러나 동효 인목이 변효 사화를 진생하여 변효 형제성이 동효의 부성인 문서를 갖게 된다.

이 상황에서 정효 세효 사화는 당월 해수의 진극을 받아 -1점이다. 그리고 응효 진토는 당월의 영향을 받지 않고 0점이다. 기본적으로 세효, 나는 힘의 크기에서 불리한 상황에 있다.

이제 변효와 정효간 왕생극으로 결과를 판단한다. 변효 사화는 세효 사화를 진왕으로 힘을 빼앗고자 하지만 세효는 이미 당월의 환경 아래 힘이 없어 세효는 변효에게 힘을 줄 수 조차 없다. 변효 사화는 응효 진토를 진생하여 응효 경쟁자에게 힘을 주게 된다. 형제성은 문서 인목을 가지고 있는 시청이라고 볼 수 있고 시청은 그 힘을 응효에게 주었다. 손성은 다양한 의미로 해석되나 응효의 밥그릇 정도로 읽으면 된다. 사업권은 경쟁업체에게 돌아갔다

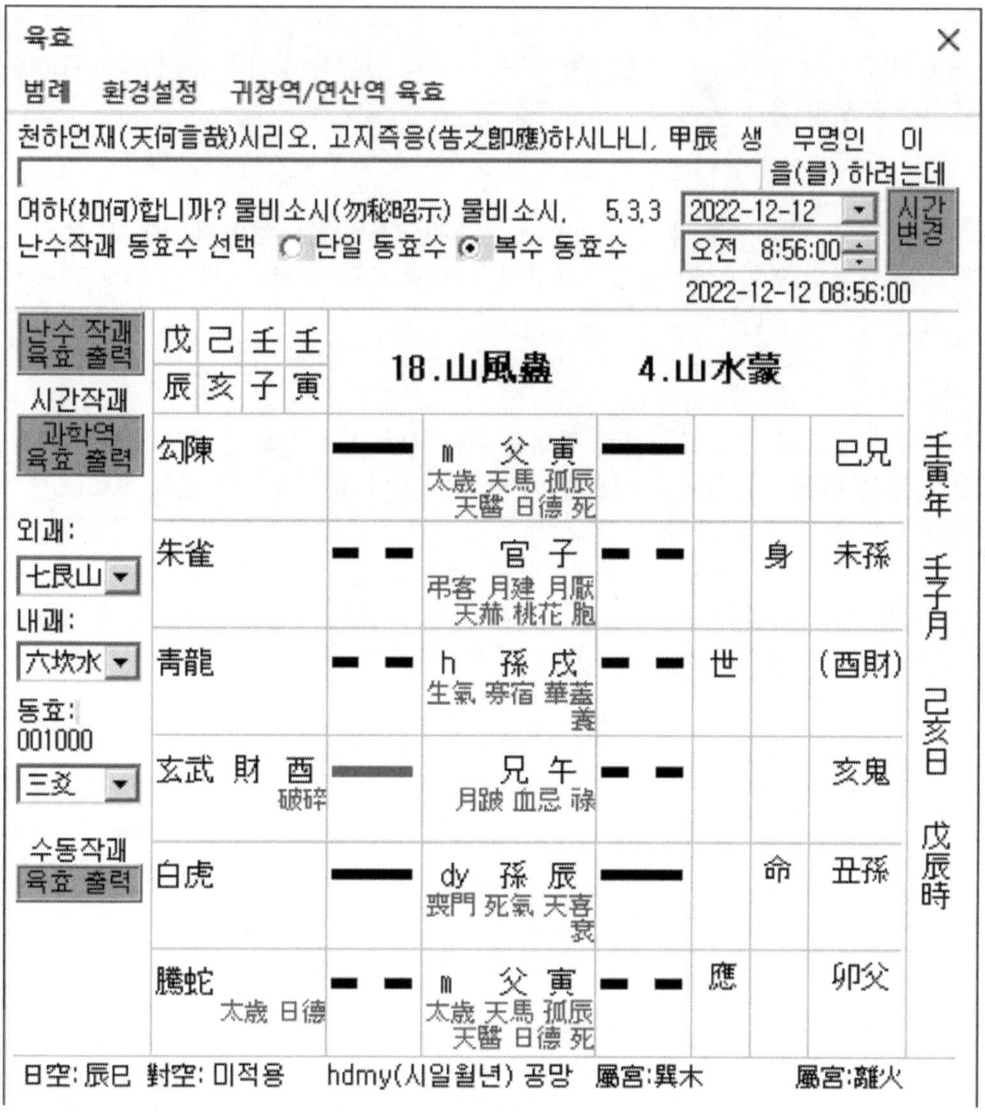

육효 ×

범례 환경설정 귀장역/연산역 육효

천하언재(天何言哉)시리오. 고지즉응(告之卽應)하시나니, 甲辰 생 무명인 이 [ ] 을(를) 하려는데 여하(如何)합니까? 물비소시(勿秘昭示) 물비소시. 5,3,3

2022-12-12 / 오전 8:56:00 / 시간변경

난수작괘 동효수 선택 ○ 단일 동효수 ◉ 복수 동효수

2022-12-12 08:56:00

난수 작괘 육효 출력

시간작괘 과학역 육효 출력

외괘: 七艮山

내괘: 六坎水

동효: 001000

三爻

수동작괘 육효 출력

戊 己 壬 壬 辰 亥 子 寅	18.山風蠱		4.山水蒙				
勾陳	▬▬▬	m 父 寅 太歲 天馬 孤辰 天醫 日德 死	▬▬▬			巳兄	壬寅年
朱雀	▬ ▬	官 子 弔客 月建 月厭 天赦 桃花 胞	▬ ▬		身	未孫	壬子月
青龍	▬ ▬	h 孫 戌 生氣 寡宿 華蓋 養	▬ ▬	世		(酉財)	己亥日
玄武 財 酉 破碎	▬▬▬	兄 午 月破 血忌 祿	▬ ▬			亥鬼	戊辰時
白虎	▬▬▬	dy 孫 辰 喪門 死氣 天喜 衰	▬▬▬		命	丑孫	
騰蛇 太歲 日德	▬ ▬	m 父 寅 太歲 天馬 孤辰 天醫 日德 死	▬ ▬	應		卯父	

日空:辰巳 對空: 미적용 hdmy(시일월년) 공망 屬宮:巽木 屬宮:離火

• 대학에 합격할 수 있을까?

대학입시를 위해 오늘 하루, 이달 한달 벼락치기로 준비해서 입시원서를 넣는 사람은 없다. 대학입시는 특히나 년지가 중요하다. 한해동안 혹은 수년동안 공들인 결과를 확인하는 일은 가장 큰 단위 당년을 좌표계로 설정한다. 당년엔 그 동안 입시를 준비해 온 날들의 힘의 세기가 가장 많이 모여있다.

당년 묘년에 변효 유금은 묘목을 극해 +1점, 동효 오화는 묘목의 진생을 받아 +1점이다. 일단 동효의 형제효는 다른 사람으로 힘이 강하다. 다른 사람은 응효가 아니더라도 경쟁자가 될 수 있다.

이제 정효를 살펴야한다. 정효 중 세효는 묘년과 왕생극하지 않고 바로 변효 유금에게 진설기 당하여 -1점이다. 세효, 내가 지금 힘이 좋지 못하다. 이 또한 경쟁에선 불리한 상황이라고 생각할 수 있다.

입시 관련 상수는 합격 문서를 의미하는 부성과 학교를 의미하는 관성이 있다. 먼저 상효와 초효의 부성 인목은 변효, 동효, 좌표계와 왕생극하지 않는다. 그리고 오효의 관성은 년지 인목을 진생하여 -1점이다. 이미 좌표계에 의하여 관성인 학교가 날아갔다. 그리고 변효 유금이 관성을 생하여 오효는 다시 0점에서 동효 형제성을 극하여 관성은 +1점이다. 결과적으로 형제성이 관성을 살리게 된다. 내가 가야할 학교는 나와 관련이 없이 나는 그저 좌표계에 의해 힘이 약하다. 불합격이다.

그리고 또 한가지, 응효의 복신 묘목은 좌표계 년지에 의해 왕하다. 응효인 상대방의 아래에 문서가 힘이 좋기 때문에 육효점의 여러가지 정황으로 보아 종합적으로 합격이 어렵다고 할수 있다.

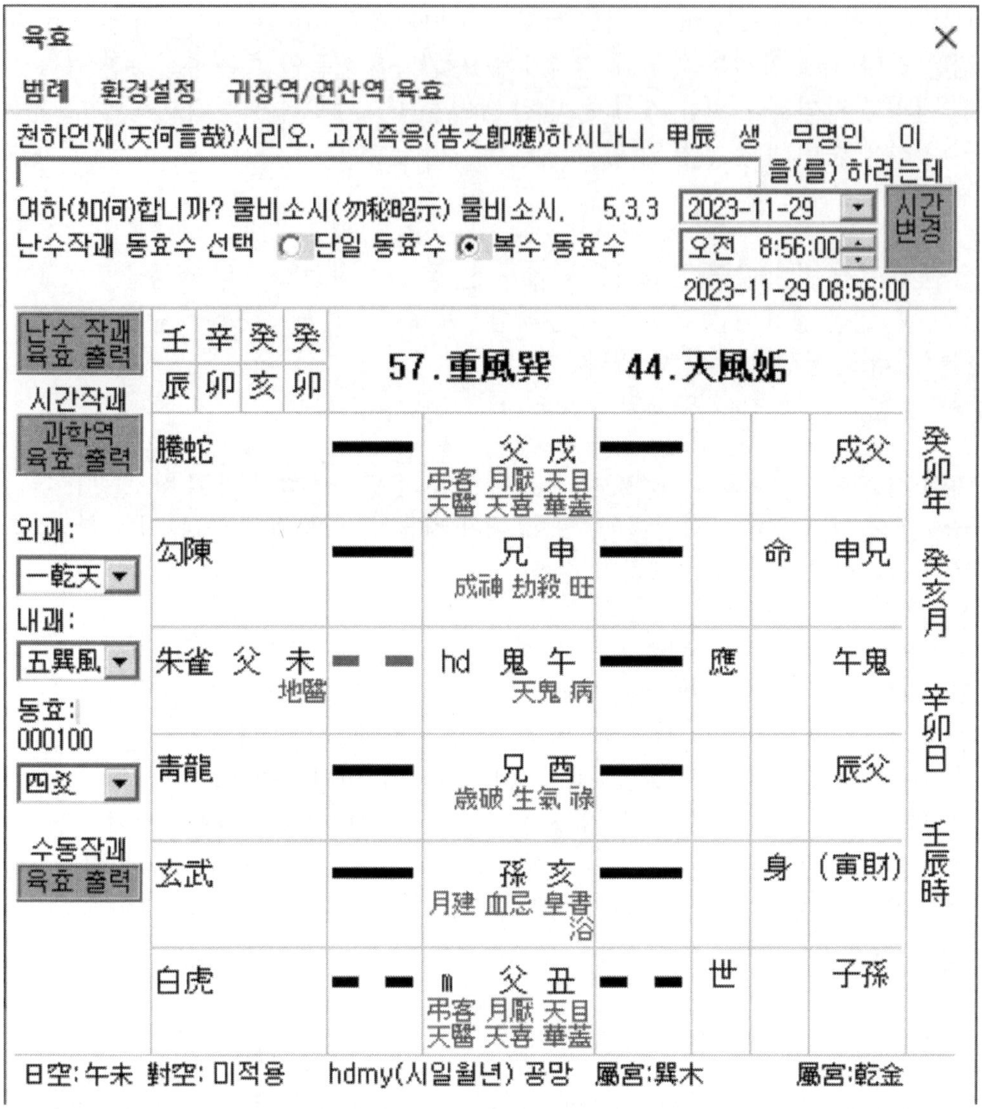

육효

범례 환경설정 귀장역/연산역 육효

천하언재(天何言哉)시리오. 고지즉응(告之卽應)하시나니, 甲辰 생 무명인 이 을(를) 하려는데
여하(如何)합니까? 물비소시(勿秘昭示) 물비소시. 5,3,3 2023-11-29 시간변경
난수작괘 동효수 선택 단일 동효수 복수 동효수 오전 8:56:00
2023-11-29 08:56:00

난수 작괘 육효 출력 / 시간작괘 / 과학역 육효 출력	壬 辰	辛 卯	癸 亥	癸 卯	57.重風巽	44.天風姤				
	騰蛇	▬▬▬	父 戌 弔客 月厭 天目 天醫 天喜 華蓋	▬▬▬			戌父	癸卯年
외괘: 一乾天	勾陳	▬▬▬	兄 申 成神 劫殺 旺	▬▬▬		命	申兄	癸亥月
내괘: 五巽風	朱雀 父 未 地醫	▬ ▬	hd 鬼 午 天鬼 病	▬▬▬	應		午鬼	辛卯日
동효: 000100 四爻	靑龍	▬▬▬	兄 酉 歲破 生氣 祿	▬▬▬			辰父	
수동작괘 육효 출력	玄武	▬▬▬	孫 亥 月建 血忌 皇書 浴	▬▬▬		身	(寅財)	壬辰時
	白虎	▬ ▬	m 父 丑 弔客 月厭 天目 天醫 天喜 華蓋	▬ ▬	世		子孫	

日空: 午未 對空: 미적용 hdmy(시일월년) 공망 屬宮:巽木 屬宮:乾金

• 농협 감사에 당선 될 수 있을까? (상대방)

육효점은 누가 점을 쳤는지, 점을 친 대상은 누구인지가 정말 중요하게 작용한다. 경쟁 후보인 상대방의 당락을 점단했을 때 육효괘가 어떻게 나오는지 결과를 통해 확인한다.

먼저 당월 해월에 변효 미토는 +1점, 동효 오화는 +1점이다. 그런 상황에서 응효의 동효 관성은 변효 부성을 생한다. 변효 부성은 상대방의 관성을 포함하게 된다. 그리고 정효 세효는 해월에 +1점이 되고 변효 부성을 진왕으로 문서를 만든다. 세효와 응효가 모두 변효 부성과 관련이 있다. 그런데 누가 부성 문서를 가져갔는지 아직 확실치가 않다. 년지로 확장해 본다.

당년 묘년에 변효 미토는 -1점, 동효 오화는 +1점이다. 응효인 동효가 힘이 강하고 변효는 힘이 빠져 있는 상황에서 동효 오화가 변효 미토를 진생하여 살린다. 그리고 세효 축토는 년지 묘목에 진극 받아 -1점으로 변효 문서 부성을 진왕할 힘이 없다. 변효의 부성 문서는 응효인 상대방이 가져갔다. 상대방이 당선되었다.

세효와 같은 공간에 있는 상대는 응효다. 경쟁은 상대와 동일선상에서 진행된다. 먼저 세효와 응효로 기준을 잡고 결과를 해석해본다.

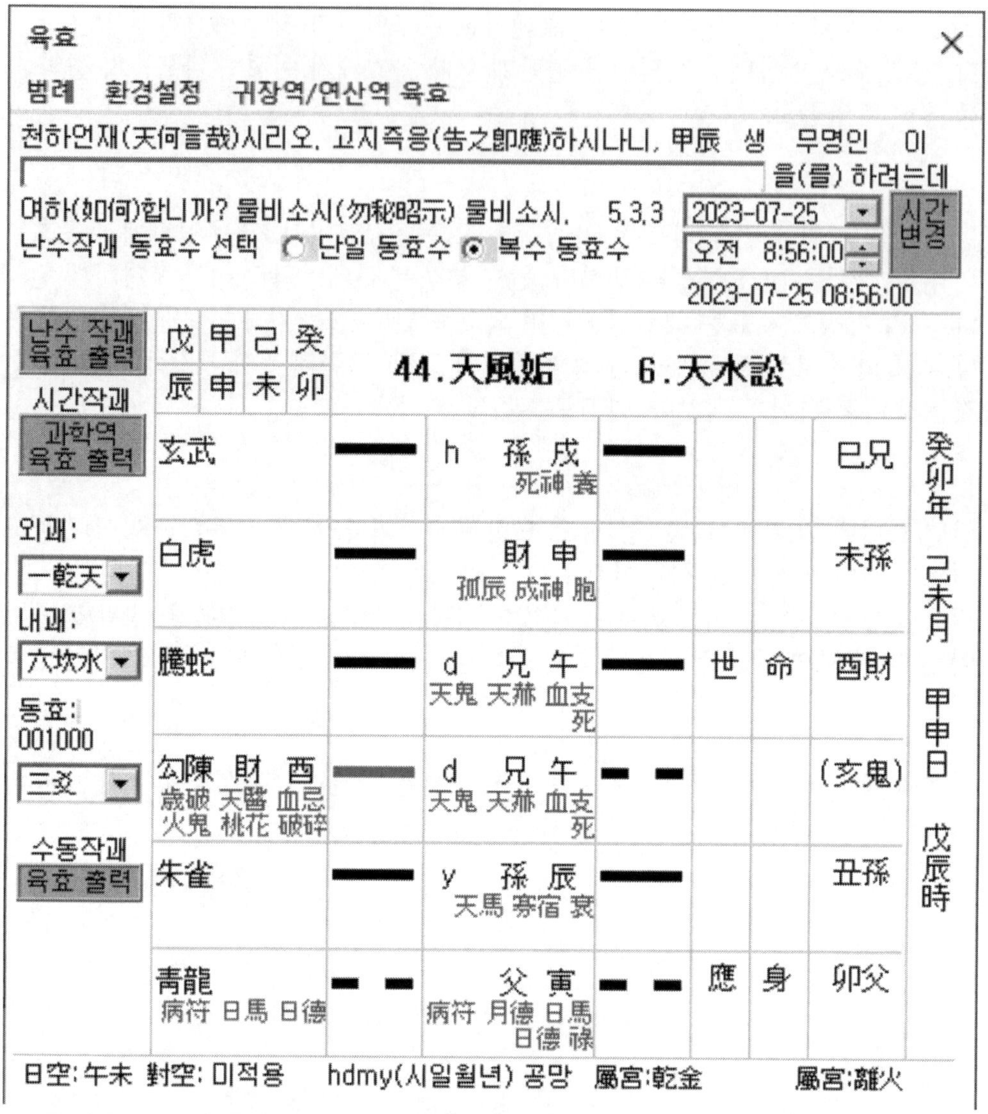

육효

범례 환경설정 귀장역/연산역 육효

천하언재(天何言哉)시리오, 고지즉응(告之卽應)하시나니, 甲辰 생 무명인 이 을(를) 하려는데

여하(如何)합니까? 물비소시(勿秘昭示) 물비소시. 5,3,3 2023-07-25 시간변경

난수작괘 동효수 선택 ○ 단일 동효수 ◉ 복수 동효수 오전 8:56:00

2023-07-25 08:56:00

난수 작괘 육효 출력

시간작괘

과학역 육효 출력

외괘: 一乾天

내괘: 六坎水

동효: 001000

三爻

수동작괘 육효 출력

戊	甲	己	癸
辰	申	未	卯

44.天風姤 6.天水訟

六神	本卦		之卦			
玄武	━━━	h 孫 戌 死神 養	━━━			巳兄
白虎	━━━	財 申 孤辰 戌神 胞	━━━			未孫
螣蛇	━━━	d 兄 午 天鬼 天赫 血支 死	━━━	世	命	酉財
勾陳 財 酉 歲破 天醫 血忌 火鬼 桃花 破碎	━━━	d 兄 午 天鬼 天赫 血支 死	━ ━			(亥鬼)
朱雀	━━━	y 孫 辰 天馬 寡宿 衰	━━━			丑孫
青龍 病符 日馬 日德	━ ━	父 寅 病符 月德 日馬 日德 祿	━ ━	應	身	卯父

癸卯年 己未月 甲申日 戊辰時

日空: 午未 對空: 미적용 hdmy(시일월년) 공망 屬宮:乾金 屬宮:離火

• 회사 면접 후 바로 합격여부를 문의해왔다.

당일 면접을 보았으나 합격 발표 일자는 정해지지 않은 상황에서 면접 후 바로 질의 했다면 당일도 중요하게 작용할수 있다. 당일 바로 면접을 보았기 때문이다. 당일 신일 변효 유금은 0점, 동효 오화는 신일을 진극 하여 +1점이다. 그런데 당일 오화는 오미 공망으로 공망궁에 빠져 작동을 하지 않고 쉬고 있다. 오화는 세효의 자리에도 앉아 있다. 세효도 당일에 공망이다. 변효 유금은 상효 손성을 진설기하는 상황이고, 관성은 복신으로 신일에 진왕으로 +1점이다. 아직 여기까지 봐서 합격여부를 논하기 어렵다.

미월에 변효 유금은 0점 동효 오화는 -1점이다. 그리고 복신 관성 해수는 -1점이다. 그리고 세효도 미월을 진생하여 -1점이다. 합격하기 어려워보이나 역시 당락을 결정하기엔 부족하다.

댱년까지 봐야한다. 묘년에 세효 오화는 진생을 받아 +1점이다. 그래서 동효 오화에의해 진왕으로 설기 당해도 0점으로 유지한다. 이 경우 들어갈 수 있다고 본다. 종합적으로 보면 회사에 들어가기 어렵거나 들어가더라도 오래있기가 어렵다. 입사 했으나 두달 후 퇴사하였다고 한다. 육효는 단순히 가부를 논하지 않고 개인적인 자세한 상황을 잘 묘사한다. 그러나 누구나 그 개인의 디테일한 상황을 다 알 수 없다. 그래서 육효는 스스로 치는 것이 좋다. 혹은 해석이 이처럼 난해할 경우 재점으로 재확인을 해야한다. 재점이 무슨 불경한 일처럼 여겨지는데 재점은 응기를 살피고 그저 육효점을 확실히 확인하는 용도다.

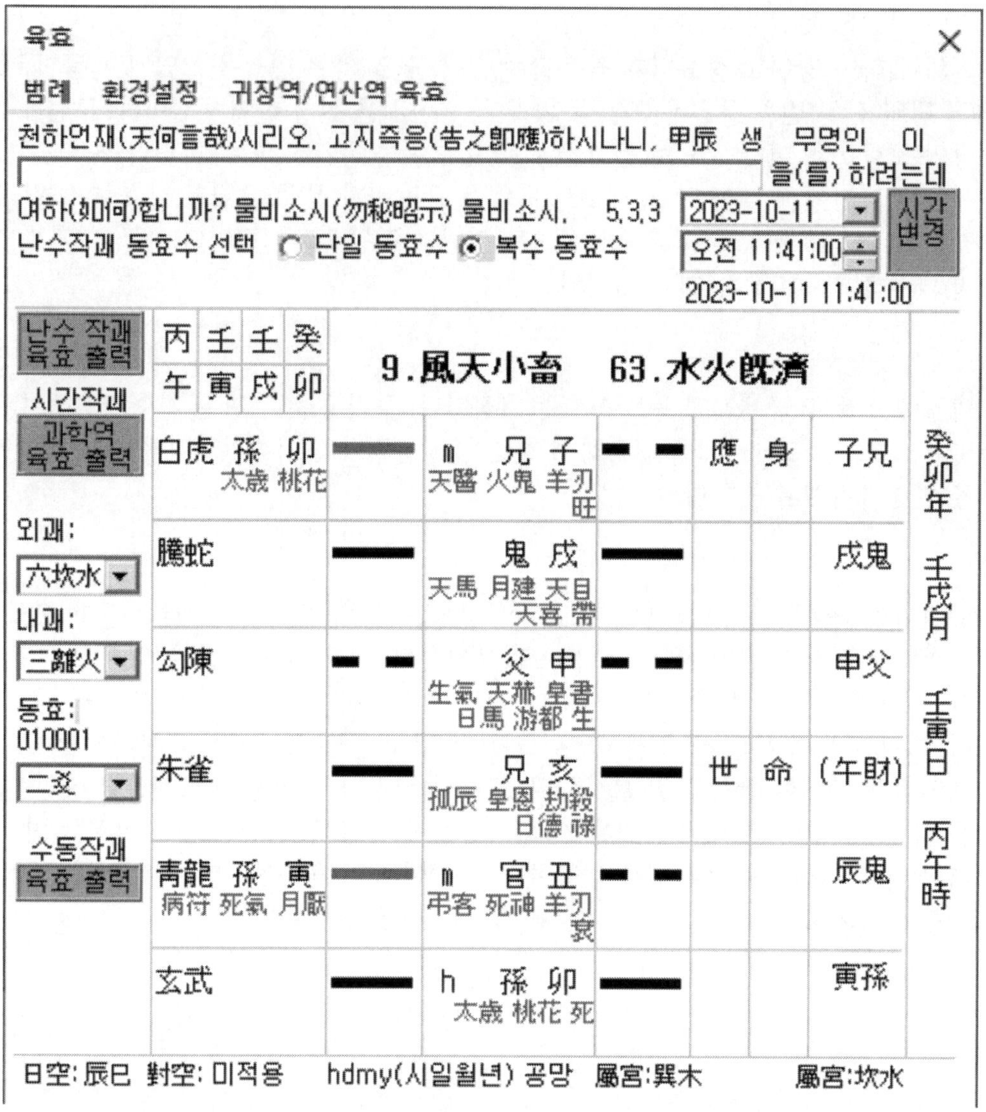

육효 ×

범례 환경설정 귀장역/연산역 육효

천하언재(天何言哉)시리오. 고지즉응(告之卽應)하시나니, 甲辰 생 무명인 이 [ ] 을(를) 하려는데

여하(如何)합니까? 물비소시(勿秘昭示) 물비소시. 5,3,3 2023-10-11 시간변경

난수작괘 동효수 선택 ○ 단일 동효수 ◉ 복수 동효수 오전 11:41:00

2023-10-11 11:41:00

난수 작괘 육효 출력

시간작괘

과학역 육효 출력

외괘: 六坎水

내괘: 三離火

동효: 010001

二爻

수동작괘 육효 출력

丙 壬 壬 癸 午 寅 戌 卯	9.風天小畜 63.水火旣濟						癸卯年 壬戌月 壬寅日 丙午時
白虎 孫 卯 太歲 桃花	━━━	m 兄 子 天醫 火鬼 羊刃 旺	━ ━	應	身	子兄	
騰蛇	━━━	鬼 戌 天馬 月建 天目 天喜 帶	━━━			戌鬼	
勾陳	━ ━	父 申 生氣 天赦 皇書 日馬 游都 生	━ ━			申父	
朱雀	━━━	兄 亥 孤辰 皇恩 劫殺 日德 祿	━━━	世	命	(午財)	
靑龍 孫 寅 病符 死氣 月厭	━━━	m 官 丑 弔客 死神 羊刃 衰	━ ━			辰鬼	
玄武	━━━	h 孫 卯 太歲 桃花 死	━━━			寅孫	

日空: 辰巳 對空: 미적용 hdmy(시일월년) 공망 屬宮:巽木 屬宮:坎水

• 부모님 임대주택 당첨 결과 문의

복수동효로 살펴보는 사례다. 순서대로 먼저 좌표계를 설정한다. 당첨 결과는 언제가될지 미정이다. 가장 큰 단위인 묘년을 기준으로 한다.

묘년에 상효의 변효 묘목은 진왕으로 +1점, 동효 자수는 묘년을 진생하여 -1점이다. 이효의 변효 인목은 0점이고, 동효 축토는 묘년에 진극받아 -1점이다. 이제 변효와 동효끼리 힘의 크기를 계산하여 변효와 동효의 기본값을 정의 해야한다.

먼저 상효와 이효의 동효는 -1점으로 다른 변효 동효와 왕생극이 없이 그대로 -1의 값으로 가본값이 정해졌다. 남은 묘목과 인목도 왕생극이 없다. 그대로 기본값이 정해진다. 이제 정효와 왕생극을 해본다.

변효 인목은 세효의 힘을 받아 세효는 0점에서 -1점이 된다. 그리고 변효 인목은 사효 부성의 진극을 받아 부성은 +1점이 된다. 사효의 부성은 당첨 문서가 될 수 있다.

임대주택 당첨은 조건에 따라 경쟁자가 있을 수도 없을 수도 있다. 이경우 응효는 자수로 -1점이라 경쟁자가 있었다면 당첨이 더욱 확실하다. 세효가 비록 -1점이라도 결국 변효를 통해 문서를 만들기 때문이다. 당첨되었다.

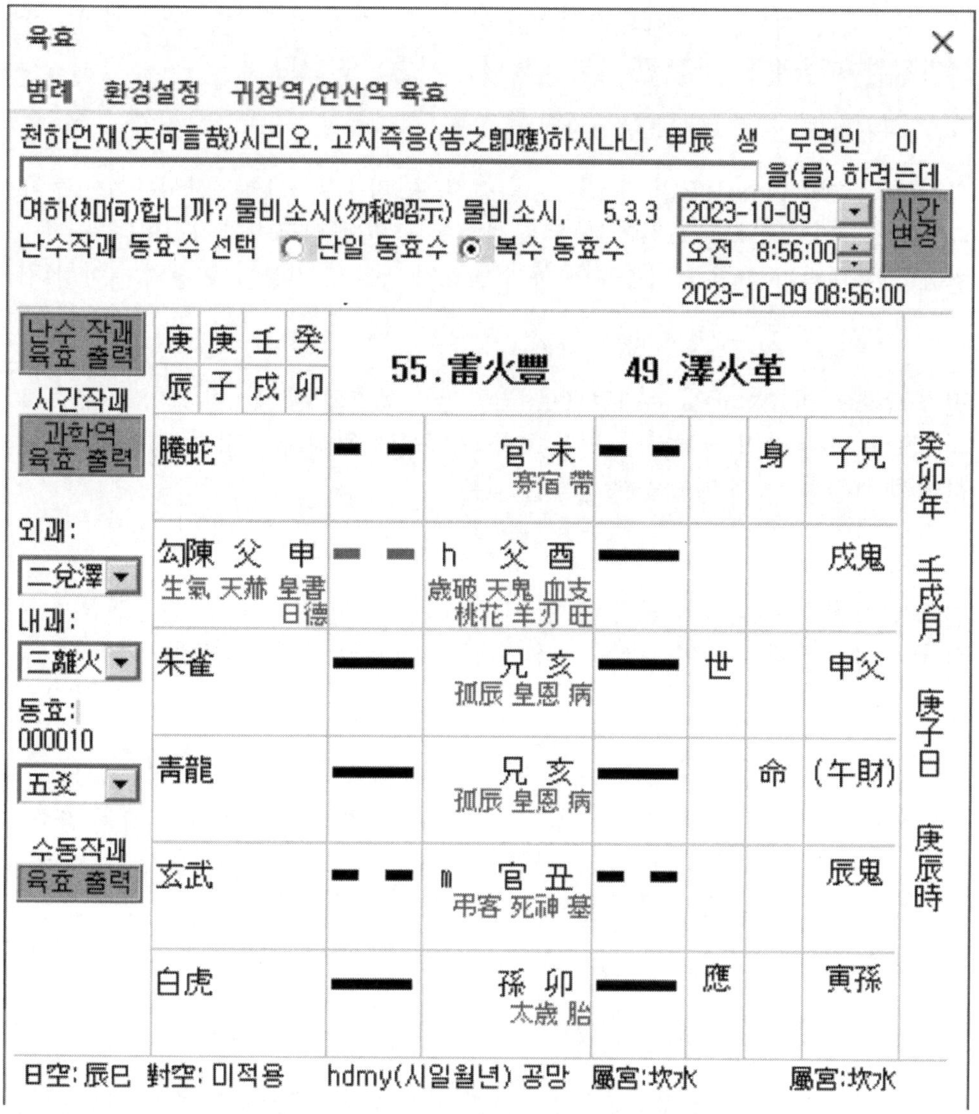

육효

범례　환경설정　귀장역/연산역 육효

천하언재(天何言哉)시리오. 고지즉응(告之卽應)하시나니. 甲辰 생 무명인 이 [　　] 을(를) 하려는데 여하(如何)합니까? 물비소시(勿秘昭示) 물비소시. 5,3,3　2023-10-09　오전 8:56:00　시간변경

난수작괘 동효수 선택 ○ 단일 동효수 ⦿ 복수 동효수

2023-10-09 08:56:00

난수 작괘 육효 출력

시간작괘 과학역 육효 출력

외괘: 二兌澤

내괘: 三離火

동효: 000010

五爻

수동작괘 육효 출력

庚	庚	壬	癸	55.雷火豐		49.澤火革					
辰	子	戌	卯								
騰蛇				▬ ▬	官 未 寡宿 帶	▬ ▬		身	子兄	癸卯年
勾陳 父 申 生氣 天赫 皇書 日德				▬ ▬	h 父 酉 歲破 天鬼 血支 桃花 羊刃 旺	▬▬▬			戌鬼	壬戌月
朱雀				▬▬▬	兄 亥 孤辰 皇恩 病	▬▬▬	世		申父	庚子日
青龍				▬▬▬	兄 亥 孤辰 皇恩 病	▬▬▬		命	(午財)	庚辰時
玄武				▬ ▬	m 官 丑 弔客 死神 墓	▬ ▬			辰鬼	
白虎				▬▬▬	孫 卯 太歲 胎	▬▬▬	應		寅孫	

日空: 辰巳　對空: 미적용　hdmy(시일월년) 공망　屬宮:坎水　屬宮:坎水

• 강서구청 보궐선거에서 야당 후보가 당선되겠습니까?

세효는 야당후보로 놓고 본다. 야당 후보를 기준으로 육효점을 쳤기 때문이다. 그래서 세효는 야당, 세효의 경쟁 상대 응효는 여당이 된다.

묘년에 변효 신금은 0점, 동효 유금도 0점이다. 그리고 세효는 0점, 응효는 +1점이다. 현재상황은 여당인 응효가 유리해 보인다. 이제 변효와 동효로 왕생극하여 결과인 정효의 세효와 응효의 힘의 세기를 비교한다.

변효 신금은 세효 해수를 진생하여 힘을 준다. 세효는 +1점이다. 게다가 변효 신금은 부성으로 문서, 임명장이라 볼 수 있는데 이효와 상효인 관성의 진생을 받고 있는 임명장이 세효인 나를 진생하고 있다. 세효에 형제성이 앉았을때엔 '나'라고 본다. 반면에 응효인 묘목은 동효의 진극으로 힘을 빼앗긴다. 그럼에도 묘년에 진왕하여 0점으로 결정되었다. 이 경우 세효인 야당이 굉장히 유리하고 당선 확률이 높다고 볼 수 있다. 이럴때엔 상대측을 기준으로 다른 시각에서 점을 쳐보는 것이 도움이 된다.

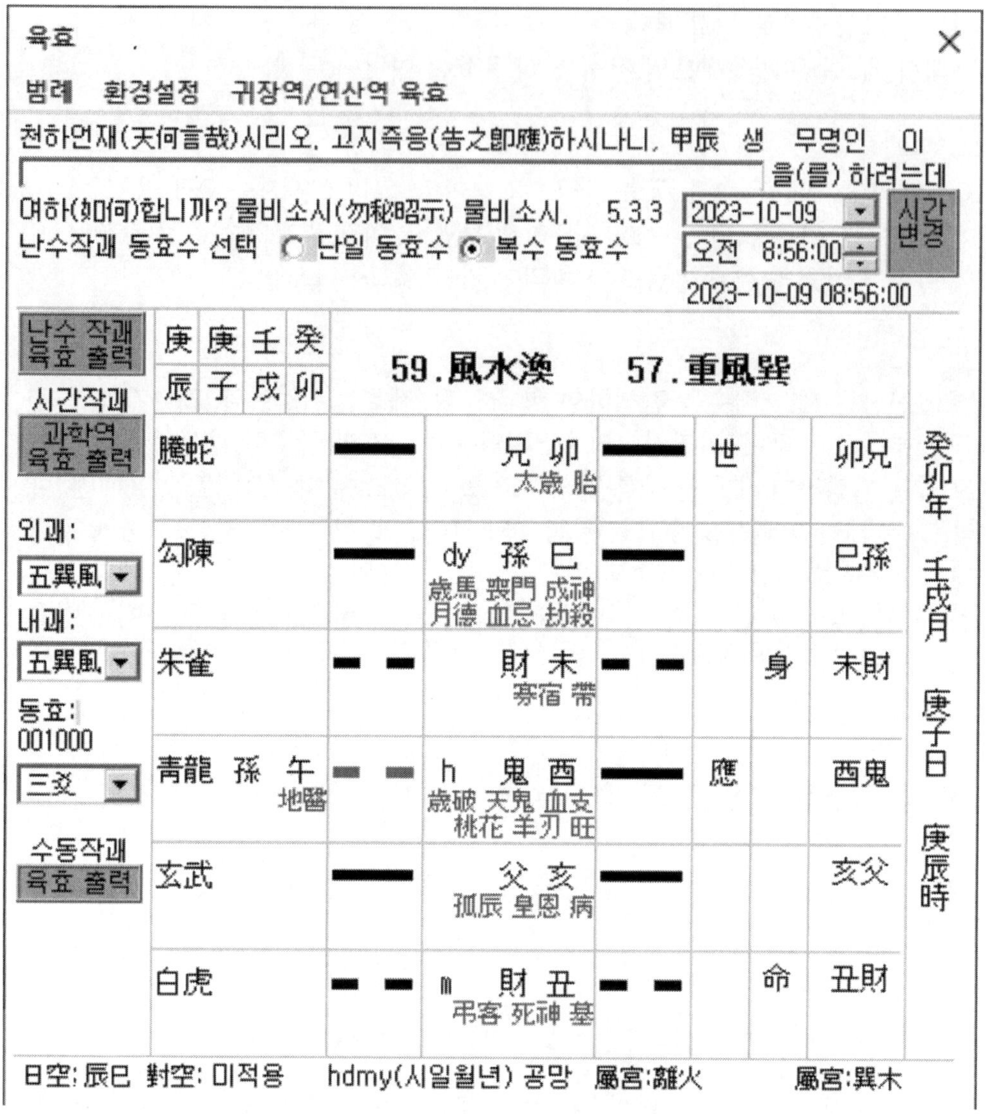

육효

범례 환경설정 귀장역/연산역 육효

천하언재(天何言哉)시리오. 고지즉응(告之卽應)하시나니. 甲辰 생 무명인 이

을(를) 하려는데

여하(如何)합니까? 물비소시(勿秘昭示) 물비소시. 5,3,3 2023-10-09 시간변경

난수작괘 동효수 선택 단일 동효수 복수 동효수 오전 8:56:00

2023-10-09 08:56:00

난수 작괘 육효 출력

시간작괘

과학역 육효 출력

외괘: 五巽風

내괘: 五巽風

동효: 001000

三爻

수동작괘 육효 출력

庚	庚	壬	癸
辰	子	戌	卯

59.風水渙 57.重風巽

六神	伏神	本卦	納甲	變卦	世應	身命	變爻
騰蛇		▬▬▬	兄 卯 太歲 胎	▬▬▬	世		卯兄
勾陳		▬▬▬	dy 孫 巳 歲馬 喪門 戌神 月德 血忌 劫殺	▬▬▬			巳孫
朱雀		▬ ▬	財 未 寡宿 帶	▬ ▬		身	未財
青龍	孫 午 地醫	▬ ▬	h 鬼 酉 歲破 天鬼 血支 桃花 羊刃 旺	▬▬▬	應		酉鬼
玄武		▬▬▬	父 亥 孤辰 皇恩 病	▬▬▬			亥父
白虎		▬ ▬	m 財 丑 弔客 死神 墓	▬ ▬		命	丑財

癸卯年 壬戌月 庚子日 庚辰時

日空: 辰巳 對空: 미적용 hdmy(시일월년) 공망 屬宮:離火 屬宮:巽木

- 강서구청 보궐선거에서 여당 후보가 당선되겠습니까?

세효를 여당 후보로 놓고 본다. 여당 후보를 기준으로 놓고 점을 쳤기 때문이다. 묘년에 변효 오화는 년지로부터 진생 받아 +1점이다. 동효 유금은 년지를 진극하여 힘을 가져온다. +1점이다. 동효는 응효다 응효는 상대측인 야당 후보가 된다. 응효의 초깃값인 관성이 벌써 +1점이다. 야당이 유리하다.

여기서 세효는 묘목으로 묘년에 진왕 받아 +1점이다. 순서대로 세효는 변효를 진생하여 0점이 되고 동효의 진극을 받아 -1점이 되었다. 야당이 당선되었다.

일상 생활

육효 ✕

범례 환경설정 귀장역/연산역 육효

천하언재(天何言哉)시리오. 고지즉응(告之卽應)하시나니. 甲辰 생 무명인 이

을(를) 하려는데

여하(如何)합니까? 물비소시(勿秘昭示) 물비소시. 5,3,3 2023-10-12 시간변경

난수작괘 동효수 선택 단일 동효수 복수 동효수 오전 9:43:00

2023-10-12 09:43:00

난수 작괘 육효 출력

시간작괘

과학역 육효 출력

외괘: 七艮山

내괘: 三離火

동효: 000010

五爻

수동작괘 육효 출력

丁	癸	壬	癸	37.風火家人		22.山火賁				
巳	卯	戌	卯							

白虎	▬▬▬	鬼 寅 病符 死氣 月厭 浴	▬▬▬			寅鬼
騰蛇 父 巳 歲馬 喪門 戌神 月德 血忌 日馬	▬▬▬	hm 財 子 天醫 火鬼 桃花 祿	▬ ▬			子財
勾陳	▬ ▬	兄 戌 天馬 月建 天目 天喜 衰	▬ ▬	應	身	戌兄
朱雀	▬▬▬	財 亥 孤辰 皇恩 旺	▬▬▬			(申孫)
靑龍	▬ ▬	hm 兄 丑 弔客 死神 帶	▬ ▬			(午父)
玄武	▬▬▬	官 卯 太歲 生	▬▬▬	世	命	辰兄

癸卯年 壬戌月 癸卯日 丁巳時

日空:辰巳 對空: 미적용 hdmy(시일월년) 공망 屬宮:巽木 屬宮:艮土

- 소유중인 토지에 가서 전원생활을 하고자 이사를 하려는데 어떨까?

묘년의 환경을 살펴본다. 묘년에 변효 부성은 0점, 동효 재성은 -1점이다. 먼저 동적 현상인 변효와 동효의 기본값이 정해졌다. 재성인 돈이 -1점으로 돈이 없는 상황이다. 이제 상효부터 초효까지 정효의 기본값을 정의해 본다.

묘년에 상효 인목은 0점, 사효 술토는 0점, 삼효 해수는 0점, 이효 술토는 진극 받아 -1점, 초효 묘목은 진왕으로 +1점이다. 세효 나의 머릿속의 관성의 힘이 강하다. 관성은 남편으로 나의 머릿속에 남편이 들어왔다 이사를 하고 싶지만 남편이 걸린다.

이제 변효, 동효와 정효간의 왕생극을 본다. 상효 인목은 변효 사화를 진생하여 -1점이다. 사효는 동효를 진극하려하지만 동효는 -1점으로 힘이 없어 왕생극을 할 수 없다. 삼효 해수는 변효 사화를 진극하여 +1점이다. 이효는 왕생극이 없고 초효도 왕생극이 없다.

그럼 변효, 동효와 왕생극으로 결과값이 정해진 상효와 삼효를 읽는다. 상효 귀성은 -1점으로 문점자의 남편으로 보고 이사를 원치 않는다고 해석할 수 있다. 삼효의 재성 해수는 변효 부성을 극해 +1점이다. 남편은 부성인 토지를 팔아 돈을 만들고 싶다.

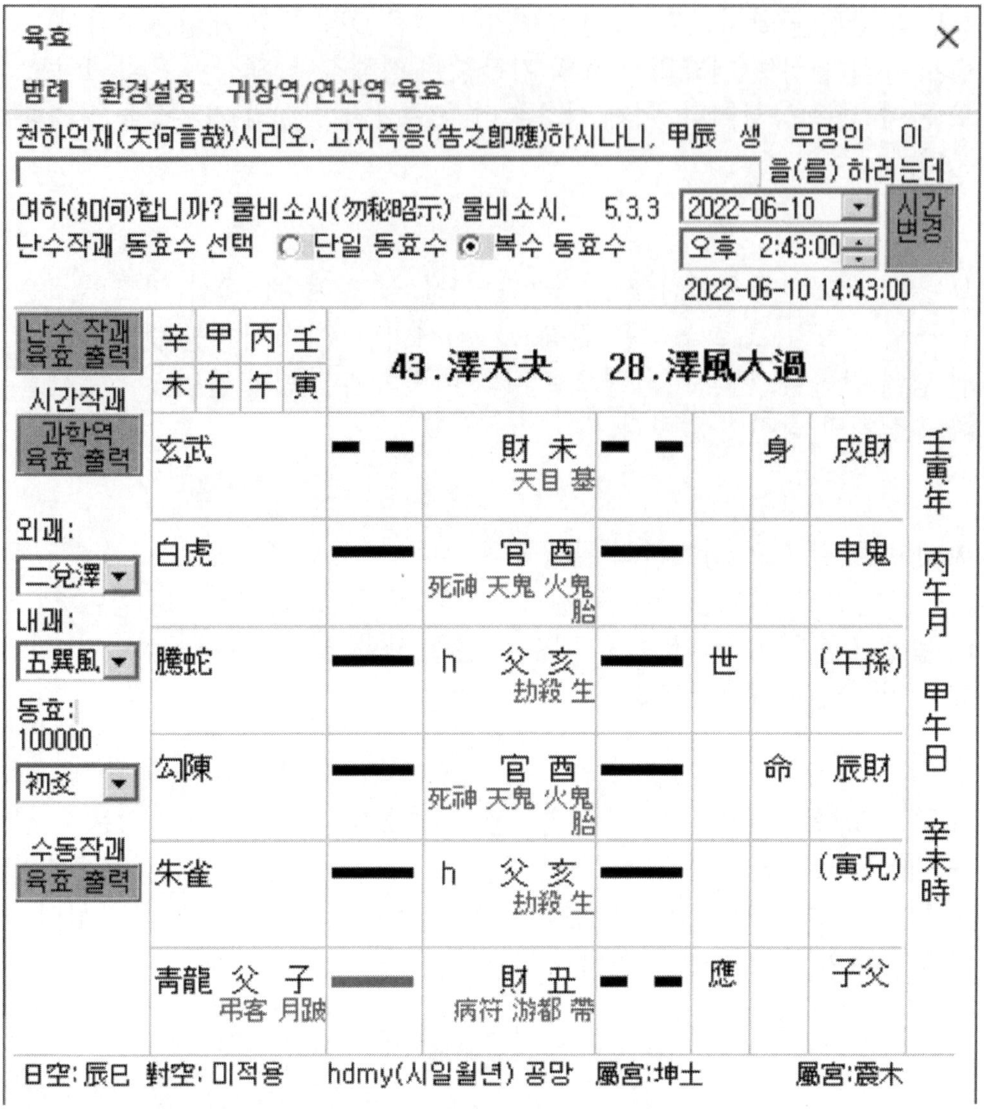

육효 ×

범례 환경설정 귀장역/연산역 육효

천하언재(天何言哉)시리오, 고지즉응(告之卽應)하시나니, 甲辰 생 무명인 이

을(를) 하려는데

여하(如何)합니까? 물비소시(勿秘昭示) 물비소시. 5,3,3 2022-06-10 시간변경

난수작괘 동효수 선택 단일 동효수 복수 동효수 오후 2:43:00

2022-06-10 14:43:00

난수 작괘 육효 출력

시간작괘

과학역 육효 출력

외괘: 二兌澤

내괘: 五巽風

동효: 100000

初爻

수동작괘 육효 출력

辛	甲	丙	壬	43.澤天夬 28.澤風大過						
未	午	午	寅							
玄武				▅ ▅	財 未 天目 墓	▅ ▅		身	戌財	壬寅年
白虎				▅▅	官 酉 死神 天鬼 火鬼 胎	▅▅			申鬼	丙午月
騰蛇				▅▅	h 父 亥 劫殺 生	▅▅	世		(午孫)	甲午日
勾陳				▅▅	官 酉 死神 天鬼 火鬼 胎	▅▅		命	辰財	辛未時
朱雀				▅▅	h 父 亥 劫殺 生	▅▅			(寅兄)	
靑龍 父 子 弔客 月跛				▅▅	財 丑 病符 游都 帶	▅ ▅	應		子父	

日空: 辰巳 對空: 미적용 hdmy(시일월년) 공망 屬宮:坤土 屬宮:震木

• 피싱문자에 거래처로 착각하여 송금을 잘못했다. 돈을 찾을수 있을까?

돈을 찾을수 있을까하는 문제는 시간이 지날수록 확률이 희박하다. 당일과 당월이 중요하다. 이처럼 좌표계는 현재상황에 알맞게 설정해야한다. 당일과 당월을 좌표계로 설정한다.

당일 변효와 동효는 자축 육합으로 동효, 응효인 상대방에 의해 돈이 묶여있다. 그런 와중에 당일은 오일이라 변효와 자오충으로 육합이 풀린다. 육합이 풀리면 왕생극을 이룬다. 오일에 변효 자수는 +1점, 동효 축토는 +1점이다. 현재 상대방이 돈을 가지고 있다.

정효를 계산한다. 상효 재성 미토는 오일에 진생 받아 +1점 오효 관성 유금은 0점, 세효 해수는 0점이다. 상효 재성 미토는 동효 축토에 진왕으로 +1점에서 0점으로 설기 당한다. 오효 관성 유금은 변효 자수를 진생하여 -1점이다. 세효 부성 해수는 동효 축토에 진극 받아 -1점이다.

종합적으로 해석해보면 상효 재성 미토는 응효의 진설기로 있던 돈이 빠져나가고, 관성의 힘은 -1점으로 신고해도 소용이 없음을 이야기한다. 세효의 부성은 -1점이다. 돈을 찾기 어렵다고 볼 수 있다.

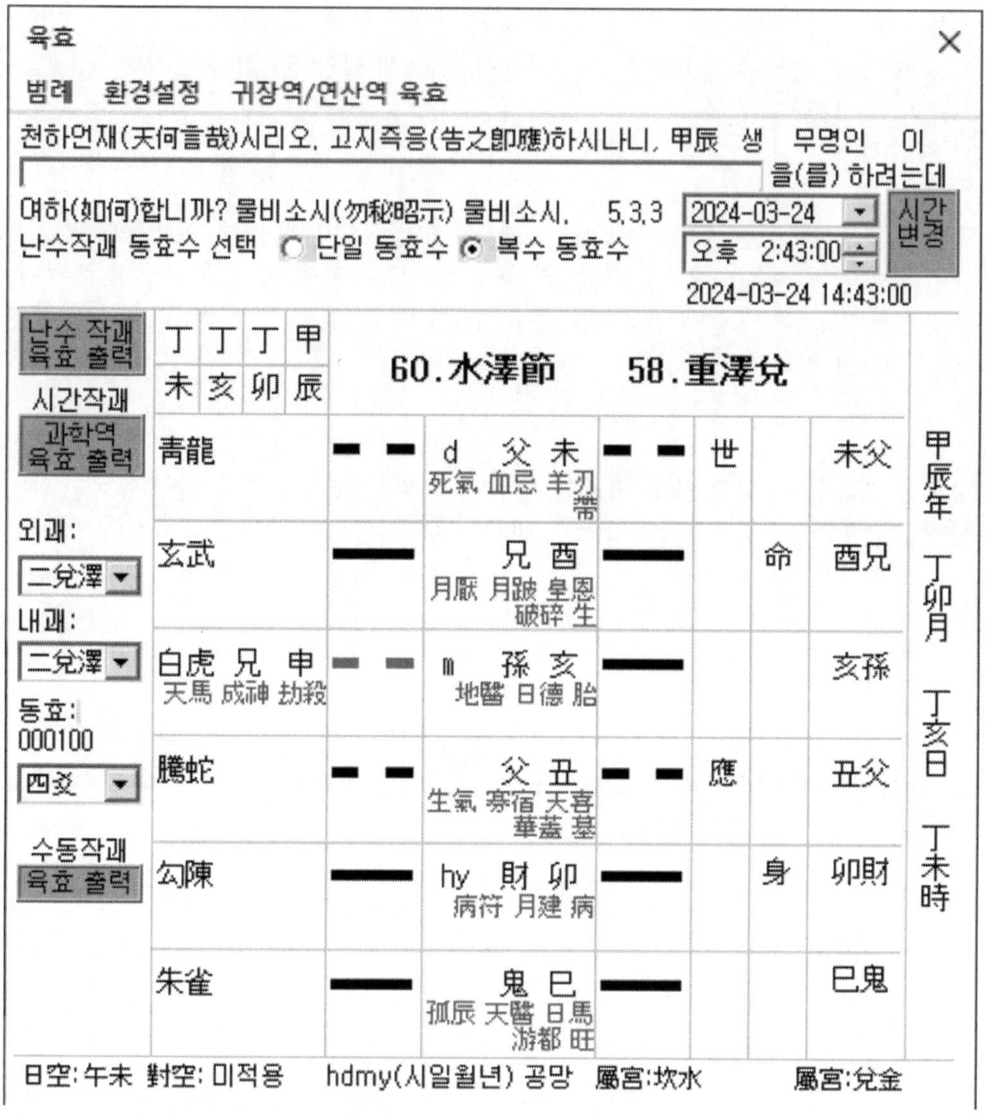

육효

범례 환경설정 귀장역/연산역 육효

천하언재(天何言哉)시리오. 고지즉응(告之卽應)하시나니, 甲辰 생 무명인 이 을(를) 하려는데 여하(如何)합니까? 물비소시(勿秘昭示) 물비소시. 5,3,3 2024-03-24 시간변경

난수작괘 동효수 선택 단일 동효수 복수 동효수 오후 2:43:00

2024-03-24 14:43:00

	丁	丁	丁	甲	60.水澤節		58.重澤兌				
난수 작괘 육효 출력	未	亥	卯	辰							
시간작괘 과학역 육효 출력	青龍				▬ ▬	d 父 未 死氣 血忌 羊刃 帶	▬ ▬	世		未父	甲辰年
외괘: 二兌澤	玄武				▬▬▬	兄 酉 月厭 月跛 皇恩 破碎 生	▬▬▬		命	酉兄	丁卯月
내괘: 二兌澤	白虎 兄 申 天馬 成神 劫殺				▬ ▬	m 孫 亥 地醫 日德 胎	▬▬▬			亥孫	
동효: 000100 四爻	騰蛇				▬ ▬	父 丑 生氣 寡宿 天喜 華蓋 墓	▬ ▬	應		丑父	丁亥日
수동작괘 육효 출력	勾陳				▬▬▬	hy 財 卯 病符 月建 病	▬▬▬		身	卯財	丁未時
	朱雀				▬▬▬	鬼 巳 孤辰 天醫 日馬 游都 旺	▬▬▬			巳鬼	

日空:午未 對空:미적용 hdmy(시일월년) 공망 屬宮:坎水 屬宮:兌金

- 세입자의 경매물건이 잘 팔릴까요?

건물 세입자가 세를 밀리고 도망을 가는 바람에 임대 중인 건물의 세입자의 물건을 경매로 놓았다. 경매일은 다음날이다. 다음날의 일지는 당월의 영향 아래에 있다. 당월을 좌표계로 설정한다.

묘월에 변효 신금은 0점, 동효 해수는 0점이다. 신금은 해수를 진생하여 해수는 신금을 품는다. 변효의 형제성은 말하자면 세입자라고 할 수 있고 동효의 손성은 나의 건물 안 경매물건이라 볼 수 있다.

세효와 응효는 묘월에 진극 받아 -1점, 옹효는 묘월을 진극하여 +1점, 이효는 진왕으로 +1점, 초효는 왕생극 없이 0점이다. 이제 동효와 왕생극을 한다.

세효와 응효는 -1점이다. 그럼에도 손성을 진극한다. -1점이라고해서 진극을 못하지 않는다. 진극은 상대방이 힘이 있다면 가능하다. 오행의 힘은 힘이 있는 쪽에서 없는 방향으로 순환한다. 세효와 응효는 임대인과 입찰자다. 서로는 동효인 경매물건을 두고 거래를 한다. 결과적으로 재성 묘목이 왕하기 때문에 물건은 잘 팔릴 수 있다.

육효를 해석할 때에 모든 효를 일일히 다 해석한다면 해석이 난해해 진다. 항상 좌표계와 변효, 동효로부터 왕생극이 있는 관련상수를 관찰하고 그 힘의 크기를 읽어 주는것이 해석의 기본이다.

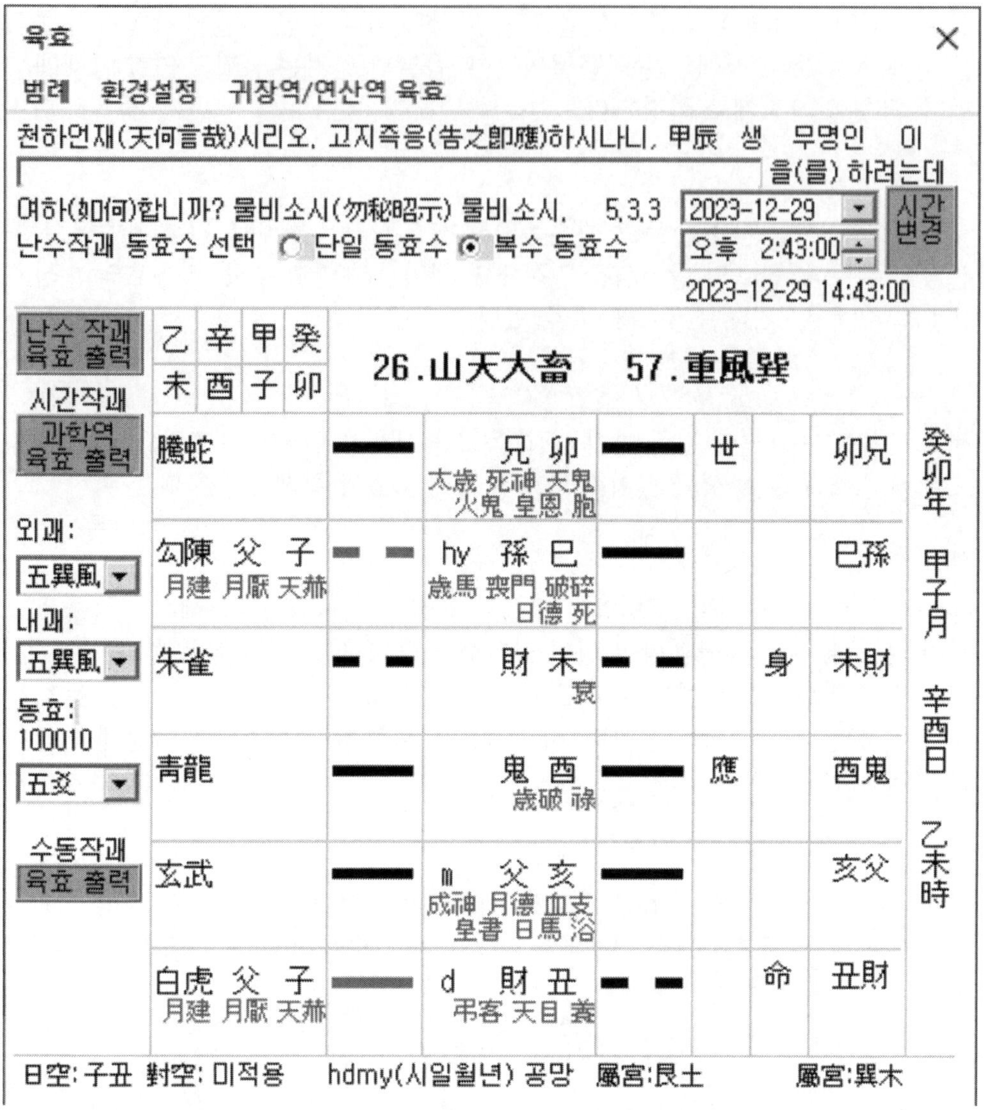

육효 ×

범례 환경설정 귀장역/연산역 육효

천하언재(天何言哉)시리오. 고지즉응(告之卽應)하시나니, 甲辰 생 무명인 이 을(를) 하려는데
여하(如何)합니까? 물비소시(勿秘昭示) 물비소시. 5,3,3 2023-12-29 시간변경
난수작괘 동효수 선택 ○ 단일 동효수 ⦿ 복수 동효수 오후 2:43:00
2023-12-29 14:43:00

난수 작괘 육효 출력
시간작괘
과학역 육효 출력
외괘: 五巽風
내괘: 五巽風
동효: 100010
五爻
수동작괘 육효 출력

乙	辛	甲	癸	26.山天大畜 57.重風巽						
未	酉	子	卯							
騰蛇				━━━	兄 卯 太歲 死神 天鬼 火鬼 皇恩 胞	━━━	世		卯兄	癸卯年
勾陳 父 子 月建 月厭 天赫				━ ━	hy 孫 巳 歲馬 喪門 破碎 日德 死	━━━			巳孫	甲子月
朱雀				━ ━	財 未 衰	━ ━		身	未財	辛酉日
青龍				━━━	鬼 酉 歲破 祿	━━━	應		酉鬼	乙未時
玄武				━━━	m 父 亥 成神 月德 血支 皇書 日馬 浴	━━━			亥父	
白虎 父 子 月建 月厭 天赫				━━━	d 財 丑 弔客 天目 養	━ ━		命	丑財	

日空: 子丑 對空: 미적용 hdmy(시일월년) 공망 屬宮:艮土 屬宮:巽木

• 부모님께 연락이 닿지 않아 걱정이다.

부모님이 연로하면 잠시 연락이 닿지 않아도 별 생각이 다 든다. 먼저 당일에 변효와 동효 자수와 축토는 공망으로 쉬고 있다. 오효의 동효 사화만 활동한다. 동효 사화는 금일을 진극하여 +1점이다. 그리고 부모님을 의미하는 이효 해수는 0점으로 동효 사화를 진극하여 +1점이다.

자녀와 부모님이 심히 다투어 부모님은 자녀의 통화를 받고 싶지 않다. 그럼에도 부모님의 건강이 염려 된다면 신궁을 살피면된다. 부성 해수의 신궁은 상효인 세효의 묘목이다. 세효, 자녀는 부모님의 신체 건강을 머릿속에 두고 있다.

부모님의 신궁은 당일 유금의 진극으로 -1점, 당월 자수의 진생을 받아 +1점, 묘년에 진왕으로 +1점이다. 또한 변효와 동효, 자수와 축토로부터 힘을 받기 때문에 건강에 문제는 없다.

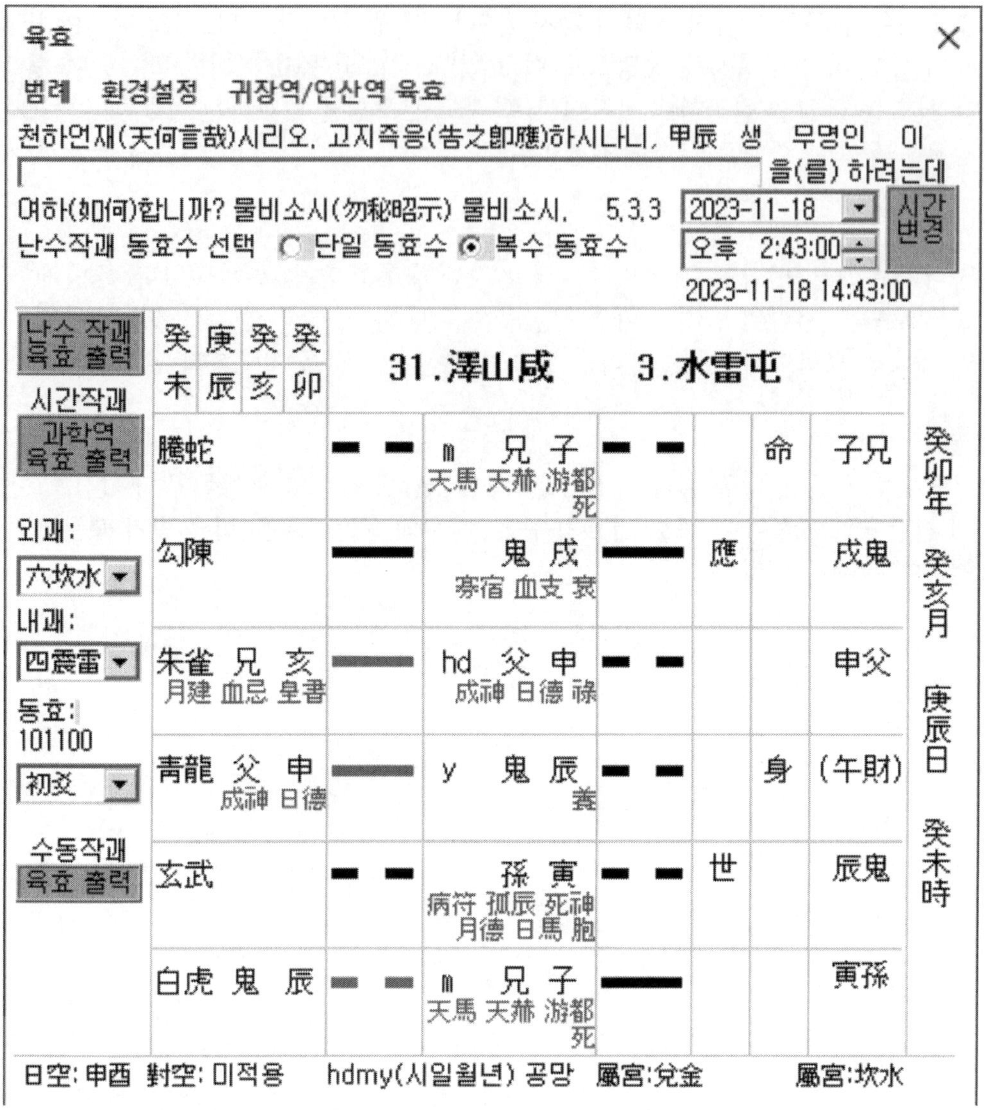

육효

범례　환경설정　귀장역/연산역 육효

천하언재(天何言哉)시리오. 고지즉응(告之卽應)하시나니, 甲辰 생 무명인 이 을(를) 하려는데

여하(如何)합니까? 물비소시(勿秘昭示) 물비소시. 5,3,3　2023-11-18　시간변경

난수작괘 동효수 선택 ○ 단일 동효수 ⊙ 복수 동효수　오후 2:43:00

2023-11-18 14:43:00

난수 작괘 육효 출력	癸	庚	癸	癸	31.澤山咸　3.水雷屯					
시간작괘	未	辰	亥	卯						
과학역 육효 출력	螣蛇		▅ ▅	m 兄 子 天馬 天赫 游都 死	▅ ▅		命	子兄	癸卯年
외괘: 六坎水	勾陳		▅▅▅	鬼 戌 寡宿 血支 衰	▅▅▅	應		戌鬼	癸亥月
내괘: 四震雷	朱雀 兄 亥 月建 血忌 皇書		▅▅▅	hd 父 申 成神 日德 祿	▅ ▅			申父	
동효: 101100 初爻	青龍 父 申 成神 日德		▅▅▅	y 鬼 辰 養	▅ ▅		身	(午財)	庚辰日
수동작괘 육효 출력	玄武		▅ ▅	孫 寅 病符 孤辰 死神 月德 日馬 胞	▅ ▅	世		辰鬼	癸未時
	白虎 鬼 辰		▅ ▅	m 兄 子 天馬 天赫 游都 死	▅▅▅			寅孫	

日空: 申酉 對空: 미적용　hdmy(시일월년) 공망　屬宮:兌金　屬宮:坎水

• 남편이 집을 나갔다. 언제 들어올까?

먼저 현재상황, 당일을 확인한다. 당일 진일에 신유 공망으로 변효, 동효의 신금은 잠재되어 있다. 복수동효라도 하나하나 읽어 나가면 된다. 사효의 변효 해수는 진일에 0점, 삼효의 동효 진토는 진왕으로 +1점, 초효의 변효 진토는 진왕으로 +1점, 초효의 동효 자수는 진극 받아 -1점이다. 삼효의 동효 진토는 초효의 변효 진토를 진왕하므로 둘 중 초효의 변효 진토만 활동한다.

이제 정효를 살핀다. 세효 인목은 진일을 진극하여 +1점이다. 그리고 변효 해수의 진생을 받아 힘이 세다. 힘이 강한 세효는 변효 진토를 진극한다. 세효인 아내의 등쌀에 못이겨 변효 관성인 남편은 괴롭다.

상대방 응효 술토는 진일에 진왕으로 +1점이다. 그러나 변효 진토를 진왕하여 다시 0점으로 돌아온다. 응효인 관성 남편은 +1점에서 0점으로 자리를 비운다. 그러나 -1점이 아니므로 다시 돌아올 수 있다.

남편이 집을 나간 이유는 아내인 세효의 인목이 관성을 극하기 때문이다. 그러나 인목을 제압할 신금은 공망으로 힘이 없고 해월에도 신금의 힘을 빼기 때문에 힘이 없는 반면 인목은 해월의 진생을 받고 힘이 좋다. 인목의 힘을 빼는 신일이나 응효인 관성에게 힘을 주는 사일에 돌아온다. 다음날 사일에 잠시 집에 들렀고 신일에 아예 들어왔다.

응기 시기를 정하는 문제는 이렇듯 가장 가능성이 있는 날짜를 지정한다. 원인과 결과에 따라 대응하며 시기를 정할 수 있다.

육효 ×

범례 환경설정 귀장역/연산역 육효

천하언재(天何言哉)시리오. 고지즉응(告之卽應)하시나니. 甲辰 생 무명인 이

을(를) 하려는데

여하(如何)합니까? 물비소시(勿秘昭示) 물비소시. 5,3,3 2023-11-30 시간변경

난수작괘 동효수 선택 ○ 단일 동효수 ⊙ 복수 동효수 오후 2:43:00

2023-11-30 14:43:00

난수 작괘 육효 출력	丁 未	壬 辰	癸 亥	癸 卯	36.地火明夷 39.水山蹇					
시간작괘 과학역 육효 출력	白虎				▬ ▬	m 孫 子 天馬 天赫 羊刃 旺	▬ ▬		命	未父
외괘: 六坎水	螣蛇 孫 亥 月建 血忌 皇書 日德				▬ ▬	父 戌 寡宿 血支 帶	▬▬▬			酉兄
내괘: 七艮山	勾陳				▬ ▬	兄 申 成神 游都 生	▬ ▬	世		亥孫
동효: 100010 五爻	朱雀				▬▬▬	兄 申 成神 游都 生	▬▬▬		身	丑父
수동작괘 육효 출력	青龍				▬ ▬	d 官 午 天鬼 胎	▬ ▬			(卯財)
	玄武 財 卯 太歲 死氣 火鬼				▬▬▬	y 父 辰 墓	▬ ▬	應		巳鬼

癸卯年 癸亥月 壬辰日 丁未時

日空:午未 對空: 미적용 hdmy(시일월년) 공망 屬宮:坎水 屬宮:兌金

- 반려묘를 잃어 버렸다.

동물은 지지를 붙여 고양이라면 인목을 용신으로 잡을 수도 있으나 반려라는 이름에서 느껴지듯 가족으로 여기는 사람이 더 많다. 그 중에서도 나의 보살핌이 필요한 손성이 용신이다.

진일에 동효 술토와 진토는 진왕으로 +1점, 변효 해수와 묘목은 0점이다. 반려묘를 의미하는 상효의 손성 자수는 진일의 진극을 받아 -1점이다. 반려묘가 사라졌다는 정황이 나왔다. 다시 찾을수 있을까? 반려묘가 다시 돌아올까?

동효 술토와 진토는 손성 자수를 극한다. 안그래도 -1점인데 동효의 진극까지 받는다. 그리고 변효 해수는 세효 신금의 힘을 뺀다. 동효 진토는 응효로 다른집으로 가서 살고 있을 수 있다. 세효인 나는 힘이 빠져 괴로운 상태다.

좌표계를 넓혀 해월과 묘년의 환경 아래에서도 결과는 마찬가지이다. 반려묘를 되찾기는 어렵다. 그나마 반려묘 자수의 신궁, 동효 진토가 힘이 있어 건강상의 문제는 없다고 나온다.

스포츠베팅

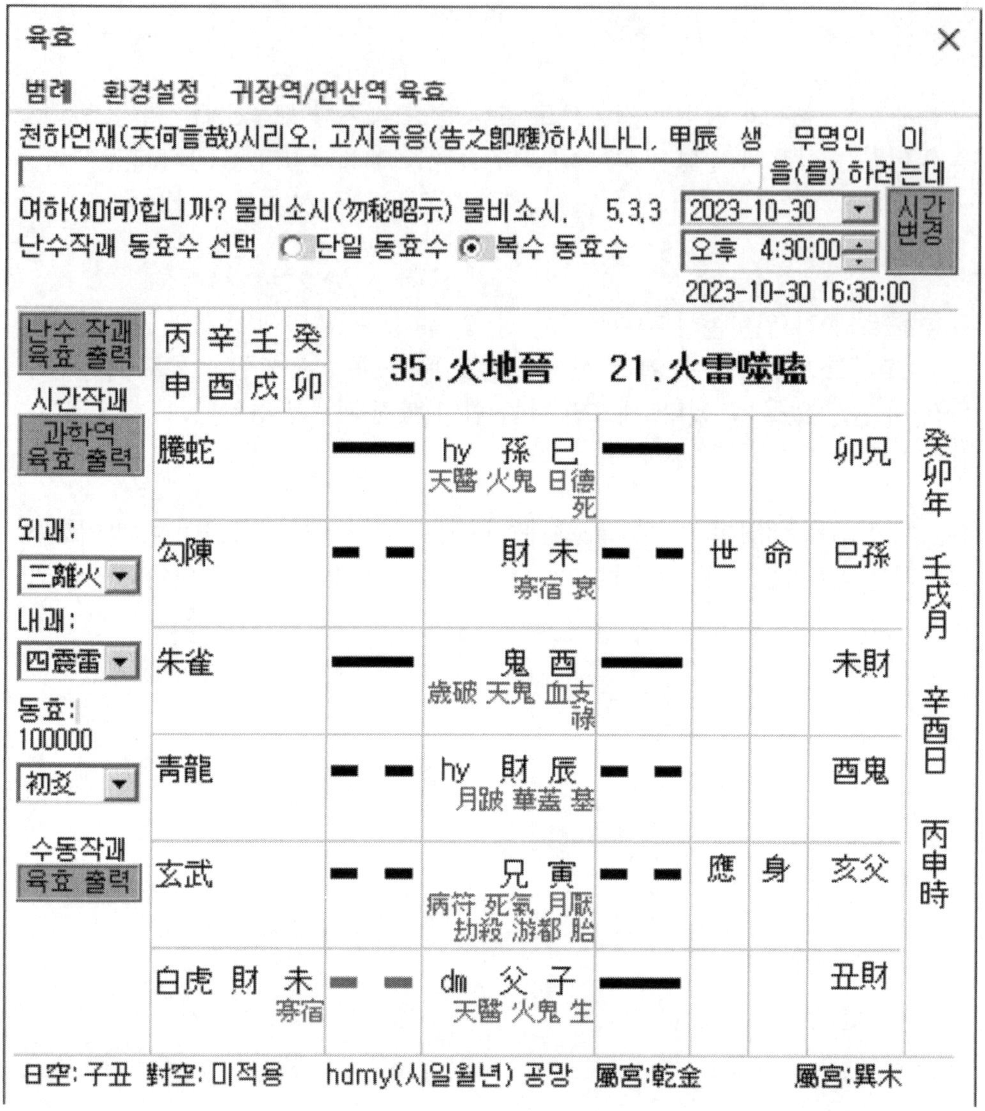

육효 ×

범례 환경설정 귀장역/연산역 육효

천하언재(天何言哉)시리오. 고지즉응(告之卽應)하시나니. 甲辰 생 무명인 이

[ ] 을(를) 하려는데

여하(如何)합니까? 물비소시(勿秘昭示) 물비소시. 5,3,3 2023-10-30 시간변경

난수작괘 동효수 선택 ○ 단일 동효수 ⊙ 복수 동효수 오후 4:30:00

2023-10-30 16:30:00

난수 작괘 육효 출력

시간작괘

과학역 육효 출력

외괘: 三離火

내괘: 四震雷

동효: 100000

初爻

수동작괘 육효 출력

丙 辛 壬 癸 申 酉 戌 卯	35.火地晉	21.火雷噬嗑					癸卯年 壬戌月 辛酉日 丙申時
騰蛇	▬▬▬	hy 孫 巳 天醫 火鬼 日德 死	▬▬▬			卯兄	
勾陳	▬ ▬	財 未 寡宿 衰	▬ ▬	世	命	巳孫	
朱雀	▬▬▬	鬼 酉 歲破 天鬼 血支 祿	▬▬▬			未財	
青龍	▬ ▬	hy 財 辰 月破 華蓋 墓	▬ ▬			酉鬼	
玄武	▬ ▬	兄 寅 病符 死氣 月厭 劫殺 游都 胎	▬ ▬	應	身	亥父	
白虎 財 未 寡宿	▬ ▬	dm 父 子 天醫 火鬼 生	▬▬▬			丑財	

日空:子丑 對空:미적용 hdmy(시일월년) 공망 屬宮:乾金 屬宮:巽木

- 프로토 승부식 127회차 KT(홈):NC(원정) 홈팀의 승리로 베팅하면 수익이 있습니까?

당일 6시 30분 게임으로 당일좌표계를 사용한다. 스포츠게임은 당일 시작하여 당일 승부를 본다. 당일 육효점을 쳤기 때문에 당일만 고려하면 된다.

유일에 변효 재성 미토는 0점, 동효 부성 자수는 +1점이다. 홈팀의 승리로 게임에 베팅하였다. 홈팀은 세효, 원정팀을 응효로 본다. 세효는 유일에 0점, 원정팀은 유일에 0점이다. 여기까지가 기본값이고 변효 미토는 세효 미토를 진왕으로 힘을 빼앗아온다. 세효인 홈팀은 -1점으로 힘이 없다. 홈팀에 베팅하면 세효의 재성이 -1점으로 돈이 날아간다. 5 : 9로 원정팀인 nc가 승리했다.

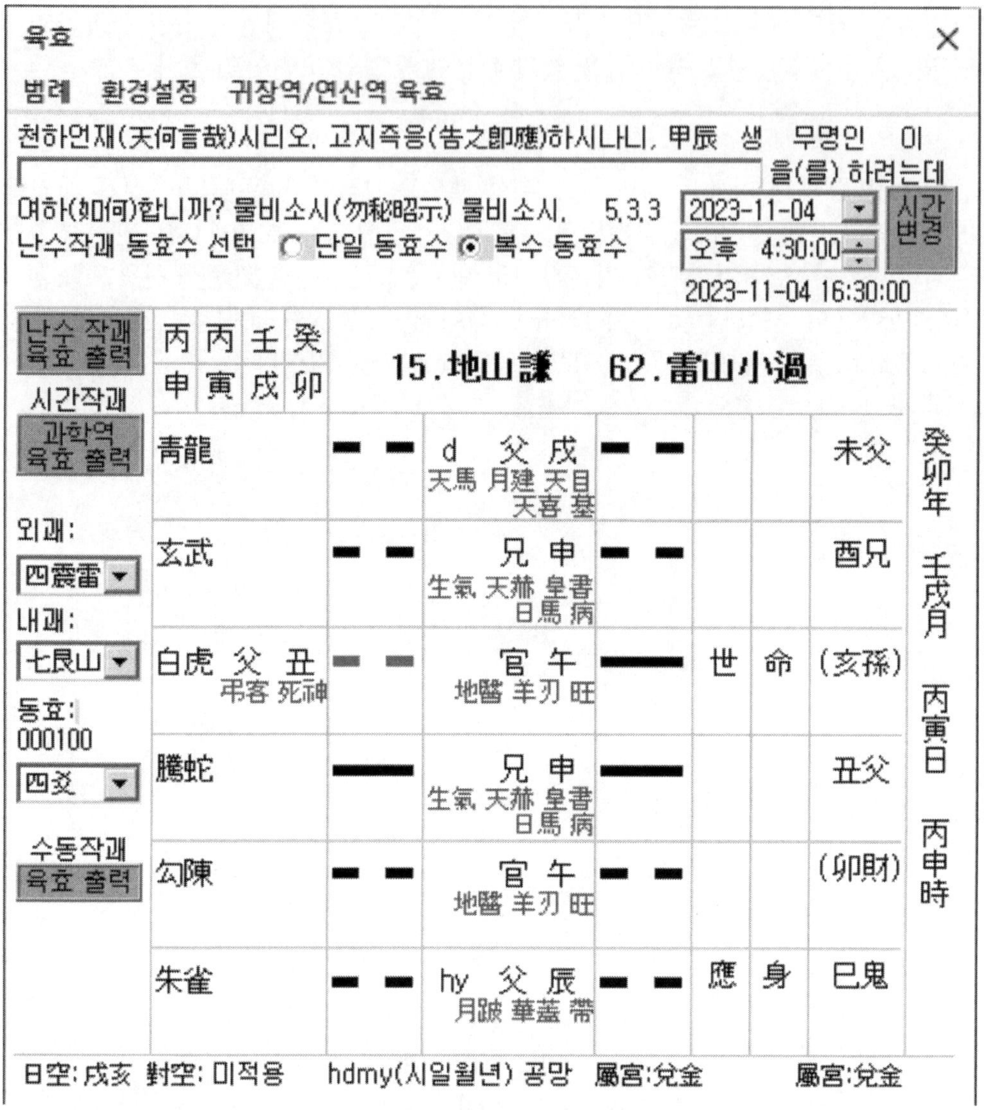

육효 ×

범례 환경설정 귀장역/연산역 육효

천하언재(天何言哉)시리오, 고지즉응(告之卽應)하시나니, 甲辰 생 무명인 이

을(를) 하려는데

여하(如何)합니까? 물비소시(勿秘昭示) 물비소시. 5,3,3 2023-11-04 시간변경

난수작괘 동효수 선택 ○ 단일 동효수 ◉ 복수 동효수 오후 4:30:00

2023-11-04 16:30:00

난수 작괘 육효 출력

시간작괘

과학역 육효 출력

외괘: 四震雷

내괘: 七艮山

동효: 000100

四爻

수동작괘 육효 출력

丙 丙 壬 癸 申 寅 戌 卯	15.地山謙 62.雷山小過						
青龍	▬ ▬	d 父 戌 天馬 月建 天目 天喜 墓	▬ ▬			未父	癸卯年
玄武	▬ ▬	兄 申 生氣 天赫 皇書 日馬 病	▬ ▬			酉兄	壬戌月
白虎 父 丑 弔客 死神	▬ ▬	官 午 地醫 羊刃 旺	▬▬▬	世	命	(亥孫)	丙寅日
騰蛇	▬▬▬	兄 申 生氣 天赫 皇書 日馬 病	▬▬▬			丑父	丙申時
勾陳	▬ ▬	官 午 地醫 羊刃 旺	▬ ▬			(卯財)	
朱雀	▬ ▬	hy 父 辰 月破 華蓋 帶	▬ ▬	應	身	巳鬼	

日空: 戌亥 對空: 미적용 hdmy(시일월년) 공망 屬宮:兌金 屬宮:兌金

- 프로토 승부식 129회차 브렌트퍼:웨스트햄 U/O 2.5 두 팀의 점수 합이 2.5보다 큰 오버로 베팅하면 수익이 있습니까?

위 사례와 마찬가지로 당일 좌표계를 사용한다. 당일 인일에 변효 부성 축토는 0점, 동효 관성 오화는 0점이다. 여기에서 변효 부성이 동효 관성에게 진생을 받는다. 동효는 세효다 변효 부성은 동효를 포함하여 부성은 세효, 나의 문서, 내가 베팅한 게임이다.

나머지 정효 중 같은 부성인 상효와 초효의 술토, 진토는 변효 축토와 왕생극이 없다. 그리고 정효 중엔 재성도 없다. 돈에 관련해선 재성을 제외해 놓고 해석하기가 어렵다. 정효의 아래 숨어있는 복신 중 재성을 찾는다.

이효의 복신 묘목은 재성이다. 재성이 변효 부성 축토를 진극으로 재성은 +1점 힘을 얻는다. 변효, 동효인 세효까지 내가 베팅한 게임으로 복신 재성이 +1점으로 힘을 얻는다. 1:2 합계 3점 오버로 베팅이 적중했다.

육효 ×

범례 환경설정 귀장역/연산역 육효

천하언재(天何言哉)시리오, 고지즉응(告之卽應)하시나니, 甲辰 생 무명인 이 을(를) 하려는데

여하(如何)합니까? 물비소시(勿秘昭示) 물비소시. 5,3,3 2023-11-04 시간변경

난수작괘 동효수 선택 단일 동효수 복수 동효수 오후 4:30:00

2023-11-04 16:30:00

난수 작괘 육효 출력

시간작괘

과학역 육효 출력

외괘: 八坤地

내괘: 一乾天

동효: 000001

上爻

수동작괘 육효 출력

丙	丙	壬	癸
申	寅	戌	卯

26.山天大畜 11.地天泰

青龍 官 寅 病符 死氣 月厭 游都	━━━	孫 酉 歲破 天鬼 血支 破碎 死	━ ━	應		酉孫
玄武	━ ━	d 財 亥 孤辰 皇恩 劫殺 胞	━ ━		身	亥財
白虎	━ ━	m 兄 丑 弔客 死神 養	━ ━			丑兄
騰蛇	━━━	hy 兄 辰 月跛 華蓋 帶	━━━	世		卯鬼
勾陳	━━━	官 寅 病符 死氣 月厭 游都 生	━━━		命	(巳父)
朱雀	━━━	m 財 子 天醫 火鬼 胎	━━━			未兄

癸卯年 壬戌月 丙寅日 丙申時

日空:戌亥 對空: 미적용 hdmy(시일월년) 공망 屬宮:艮土 屬宮:坤土

- 프로토 승부식 129회차 우리은행(홈):BNK(원정) 원정팀의 승리로 베팅하면 수익이 있습니까?

게임은 다음날 묘일에 잡혀있다. 당일에 점을 친게 아니라 그 전 인일에 점을 쳤다. 인일과 묘일을 포함하는 더 큰 주머니인 시간대를 사용해야한다.

술월에 변효 관성 인목은 술월을 진극하여 +1점, 동효 손성 유금은 술월이 진생하여 +1점이다. 원정팀인 비앤케이의 승리로 원정팀의 입장에서 베팅했다. 원정팀이 세효다. 이 부분이 자칫 헷갈릴수가 있다. 육효의 세와 응은 그 기준은 어디에 두느냐에 따라 달라진다. 홈팀은 세효이고 원정팀은 응효로 정해져 있을 것만 같지만 베팅을 하는 순간 베팅을 한 내 편이 세효가 된다.

그러니까 상대방인 응효는 홈팀인 우리은행이다. 응효는 동효 손성으로 우리은행이다. 손성은 초효 자수를 진생하여 초효 재성 자수는 +1점이다. 재성이 술월에 진극받아 -1점이어도 동효가 재성을 진생하기 때문에 결과적으로 0점이다. 응효가 재성을 생하기 때문에 상대팀인 우리은행이 승리한다.

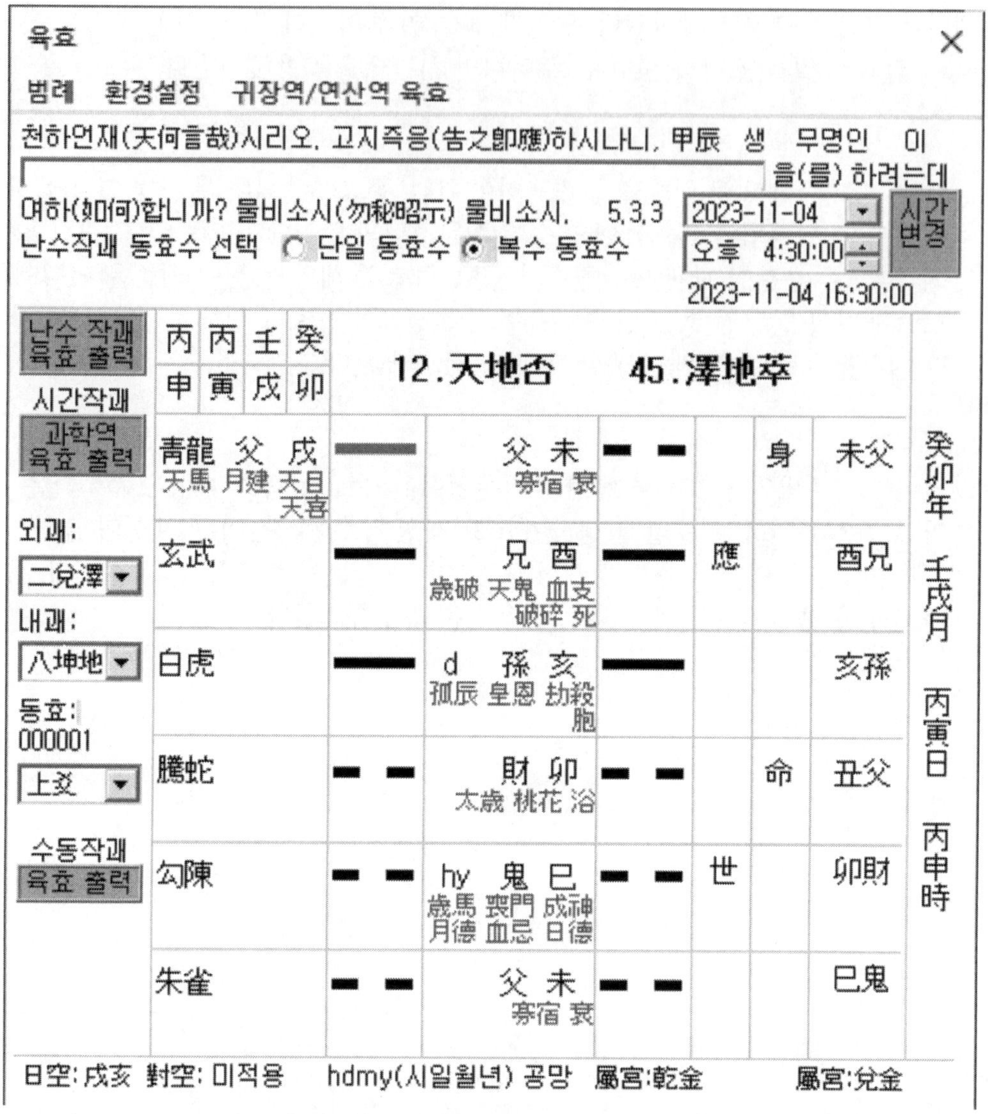

육효

범례 환경설정 귀장역/연산역 육효

천하언재(天何言哉)시리오. 고지즉응(告之卽應)하시나니. 甲辰 생 무명인 이

을(를) 하려는데

여하(如何)합니까? 물비소시(勿秘昭示) 물비소시. 5,3,3 2023-11-04 시간변경

난수작괘 동효수 선택 단일 동효수 복수 동효수 오후 4:30:00

2023-11-04 16:30:00

난수 작괘 육효 출력

시간작괘

과학역 육효 출력

외괘: 二兌澤

내괘: 八坤地

동효: 000001

上爻

수동작괘 육효 출력

丙	丙	壬	癸
申	寅	戌	卯

12.天地否 45.澤地萃

青龍 父 戌 天馬 月建 天目 天喜	▬▬	父 未 寡宿 衰	▬ ▬		身	未父
玄武	▬▬	兄 酉 歲破 天鬼 血支 破碎 死	▬▬	應		酉兄
白虎	▬▬	d 孫 亥 孤辰 皇恩 劫殺 胞	▬▬			亥孫
螣蛇	▬ ▬	財 卯 太歲 桃花 浴	▬ ▬		命	丑父
勾陳	▬ ▬	hy 鬼 巳 歲馬 喪門 成神 月德 血忌 日德	▬ ▬	世		卯財
朱雀	▬ ▬	父 未 寡宿 衰	▬ ▬			巳鬼

癸卯年 壬戌月 丙寅日 丙申時

日空: 戌亥 對空: 미적용 hdmy(시일월년) 공망 屬宮:乾金 屬宮:兌金

- 프로토 승부식 129회차 우리은행(홈):BNK(원정) 홈팀의 승리로 배팅 하면 수익이 있습니까?

이제 반대로 홈팀을 기준으로 육효점을 쳐본다. 홈팀을 기준으로 베팅하였으니 홈팀이 세효가 된다. 좌표계는 위와 동일하게 월지좌표계로 설정한다.

술월에 변효 부성 술토는 진왕 받아 +1점, 동효 부성 미토는 왕생극 없이 0점이다. 이번엔 변효, 동효 모두 세효나 응효가 아니다. 세효 귀성 사화는 술월을 진생하여 -1점이다. 응효 형제성 유금은 술월에 진생 받아 +1점이다. 그럼 힘이 더 강한 응효인 원정팀이 승리하는 것일까?

단순히 경기의 승패를 점쳤다면 원정팀이 승리했을지 모른다. 그러나 육효점을 친 이유는 경기의 승패가 아니라 내가 베팅해서 수익을 얻을수 있는지가 더 중요하다. 삼효의 재성 묘목은 동효 부성 미토를 진극하여 +1점으로 재성의 힘이 강해졌다. 이번 베팅으로 수익을 낼 수있다는 해석이다. 그러므로 홈팀이 승리한다.

육효점을 칠때에 어떻게 질문하느냐에 따라 같은 결과도 다른 방식의 해석법이 나오게 된다. 마치 세효와 응효의 기준을 어디에 두느냐에 따라 세와 응의 대상이 달라졌던 것과 같다.

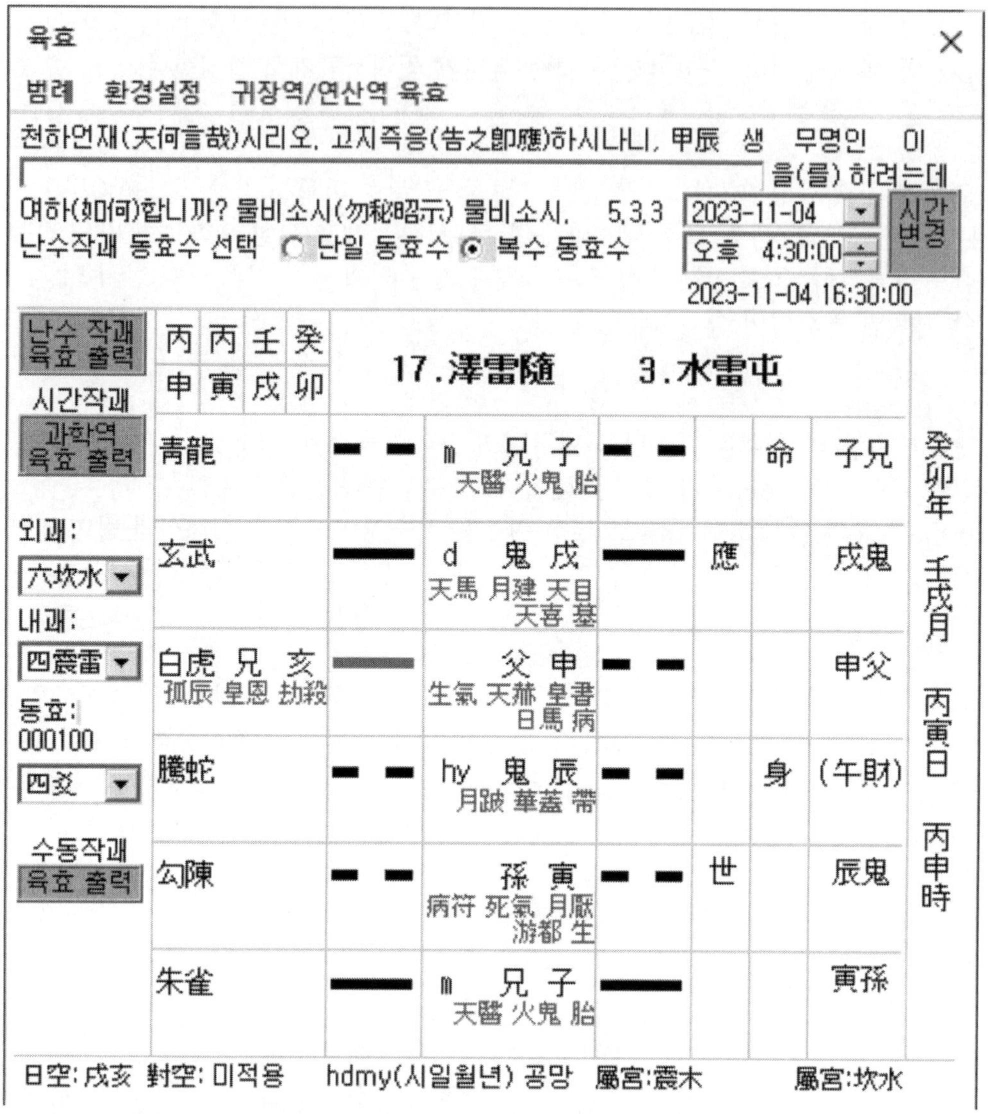

육효

범례 환경설정 귀장역/연산역 육효

천하언재(天何言哉)시리오, 고지즉응(告之卽應)하시나니, 甲辰 생 무명인 이

을(를) 하려는데

여하(如何)합니까? 물비소시(勿秘昭示) 물비소시. 5,3,3 2023-11-04 시간변경

난수작괘 동효수 선택 단일 동효수 복수 동효수 오후 4:30:00

2023-11-04 16:30:00

난수 작괘 육효 출력

시간작괘

과학역 육효 출력

외괘: 六坎水

내괘: 四震雷

동효: 000100

四爻

수동작괘 육효 출력

丙	丙	壬	癸
申	寅	戌	卯

17.澤雷隨 3.水雷屯

靑龍	▬ ▬	m 兄 子 天醫 火鬼 胎	▬ ▬		命	子兄	癸卯年
玄武	▬▬▬	d 鬼 戌 天馬 月建 天目 天喜 墓	▬▬▬	應		戌鬼	壬戌月
白虎 兄 亥 孤辰 皇恩 劫殺	▬▬▬	父 申 生氣 天赦 皇書 日馬 病	▬ ▬			申父	丙寅日
螣蛇	▬ ▬	hy 鬼 辰 月破 華蓋 帶	▬ ▬		身	(午財)	丙申時
勾陳	▬ ▬	孫 寅 病符 死氣 月厭 游都 生	▬ ▬	世		辰鬼	
朱雀	▬▬▬	m 兄 子 天醫 火鬼 胎	▬▬▬			寅孫	

日空: 戌亥 對空: 미적용 hdmy(시일월년) 공망 屬宮: 震木 屬宮: 坎水

- 프로토 승부식 129회차 한국가스(홈):안양정관(원정) 원정팀의 승리로 베팅하면 수익이 있습니까?

전날 베팅한 게임으로 당월 좌표계를 기준으로 해석한다. 당월 술월에 변효 형제성 해수는 0점, 동효 부성 신금은 0점이다. 여기서 동효 신금은 변효 해수를 진생해야하는데 당일 병인일을 비롯한 다음날인 정묘일은 갑자순으로 술해가 공망이다.

당월 좌표계를 활용하고 있어도 당월 전체가 술해 공망으로부터 자유로울 수 없다. 술월에도 공망의 영향력이 미치는 날이 있고 공망을 벗어나는 날이 있다. 경기가 있는 다음날인 묘일에 여전히 술해 공망이 작동하고 있다. 그러므로 변효 해수는 공망이라 다른 오행과 왕생극을 할 수 없다.

변효는 공망으로 잠재되어 있고 동효 신금만 활동한다. 동효 신금은 복신 오화 재성의 진극을 받고 복신 오화 재성은 +1점으로 힘이 강하다. 더구나 오화는 게임 당일 묘일에 일지로부터 진생을 받는다. 원정팀이 승리하여 수익을 낼 수 있다.

육효의 본질은 사건에 있다. 사건이 벌어졌거나 이미 진행되고 있는 지금의 상황이 가장 중요하다. 현실은 이미 일어나고 있기 때문이다. 사건의 본질에 따라 어떤 좌표계를 써야 할지, 오늘, 내일의 일이라면 일지 좌표계를 사용해야 한다. 그러나 그 일이 내년에 들어갈 대학 입시의 일이라면 연지 좌표계를 봐야 할 것이고 지금 당장, 시각을 다투는 문제라면 시진까지 살펴야 한다. 그리고 육효 보다 앞선 현실을 알아야 한다. 육효는 일이 그렇게 될 것이라고 정해진 것이 아니다. 지금 이 상태라면 그렇게 될 수도 있다.라는 가능성이다. 무엇이든 절대적인 것은 없다. 현실은 언제든 변화하고 바뀔 수 있다. 육효로 점을 치는 이유는 일의 성패의 문제보다 지금 그 일이 어떻게 흘러가고 있는지에 대해 알기 위해 사용한다. 상황이 내게 유리한지 불리한지를 알고, 그 문제를 해결해야 할 실마리를 찾아 상황을 바꾸기 위해 육효점을 치고 판을 뒤집는다.

육합과 충동

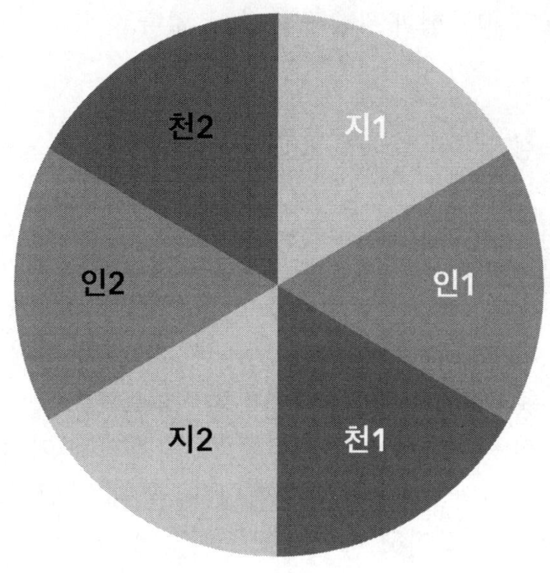

육효의 육합과 충동은 시간합과 공간합으로 정의한다. 육합은 시간합으로 서로 대칭을 이룬 두 개의 공간에 있는 시간을 의미하는 성계가 오행으로써 하나는 양, 하나는 음이 만나 시간합을 이룬다. 이는 공간 안에 깃든 오행이 양음을 합하여 벌어지는 정적 현상으로 왕생극을 멈춘다. 충동은 공간합으로 두 개의 시간대가 대칭을 이루면 하나의 공간에 또 다른 같은 공간이 중복되어 튀는 동적 현상이다. 육효에선 좌표계 오행이 충의 관계로 괘효라는 성계를 만날 때 충동, 암동이라 한다.

'천2'는 양, '지1'은 음으로 서로 다른 공간의 하나의 원이 수직으로 대칭이면 양음을 합하여 합이 된다. '지2'와 '지1'은 같은 '지'의 공간에 음대음이다. 양음은 서로 합하나 음대음은 서로 밀어냄으로 충이다.

시간합과 공간합의 에너지

초효부터 상효까지 순서를 순서수로 변환한다. 하괘의 지, 인, 천과 상괘의 지, 인, 천의 같은 공간상에 있는 1효와 4효를 더한 값은 5다. 2효와 5효를 더하면 7이고 3효와 6효를 더하면 9다. 이는 지, 인, 천의 공간의 합이 서로 다르고 +2만큼의 균등한 차이를 보이며 일정하게 위로 상승하는 공간의 구조적 모습을 보여준다. 이번엔 1효와 6효를 더하고 2효와 5효, 3효와 4효를 더했더니 에너지의 합은 모두 같은 7이 나온다. 7은 시간이 고정된 시간합의 상태다. 괘효는 같은 시간에 벌어지는 공간의 상태 변화가 지 -> 인 -> 천으로 뻗어 나가고 내괘와 외괘로 양분되었다는 것을 알 수 있다.

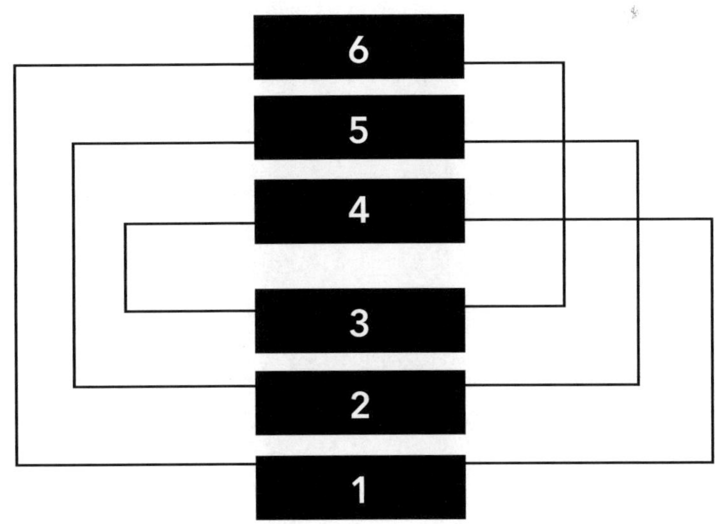

육합, 시간합

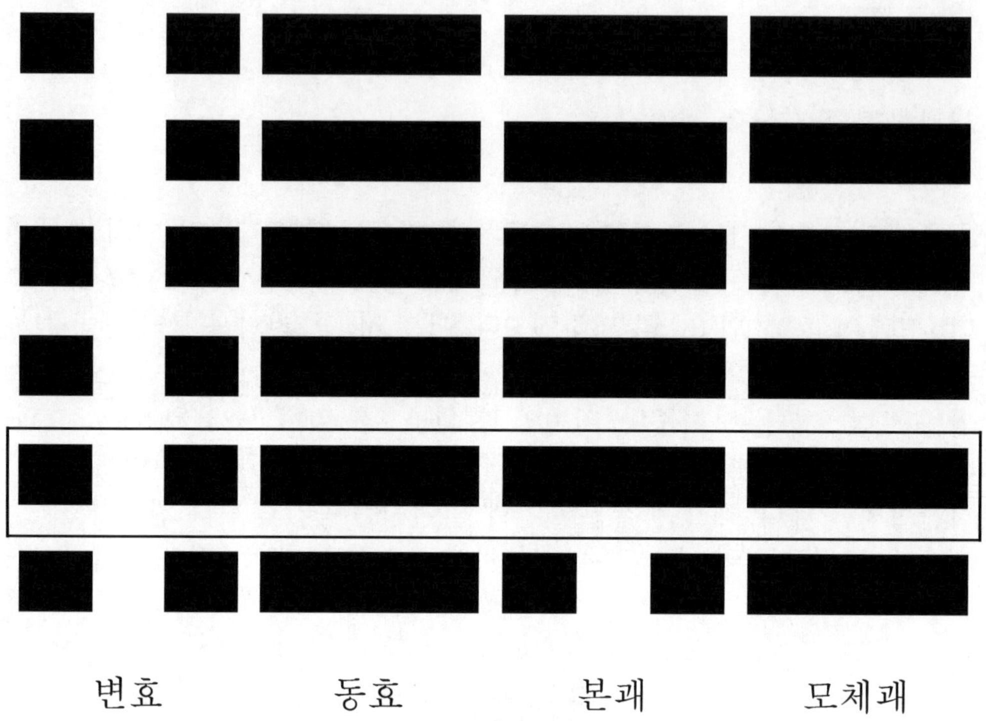

좌표계 안에 성계로 세운 육효괘

공간은 다르지만 같은 시간, 다른 두 개의 공간이 시간에 의해 둘이 하나로 묶여 결합되는 현상이 육합이다. 양과 음은 서로 하나에서 둘로 나누어졌는데 우연히 시간이 정지되었을 때 다른 두 공간에 있던 양음은 정지된 시간이라는 조건 아래 서로 양음을 합하게 된다.

예컨대 12지지 중 양의 순행 음의 역행의 순서로 양의 첫 번째인 자수와 음의 첫 번째인 축토는 양음을 합하여 자축 육합으로 묶인다. 양의와 음의의 두 번째인 인목과 해수도 양음을 합하여 인해 육합으로 묶인다. 시간이 고정된 상태에서 두 공간은 대칭을 이뤄 결합한다. 변효, 동효, 정효, 복신은 서로 육합으로 묶일 수 있는데 변효와 동효는 세기 성질에 의해 각각의 정효와 공간 대칭을 이룬다.

변효와 동효는 정효의 힘의 크기를 정의한다. 각각의 효는 같은 시간적 배경 안, 고정된 시간 속에 있기에 좌표계 안의 성계 사이에서 벌어지는 일로 좌표계라는 고정된 시간적 배경 안에서 성계라는 공간적 배경 안에 있는 괘효는 시간합, 육합으로 묶이게 된다. 양음이 합한 두 오행은 시간이 정지 한 것처럼 서로 왕생극을 멈춘다.

변효와 동효와 본괘와 모체괘는 서로 다른 공간에 있다. 괘 전체는 다른 공간에 있지만 효 하나하나는 좌표계라는 같은 시간 안에 있다. 육합으로 묶여 같은 시간상에 머무른 괘효는 합으로 왕생극을 멈추고 오행의 성질이 강해진다.

충동, 공간합

초효에서 +3 위로 올라가거나 -3 아래로 내려가면 같은 지궁에서 만난다. 육효의 공간은 그 기준이 되는 위치가 어디건 위로 +3 올라가도 아래로 -3 내려가도 내괘 외괘를 따질 것 없이 같은 궁에서 만난다. 그래서 세효와 응효를 나와 같은 공간에 있는 상대방이라 정의한다. 온라인 게임을 할 때 서로 물리적으로 떨어져 있어도 게임을 하는 공간적 배경 안에서 나와 상대는 세효와 응효로 같은 경기장 안에서 만나는 것과 같다. 이렇게 같은 공간 안에서 벌어지는 일을 공간합이라 본다. 12지지의 오행의 관점에선 충을 같은 공간에 있는 공간합이라 하는데 육효에서 충은 좌표계와 변효, 동효, 정효와 같은 성계 사이에 일어나는 충돌로 '충동했다' 혹은 '암동했다' 표현한다. 충동은 공망을 해소하기도, 암동하여 정효를 자세히 읽어주기도 하는 움직임이다. 움직임이 일어나는 배경은 공망으로 빈 공간이 같은 공간을 만나 공망의 자리를 대체하여 공망을 해소하거나, 암동 했을 때에는 같은 공간이 중복되어 튀는 현상이라 말할 수 있다. 공간합은 두 공간이 하나의 공간으로 합을 이루기 때문에 시간대칭의 조건을 갖는다. 각각의 납지가 붙은 괘효인 성계는 좌표계와 충의 관계가 될 수 있다. 이는 시간 대칭이기에 시간의 흐름에 따라 변화하는 좌표값을 가진 좌표계와 대칭을 이룰 수 있어 충은 성계와 좌표계의 조합으로 이루어지고 성계사이에 충은 벌어지지 않는다.

정리하면 육합은 같은 시간 안에서 두 공간이 대칭을 이뤄 시간합으로 묶여버리는 정적 현상이라 말할 수 있고, 충동은 같은 공간이 시간 대칭, 두 개의 시간으로 중복되어 하나를 채우거나 하나가 튀는 동적 현상을 나타낸다. 육합과 충동의 개념으로 동시성과 통시성, 귀장역과 연산역으로 흐르는 시간과 공간에 대한 이해를 더 하고 육효의 구성요소와 작동 방식에 대해 더 자세히 탐구할 수 있었다. 육효는 이 외에도 신살, 육수, 삼합을 포함해 해석하는 방법이 다양하다. 해석의 깊이를 더하고 좀 더 자세한 해석을 원한다면 따로 학습 과정을 거치는것이 좋다. 다만 덧붙인 것들이 해석의 성패를 좌우하진 않기 때문에 더 이상의 설명은 줄인다.

귀장역과 연산역

고대부터 내려와 팔괘의 근간이 되는 주역이 있기 이 전에 하나라의 연산역과 은나라의 귀장역이 있었다. 그러나 현존하는 것은 주역이라고 할 만큼 주역만이 수많은 역학자에 의해 활발히 퍼져나가며 연구를 이어오고 있다. 그러나 비록 실전되었다고 알려진 귀장역과 연산역 역시 주역과 마찬가지로 변화하는 역을 담고 있는 학문이다. 육효를 비롯하여 괘효로 다룰 수 있는 대정수, 하락리수, 범위수, 철판신수, 소자신수, 황극수 등에서 귀장역과 연산역의 원리를 행간에서 찾을 수 있다. 역은 끊임없이 변화하는 지구의 공전과 자전으로 인한 자연 현상을 탐구한다. 북극성을 중심으로 별의 일주운동을 관찰하고 태양의 남중고도 변화 값을 측정하며 계절에 따른 온도 변화와 그 속에서 펼쳐지는 삶의 다양성에 대해 연구한다. 주역, 귀장역, 연산역은 역이라는 공통분모를 갖고 삼라만상을 괘효로써 표현한 삼역이다.

귀장역 팔괘

귀장(歸藏) 또는 귀장(龜藏)이라고 불리는 귀장역의 한자 뜻을 찾으면 다음과 같다. 귀장(歸藏)은 따를 귀에 감출 장을 쓰고 귀장(龜藏)은 거북 귀에 감출 장을 쓴다. 팔괘의 기틀은 기원전 황하 지역에서 발견된 거북이 등껍질에 새겨진 문양이다. 귀장역은 거북이 등껍질에 감춰진 문양을 찾는 것에서 그 의미를 찾는다.

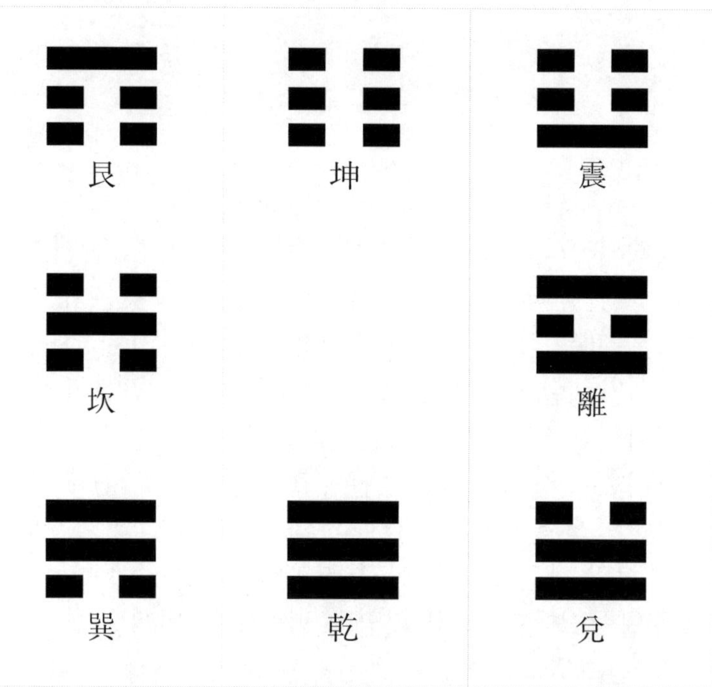

선천팔괘의 배합괘

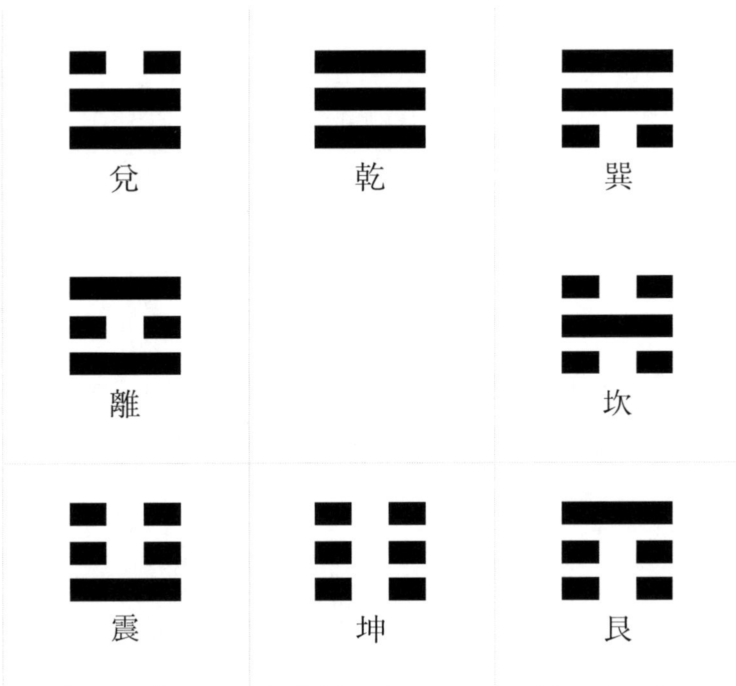

선천팔괘

5	5	5
5		5
5	5	5

선천팔괘와 배합괘의 합

선천팔괘의 배합괘는 양음이 선천팔괘와 상보 결합하여 각각의 괘효는 태극형상수 5를 이룰 수 있도록 한다. 이는 선천팔괘와 동시에 존재하여 분획된 공간대칭의 일종으로 양음이 교대로 대칭을 이룬다. 천인지 삼재는 구궁의 팔괘로 분획되기도 하지만 동전의 앞뒷면과 같이 선천팔괘를 앞면에 선천팔괘의 배합괘를 그 뒷면에 두고 천인지 삼재의 삼천양지를 분획한다.

건괘의 배합괘는 곤괘가 되고 곤괘의 배합괘는 건괘가 되어 곤괘는 위로 가고 건괘는 아래로 내려온다. 태괘와 간괘의 양음을 변환하고 리괘와 감괘가 교대하고 진괘와 손괘가 대칭을 이룬다. 선천팔괘의 양승음강에서 선천팔괘의 배합괘는 양강음승의 순서로 뒤집어진다. 공간 대칭을 이룬다는 것은 사람이 직립으로 서있다가 물구나무를 서면 세상이 정반대로 보이는 것처럼 공간을 뒤집어 같은 선상에 놓는 것이다. 마치 양각에서 음각으로 시선을 달리하여 그 반대편 너머에 있던 감춰진 것을 찾아낸다. 귀장역 팔괘는 선철팔괘를 따르는 그 이면에 감춰진 심연이다. 선천팔괘와 함께 동시에 존재하여 하나였던 선천팔괘를 둘고 쪼개고 다시 하나로 만들어 결합한다.

선천팔괘가 양의 값을 갖는다면 귀장역 팔괘는 음의 값을 갖는다. 천인지 삼재의 평균값 5는 삼천양지로 나누어진다. 선천팔괘가 3, 귀장역 팔괘는 2로 하나였던 태극형상수 5는 둘로 나누어진다. 삼천양지가 괘효로 나누어지거나 공간 대칭으로 나누어지는 두 가지 방식 중 귀장역 팔괘는 후자에 속한다. 괘효로 나누어진 선천팔괘는 주역의 관점에서 다룬 주역의 선천팔괘다. 그러니까 귀장역 팔괘는 주역의 선천팔괘를 양음 교대 대칭을 이용한 공간을 이분하여 만든 주역의 선천팔괘의 뒷면이다.

귀장역 육효

주역의 선천팔괘가 드러난 현실이라면 귀장역 팔괘는 드러나지 않은 속내다. 지금까지 육효는 주역의 선천팔괘를 기초로 설계했다. 그렇다면 육효괘를 얻고 그 육효괘를 양음 교대 대칭을 이용해 육효괘의 전체 배합괘를 얻으면 귀장역으로 변환한 육효괘를 뽑을 수 있다.

귀장역 육효는 주역 육효를 원본으로 두는 숨겨진 괘효다. 육효는 기본적으로 내 머릿속의 생각을 드러내는 것에서 시작한다. 귀장역 육효는 드러나지 않은 이면을 다룰 수 있게 된다. 나의 마음속 사정이 그대로 귀장역 육효에 스며든다. 주역 육효는 현상에 대응하여 실제 일어나고 있는 사건이 객관적으로 나타나는데 반해 귀장역 육효는 나의 생각, 나의 바람, 나의 의지가 주역 육효의 배합괘 안에 숨겨져 있어 육효 괘를 뽑고 그를 바탕으로 배합괘를 만들면 귀장역 육효를 통해 인간 내면의 심리를 꿰뚫어 육효점을 쳤을 때 나의 생각과 일치하는지 응기의 여부를 확인하고 나 혹은 내담자의 속마음을 더 정밀히 진단할 수 있다. 육효와 귀장역 육효는 모두 내가 머릿속에 떠올린 생각이 하나는 세상과 연결되어 나타나고 하나는 그 너머에 감춰져 뒤를 따르게 된다. 감춰진 괘효를 귀장역을 활용해 육효로 구현한 것이 귀장역 육효다. 양음을 바꾼다는 것뿐, 귀장역 육효도 육효와 마찬가지로 납지를 붙이고 모체괘의 오행을 찾아 십성을 붙이면 귀장역 육효는 완성된다.

연산역 팔괘

서로가 존재의 기반이 되는 주역과 귀장역은 동전의 양면처럼 둘은 한 묶음이다. 점을 치는 순간에 주역 육효는 사건이 일어나는 실상으로 드러나고 귀장역 육효는 내 마음의 표상으로 양분된다. 이는 점학에서 사용되는 동시성으로 시간을 고정한 채 공간 대칭을 이용해 주역과 귀장역은 육효를 통해 괘효로 사건을 나타낸다.

그럼 연산역은 어떨까? 귀장역은 주역과 공간 대칭으로 이루어져 있고 연산역은 주역과 시간 대칭으로 이루어져 있다. 공간 대칭은 같은 선상의 한 물체가 두 개의 거울로 대칭되어 양쪽에 같은 모양이 나타나 있는 것을 이야기한다. 공간대칭의 예로 들 수 있는 데칼코마니는 양쪽에 같은 모양으로 마치 나비 처럼 그림이 찍힌다. 이 그림을 관찰자의 입장에서 보면 좌우가 달라져 있는 것을 알 수 있다. 거울을 서로 마주 보고 있을 땐 모습이 동일하지만 관찰자의 입장에서 보면 좌우가 달라져 있다.

시간이 대칭된다는 것은 시간의 방향성이 반대가 된다는 의미가 될 수 있다. 흐르는 시간을 돌려 과거로 흐르게 하는 것이 시간 대칭이다. 시간 대칭은 현실에 존재하기가 어렵다. 무엇이든 빛 보다 빠른 속도로 시간을 거슬러 갈 수가 없다. 그러나 괘효로써 다루는 시간은 되돌릴 수 있다. 카메라의 필름을 되감듯이 주역의 선천팔괘를 이루는 조건들을 모두 뒤집는다면 시간 대칭을 구현해 연산역을 규명할 수 있다.

주역의 선천팔괘를 이루는 조건은 다음과 같다.

- 양승음강, 양의는 위로 올라가고 음의는 아래로 내려간다.
- 양의역행 음의순행, 양의의 회전 방향은 반시계 방향으로 역행하고 음의의 회전 방향은 시계방향으로 순행한다.

위 조건과 반대로 시간을 돌리듯이 주역의 선천팔괘가 연산역의 팔괘로 돌아가는 과정을 살펴보자. 먼저 사정방의 건괘와 곤괘의 자리를 바꾼다. 양승음강에서 양강음승으로 건괘는 아래로 곤괘는 위로 올라간다. 그리고 리괘와 감괘의 자리를 바꾼다. 건곤괘를 축으로 리괘와 감괘의 자리도 바꿔야 한다.

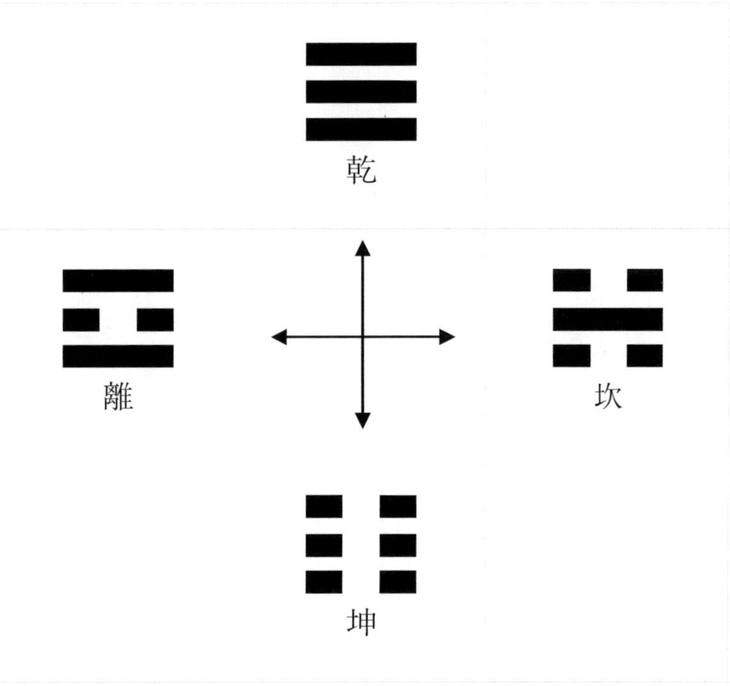

건괘와 곤괘, 리괘와 감괘가 자리를 바꾼 거리는 사우방에 자리한 괘가 바뀌어야 할 거리와 같아야 한다. 시간은 일정한 속도로 흐른다. 그럼으로 거리도 일정하다. 그리고 그 방향은 시간의 역순인 반시계방향으로 돌아간다. 필름을 되감아야하니까. 사우방의 손괘는 태괘의 자리로 태괘는 진괘의 자리로 진괘는 간괘의 자리로 간괘는 손괘의 자리로 회전한다. 이에 따라 양의는 아래로 음의는 위로 올라가고 양의는 순행하며 음의는 역행하는 주역의 선천팔괘를 이루는 조건과 반대로 팔괘의 배치가 달라졌다.

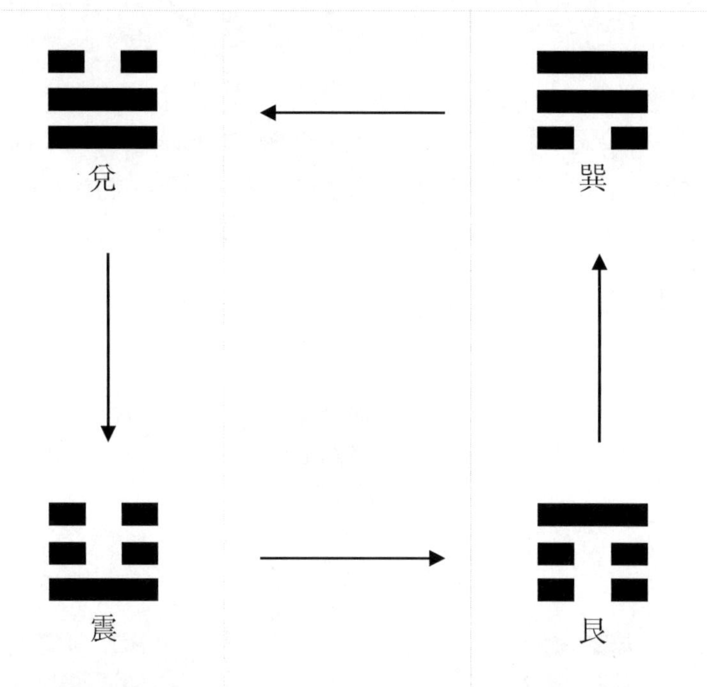

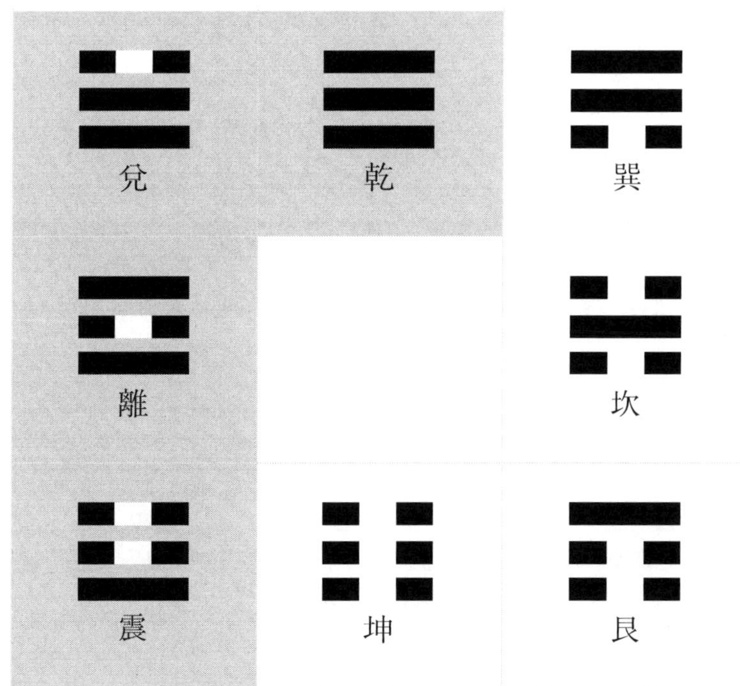

선천팔괘

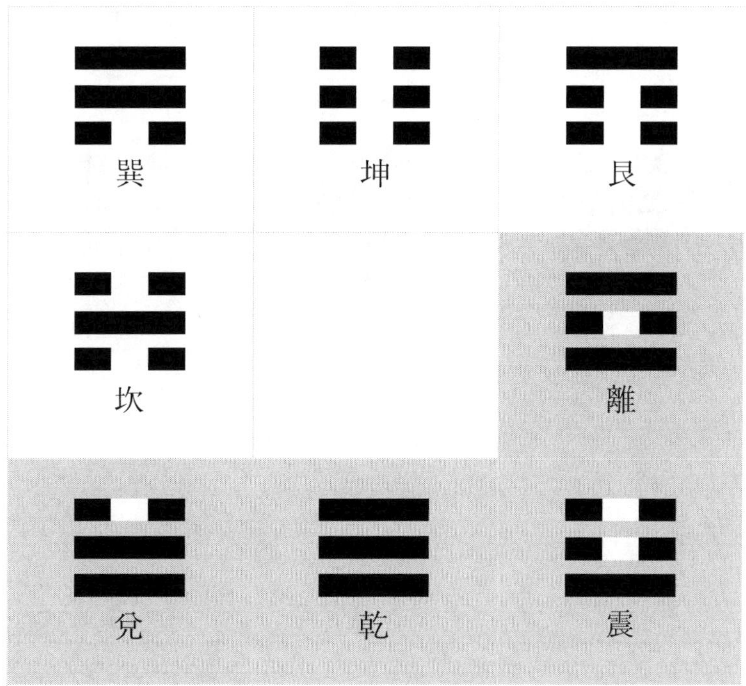

자리를 바꾼 선천팔괘

그런데 시간 대칭을 이루려면 공간 대칭이 시간을 고정했던 것처럼 시간 대칭은 공간을 고정해야 한다. 동공성을 띠는 같은 공간이라야 시간 대칭을 이룰 수 있다. 주역의 선천팔괘의 양의와 음의의 공간과 연산역 팔괘의 양의와 음의의 공간의 틀이 같아야 한다. 여기까지 주역의 선천팔괘는 세로로 양의와 음의가 나누어져 있는데 반해 아직까지 자리를 바꾼 선천팔괘는 가로로 양의와 음의가 나누어져 있다. 동공성을 주기 위해서 반시계 방향으로 시간의 역순으로 모든 괘를 한 칸씩 이동해 본다.

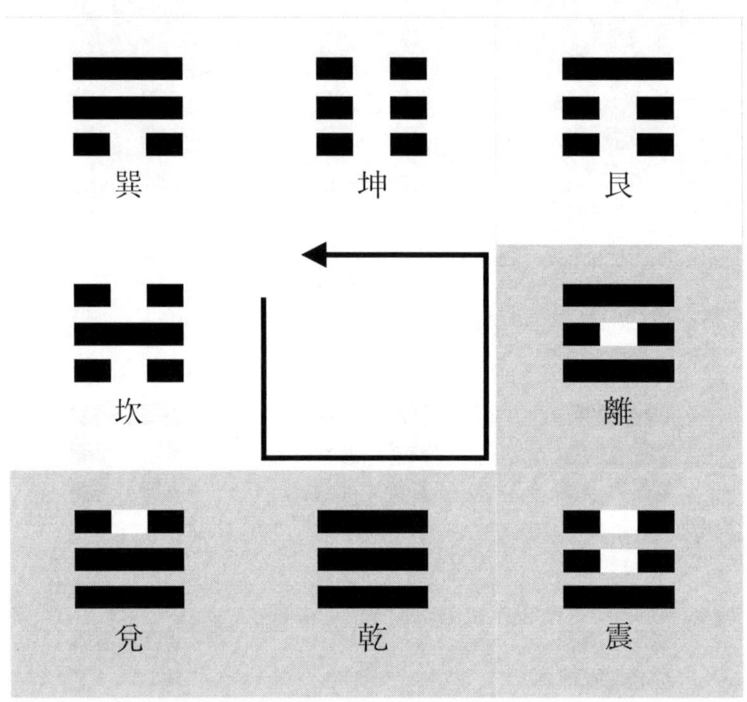

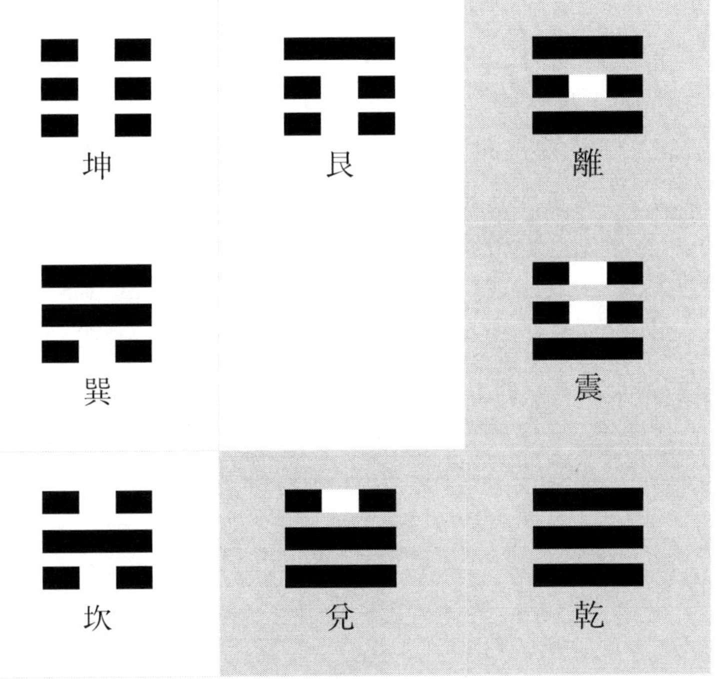

연산역 팔괘의 완성

전역적으로 주역의 선천팔괘와 공간의 틀이 같아지고 국소적으론 양음을 달리하며 연산역 팔괘의 모든 괘는 주역의 선천팔괘와 하나도 겹치지 않고 반대되는 조건을 갖추었다.

주역과 반대되는 연산역 팔괘의 조건
- 양의는 아래에 음의는 위에 있는 양강음승.
- 양의는 순행하고 음의는 역행한다.

그리고 시간대칭에 의한 공간을 고정한 형태의 양의와 음의의 분포는 테칼코마니 처럼 좌우를 반대로 세로로 공간의 틀이 같게 분획되어 연산역 팔괘가 완성되었다.

연산역 팔괘는 간괘가 주역의 선천팔괘의 건괘의 자리 앉아 간괘가 의미하는 산을 써 연산역이라고 부른다. 건괘는 하늘을 의미하고 곤괘는 땅을 의미하고 간괘는 경계선을 의미한다. 하늘과 땅의 경계에 있는 간괘는 산이다. 산은 땅이 위로 솟구친 모양인데 땅이 하늘에 닿기 위해 올랐지만 아래의 음효가 있어 무거운 땅은 흙이라 결국 하늘이 되지 못하고 산이 되었다. 그러나 연산역은 간괘가 하늘의 자리에 올라서 경계선을 넘었다. 그래서 연산역의 連(연)은 잇닿을 연 자를 쓴다. 하늘에 닿기를 바랐던 간괘가 하늘의 자리에 닿아 연산역이 되었다. 산은 하늘과 땅의 경계에 있는 많은 것들을 품고 있다. 사람과 자연, 생명이 그 속에서 다양성을 간직하고 살아간다. 연산역은 그 삶에 관한 이야기다. 연산역이 점학보다 명학에 쓰임이 있는 것은 그 삶을 탐구하는 과정이 팔괘에 녹아있기 때문이 아닐까.